Raptor와 Python으로 배우는 소프트웨어 기초설계

하옥균 저

YD Edition 연두에디션

저자 소개

하옥균 okha@ikw.ac.kr

경상국립대학교 정보과학 공학박사

경운대학교 항공소프트웨어공학과 교수

- 항공소프트웨어설계, 항공시뮬레이션, 병렬처리시스템

본 교재는 교육부 및 한국연구재단의 4차산업혁명혁신선도대학사업의 연구결과로 수행되었음.

Raptor와 Python으로 배우는

소프트웨어 기초설계

발행일 2021년 11월 30일 초판 1쇄
지은이 하옥균
펴낸이 심규남
기 획 염의섭 · 이정선
표 지 김보배 | **본 문** 이경은
펴낸곳 연두에디션
주 소 경기도 고양시 일산동구 동국로 32 동국대학교 산학협력관 608호
등 록 2015년 12월 15일 (제2015-000242호)
전 화 031-932-9896
팩 스 070-8220-5528
ISBN 979-11-88831-98-2
정 가 22,000원

이 책에 대한 의견이나 잘못된 내용에 대한 수정정보는 연두에디션 홈페이지나 이메일로 알려주십시오.
독자님의 의견을 충분히 반영하도록 늘 노력하겠습니다.
홈페이지 www.yundu.co.kr

※ 잘못된 도서는 구입처에서 바꾸어 드립니다.

PREFACE

"소프트웨어는 더 이상 컴퓨터 엔지니어나 과학자들의 전유물이 아니다.
소프트웨어는 교육의 대상이면서, 컴퓨터를 다룰 수 있는 방법이자
컴퓨팅 사고를 통해 문제를 해결하게 하는 도구로 인식되어야 한다."

4차 산업혁명 기술의 발전에는 소프트웨어의 역할이 매우 크고 중요한 요소로 자리매김하고 있다. 특히 오늘날 인공지능의 눈부신 발전은 GPU를 비롯한 컴퓨터와 같은 하드웨어 성능의 발전과 더불어 알고리즘을 구현하는 소프트웨어가 뒷받침하지 못하면 결코 이루기 어려운 결과일 것이다. 이러한 소프트웨어는 컴퓨터나 소프트웨어공학을 전공하는 학생들뿐만 아니라 다양한 전공 분야에서 기본적으로 갖추어야 할 기본적인 역량으로 인식되고 있다.

본 교재는 기초 코딩 역량 향상을 위해 소프트웨어 설계라는 개념을 확립하기 위한 목적으로 구성되었다. 또한, 문제를 직관적으로 이해하고 분해하여 소프트웨어로 해결할 수 있는 알고리즘 사고와 검증을 위한 간단한 구현 능력을 향상시키는데 중점을 두었다. 이를 위해 순서도 기반의 랩터를 알고리즘 수립을 위한 도구로 사용하고, 파이썬으로 설계된 알고리즘을 구현하게 함으로써 소프트웨어 기초 설계를 위한 학습이 이루어질 수 있게 구성하였다.

소프트웨어의 중요성이 증가함에 따라 컴퓨터 프로그램을 위한 다양한 언어의 학습용 교재가 활용되고 있다. 그러나 기존의 학습교재(특히 프로그래밍 언어용 학습교재)에서 다루는 내용이 프로그래밍 언어의 문법이 중심이 되는 것이 컴퓨터 프로그래밍을 학습하고 만드는 과정이 즐거운 경험이길 바라는 소프트웨어 공학자이자 교육자 중 한 사람으로서 매우 아쉬움이 많았다. 이는 문법 위주의 프로그래밍 학습이 교재를 맹목적으로 따라하게 만듦과

동시에 창의적인 코딩에 대한 즐거움을 감소시키는 데 어느 정도 영향을 주기도 하기 때문이다. 따라서, 본 교재에서는 알고리즘 설계를 위한 기초 지식과 설계된 알고리즘을 구현하는 데 필요한 파이썬의 기능적인 요소들을 소개하고, 파이썬 프로그래밍 언어의 문법적인 설명은 최소화하였다. 이는 컴퓨터 프로그래밍을 처음 접하거나 시도하는 공학계열의 학생들의 학습에 유용할 것으로 기대한다.

본 교재는 1장과 2장에서 컴퓨팅 사고와 알고리즘 사고 수립을 위한 기초 지식과 프로그램에서 다루는 프로그램 논리를 이해하고, 알고리즘 수립 및 소프트웨어 구현을 위해 필요한 요소들에 대한 요소들에 대해 학습한다.

3장과 4장에서는 소프트웨어 설계에서 기본적으로 알아야하는 논리적인 절차 수립의 과정을 선택 논리와 반복 논리를 활용하여 명시할 수 있는 역량을 함양하기 위해 단계적으로 문제를 제시하고 랩터로 설계하고 이를 파이썬으로 구현하는 학습을 진행한다.

5장에서는 함수에 대한 개념과 소프트웨어 설계 시에 활용하는 방법에 대해 학습하고, 함수를 사용하여 제시된 문제를 분할하여 알고리즘을 수립 · 해결하는 방법을 학습한다.

6장에서는 시뮬레이션을 위한 소프트웨어 설계에 대해 이해하고 기초적인 물리적 반응을 시뮬레이션에 반영하는 방법을 학습할 수 있게 구성하였다. 이를 통해 공학 분야에서 다루는 다양한 문제를 소프트웨어로 해결하는 방법에 대해 학습한다.

7장에서는 데이터를 다루기위한 탐색과 정렬을 이해하고 이를 바탕으로 실제 소프트웨어 설계에서 활용할 수 있는 문제를 제시하여 스스로 해결 방법을 학습할 수 있게 하였다. 8장에서는 컴퓨터 프로그래밍 방법 중 하나인 객체지향 설계에 대한 이해와 이를 이용한 소프트웨어 설계와 구현에 대해 간략하게 다룬다. 9장에서는 컴퓨터에서 활용하는 파일의 읽기 및 쓰기를 활용하는 방법을 학습할 수 있게 하였다.

끝으로 실전 프로젝트를 통해 지금까지 학습한 내용의 응용과 심화 학습을 위한 문제를 제시하여 소프트웨어 설계 능력 향상이 가능하도록 하였다.

본 교재를 통해 습득한 소프트웨어 설계 역량을 다양한 전공에서 제시되는 문제해결의 활용에 도움이 되길 기원한다. 마지막으로 미천한 원고의 출판을 위해 도움 주신 도서출판 연두에디션과 관계자 여러분들께 진심으로 감사드린다.

2021년 11월

저자 **하옥균**

CONTENTS

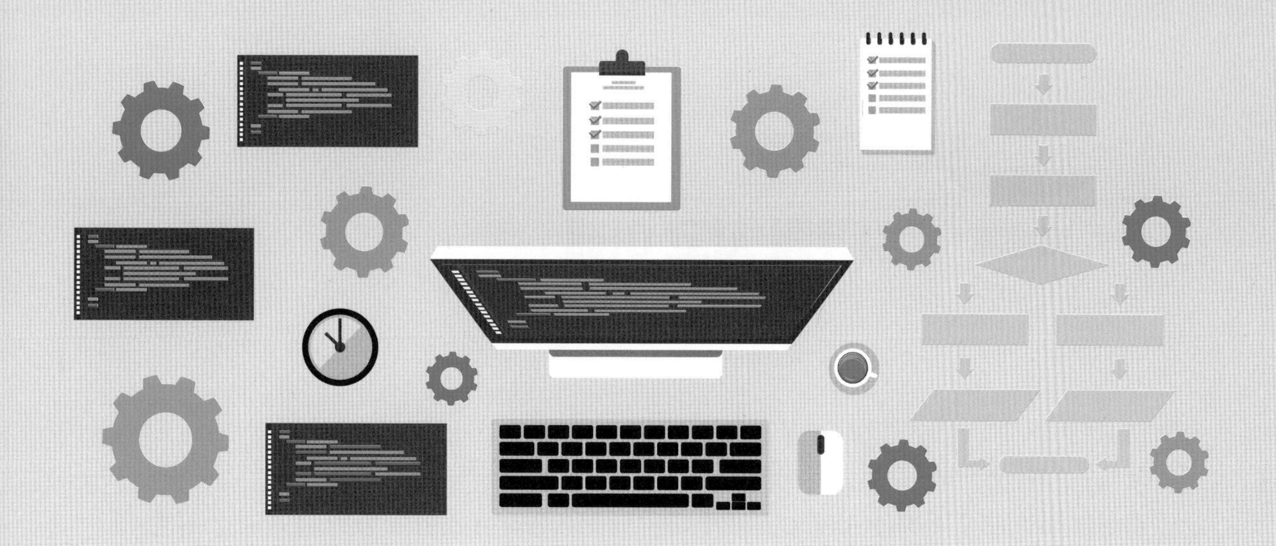

CHAPTER 1

컴퓨팅 사고와 소프트웨어

컴퓨팅 사고 이해

컴퓨팅 사고(Computational Thinking)는 컴퓨터(또는 사람)가 효과적으로 업무나 일상을 수행할 수 있도록 문제를 정의하고 그에 대한 답을 기술하는 것이 포함된 사고 과정 일체를 일컫는다. 이는 모든 인간이 컴퓨터나 컴퓨터 전문가처럼 생각하는 것을 의미하지 않는다. 즉 컴퓨팅 사고는 컴퓨터 과학자 뿐만 아니라 누구나 배워서 활용할 수 있는 보편적인 사고이자 기술로 읽고, 쓰고, 말하는 능력처럼 필수적인 능력으로 자리매김하고 있다.

인간은 어려운 문제를 만났을 때 문제 해결을 위해 효율적인 방법을 찾으려고 시도한다. 컴퓨팅 사고는 이러한 과정에서 문제를 분해하고, 연관된 변수와 모든 가능한 해법을 고려하여 올바른 의사결정을 내릴 수 있게 도움을 준다. 특히 복잡하고 규모가 큰 문제의 경우 컴퓨팅 사고와 더불어 문제 해결 방법인 알고리즘을 수립하여 효율성 측면에서 상당한 개선을 달성할 수도 있다.

1.1 컴퓨팅 사고의 특징

컴퓨팅 사고는 다수의 학자들에 의해 다양한 개념과 정의가 소개되어 왔다. 그 중 카네기 멜론 대학의 지넷 윙(Jeannette M. Wing)교수는 "Computational Thinking"이라는 글을 통해 "컴퓨팅 사고의 핵심은 프로그래밍이 아닌 개념화"에 있다고 제시하였다. 그리고 알고리즘과 전제조건과 같은 단어가 일상화되고, 비결정성(Nondeterminism)과 가비지 컬렉션(Garbage Collection)과 같은 용어가 컴퓨터 과학자들이 쓰는 것과 같은 뜻으로 일반인도 사용하게 될 때 컴퓨팅 사고는 보편화 및 일상적인 개념이 된다고 소개하였다.

이러한 지넷 윙 교수는 이러한 개념을 전제로 컴퓨팅 사고에 대해 다음과 같이 소개했다.

① 컴퓨팅 사고의 핵심은 프로그래밍이 아닌 개념화에 있다.

컴퓨터 공학은 컴퓨터 프로그래밍이 아니다. 컴퓨터 공학자와 같이 사고한다는 것은 컴퓨터 프로그래밍을 할 줄 아는 것, 그 이상이다. 여러 단계의 추상화를 통해 사고하는 것이 컴퓨팅 사고이다.

② 컴퓨팅 사고는 단순 반복적인 기술이 아닌 모든 사람이 갖춰야 하는 핵심 역량이다.

단순 반복은 기계적인 반복을 뜻한다. 모순 같지만 컴퓨터 공학자들이 인공지능에 대한 궁극적인 과제인 "인간처럼 사고하는 컴퓨터"를 만들기 전까지 컴퓨팅 사고는 기계적 사고에 머물 것이다.

③ 컴퓨팅 사고는 컴퓨터가 아닌 인간의 사고 방법이다.

컴퓨팅 사고는 인간이 문제를 해결하는 방법의 하나로 인간이 컴퓨터처럼 사고하는 것을 뜻하는 것이 아니다. 컴퓨터는 따분하고 지루한 반면 인간은 영리하며 상상력이 풍부하다. 인간은 컴퓨터기기에 인간의 영리함을 불어 넣어 컴퓨팅 시대 이전에는 상상도 못한 문제를 해결하고 있다.

④ 컴퓨팅 사고는 수학적 사고와 공학적 사고를 보완하고 결합한다.

모든 과학 분야가 수학에 기초하고 있듯 컴퓨터 공학 역시 수학적 사고에 기반하고 있다. 또한 컴퓨터 공학은 실제로 사용될 시스템을 설계하는데 쓰이기 때문에 공학 기술적 사고에 기초하고 있기도 하다. 컴퓨터 엔지니어는 컴퓨팅기기의 한계로 인해 수학적 사고와 컴퓨팅 사고를 발휘할 수 밖에 없지만 한편으로는 자유롭게 가상현실을 만들 수도 있기 때문에 물질로 이루어진 세상을 초월한 시스템을 구상하는 것도 가능하다.

⑤ 컴퓨팅 사고는 인공물이 아닌 아이디어이다.

우리가 만든 소프트웨어와 하드웨어만이 우리 생활의 일부가 된 것이 아니다. 문제를 해결하기 위해, 일상생활을 꾸려나가기 위해, 다른 이들과 소통하기 위해 발전된 컴퓨팅적 개념 또한 우리의 삶의 구석구석에 막대한 영향을 끼치고 있다.

⑥ 컴퓨팅 사고는 모두를 위한 것이다.

컴퓨팅 사고가 인간 활동에 필수 요소가 되어 더 이상 특수한 철학으로 존재하지 않을 때 그것은 자연스러운 삶의 일부가 될 것이다.

1.2 컴퓨팅 사고 증진을 위해 필요한 핵심 요소

컴퓨팅 사고는 컴퓨터에 대한 단순한 지식 중심의 학습이나 교육이 아니라 컴퓨팅에 대한 이해를 통해 창의적인 문제 해결 방안을 도출하는 것이다. 이러한 컴퓨팅 사고의 과정에서 분해(Decomposition), 패턴 인식(Pattern Recognition), 추상화(Abstracion), 알고리즘(Algorithm)을 통해 복잡한 시스템을 설계하거나 어려운 문제를 해결하는 능력을 향상 시킬 수 있다.

① 분해(Decomposition) : 복잡하고 방대한 크기의 문제를 작게 분할하는 것을 의미한다. 문제가 작아지면 답을 찾기가 쉽기 때문이다. 수학문제를 풀 때, 좌변과 우변을 나누어 각각의 수식을 해결하여 전체적인 방정식을 풀어가는 과정도 일종의 분해에 해당한다. 그리고 이러한 분할된 문제를 각각의 그룹이나 전문가 집단이 경험과 기술을 적용하면서 자연스럽게 협업(Collaboration) 능력도 기를 수 있다.

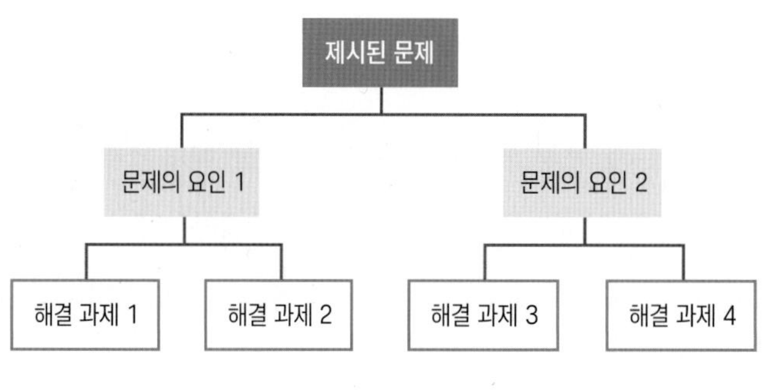

그림 1-1 문제 분해 구조

② 패턴 인식(Pattern Recognition) : 문제가 가지는 규칙성이나 동향을 관찰하는 행위를 의미한다. 즉, 공통된 특징을 파악하는 능력이다. 수열에서 각각의 수식이 1씩 증가하는 규칙을 찾아내는 것이나 구구단을 이용하여 곱셈의 패턴을 외우는 행위도 패턴 인식에 해당한다.

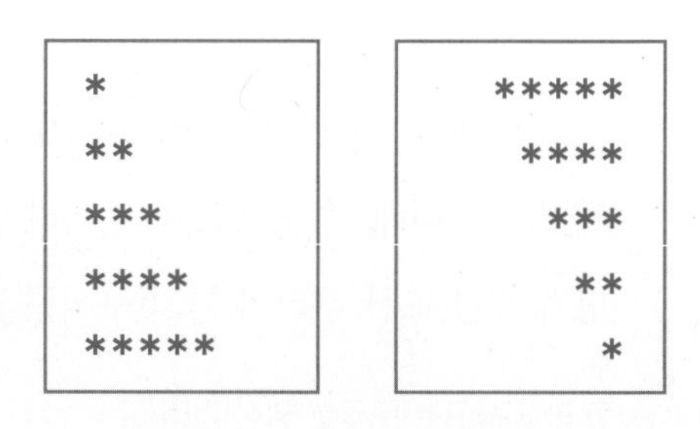

그림 1-2 패턴을 가진 도형

③ 추상화(Abstraction) : 인식한 패턴을 일반화시키는 과정으로 필요한 내용과 생략 가능한 내용을 구분하는 능력으로 '단순화' 작업이라고 할 수 있다. 패턴을 일반화시키는 과정이라고 생각하면 된다. 물론 추상화와 일반화는 다소 차이가 있다. 추상화는 세부적인 특징을 생략하여 일반적인 문제에 맞는 해결법을 찾는 거라면 일반화는 공통된 특징을 추출하여 새로운 결론을 도출하는 것이다.

그림 1-3 추상화의 예를 보여주는 다양한 표지판

④ 알고리즘(Algorithm) : 추상화시킨 과정을 단계별로 명시한 논리적 절차를 의미한다. 명령의 순서나 과정상의 규칙적인 집합이 이에 해당한다. 간혹, 알고리즘을 컴퓨팅 영역으로 한정하는 경우가 있는데 김치찌개를 만드는 조리법 등의 일상생활 속에서도 존재하는 일반적인 방식이다. 아침에 일어나서 학교까지 오는 순서를 나열해 보자. 그것이 바로 알고리즘이다.

0번. Fi에 0을 대입한다.
1번. 제1항과 제2항에 1을 대입한다.
2번. 제1항과 제2항을 더하여 제3항에 대입한다.
3번. 제3항을 Fi에 누적한다.
4번. 제1항에 제2항을 대입한다.
5번. 제2항에 제3항을 대입한다.
6번. 제3항이 55보다 작으면 2번으로 이동한다.
7번. Fi을 출력하고 종료한다.

그림 1-4 피보나치수열의 합을 구하는 알고리즘

이상의 네 가지 요소를 축약한 핵심은 추상화와 자동화(Automation)이다. 추상화는 복잡한 문제를 구조화하고 해결 가능한 상태로 만드는 것이다. 추상화를 통해서는 자료를 수집하고 분석한 후 문제를 분해하여 보다 간결한 상태로 만든다. 자동화는 추상화된 문제를 컴퓨터의 언어로 바꾸는 과정으로, 이를 거쳐 컴퓨터의 언어로 변환된 문제에서 알고리즘을 도출해 문제를 보다 쉽게 해결할 수 있게 된다.

요즘 대학 뿐만 아니라, 초 · 중등학교에서도 소프트웨어 코딩교육을 실시하는 이유는 단순한 컴퓨터 프로그래머를 양성하기 위한 것이 아니라, 컴퓨팅 사고를 통한 창의성과 문제를 해결하기 위한 새로운 방법론을 학습시키고자 함이다. 그래서 일상적인 문서작성, 엑셀, 포토샵 등의 교육은 컴퓨팅 사고의 본연적인 활동과는 거리가 있다.

정리하면, 컴퓨팅 사고력은 논리적인 사고와 문제를 해결하는데 도움을 주는 역량으로 특정한 학문을 위한 역량이 아니고 모든 이가 공통적으로 배우고 익혀야 할 필수적인 역량이다. 그리고 이러한 행위가 자연스럽게 창의적이고 비판적인 사고로 이어질 수 있으며 인간의 특징인 "창의"와 컴퓨터의 특성인 "빠른 처리"를 활용한 문제해결을 위해 통합된 방법론적 사고를 위한 역량이 될 것이다.

SECTION 2 컴퓨팅 사고와 소프트웨어

2.1 소프트웨어의 이해

소프트웨어(Software)는 전통적인 컴퓨터 공학 분야에서는 컴퓨터 및 관련 장치 각 구성요소가 유기적으로 상호작용할 수 있게 만드는 명령어의 집합을 의미한다. 또한 소프트웨어 공학 분야에서는 이를 보다 전문화하여 원하는 기능이나 성능을 실행하기 위한 명령어의 집합(컴퓨터 프로그램), 정보를 적절히 가공하여 프로그램을 가동시키는 자료구조, 프로그램의 동작과 사용을 설명하는 문서로 소프트웨어를 정의한다.

4차 산업혁명 기술의 발전에는 소프트웨어의 역할이 매우 크고 중요한 요소로 자리매김하고 있으며, 이러한 과정을 통해 소프트웨어는 이제 모두의 관심 대상이 되었다. 이는 소프트웨어가 더 이상 컴퓨터 엔지니어나 과학자들의 전유물이 아니게 되었다는 의미이다. 따라서 컴퓨터 공학이나 소프트웨어 공학 전공자가 아닌 이들에게도 소프트웨어는 교육의 대

컴퓨팅의 기본적인 개념과 원리를 바탕으로 문제해결을 위한
Computational Thinking을 키워주는 교육

문제가 생기면, 컴퓨터에게 일을 시켜서 효율적으로 해결할 수 있는
컴퓨팅 사고(Computational Thinking)를 키워주는 교육

단순히 프로그래밍 문법이나 응용프로그램 사용법(워드, 엑셀 등)을
가르치고자 하는 교육이 아님

그림 1-5 4차 산업혁명 시대에서의 소프트웨어 교육의 목적

상이면서, 컴퓨터를 다룰 수 있는 방법이자 컴퓨팅 사고를 통해 문제를 해결하게 하는 도구로 인식되어야 한다.

2.2 소프트웨어의 특징

소프트웨어는 프로그램 코드와 같이 메모리에 저장되어 있지만 개념적으로 우리의 정신적 사고와 같이 일종의 무형적 요소에 해당한다. 실세계의 물리적 요소인 항공기, 자동차, 로봇, 가전제품은 결과의 구조를 쉽게 파악할 수 있지만, 소프트웨어는 그 실체가 코드 안에 은닉되어 있기 때문이다.

이를 소프트웨어의 특징 중 비가시성(Invisibility)이라 한다. 그리고 소프트웨어는 개발과정이 복잡하고 복합된 시스템 자체가 난해하여 복잡성(Complexity)이라는 특징을 가진다. 소프트웨어는 요구사항이 변경될 때마다 항상 수정이 가능한 변경성(Changeability)을 가지며 적은 비용과 다양한 경로를 통하여 복제가 가능한 복제성(Duplicability)를 가진다.

소프트웨어는 기능 못지않게 품질이 가장 중요하다. 소프트웨어에 의해 동작하는 항공기, 로봇, 산업 생산라인, 정보시스템의 경우 기능과 성능보다 소프트웨어 수행의 신뢰성이 우선하여야 하기 때문이다. 근래 출시된 모바일 단말기나 자동차를 리콜하는 가장 많은 원인도 근본적으로 소프트웨어의 오류로 인한 기계적 장치의 오동작인 경우가 대부분이다.

그리고 사소한 오류나 이상 현상이 발생해도 본연의 기본적인 기능을 발휘할 수 있는 고장허용성(Fault-tolerance)를 가지고 있어야 한다. 예를 들어, 항공기가 비행 중 이상 현상이 발생했을 경우, 경보음과 원인을 알리면서 가장 가까운 착륙지를 찾아 안착해야 한다. 만일 이상 현상이 발생할 경우 허용성 없이 곧바로 동작을 멈춘다면 치명적인 결과를 초래하게 될 것이다.

따라서 소프트웨어가 오류 없이 또는 오류에 적절히 대처하여 원활한 목적을 수행할 수 있는지는 소프트웨어의 품질을 결정하는 가장 중요한 요소가 된다. 인간이 기술한 논리적 절차이기 때문에 오류가 전혀 발생하지 않는 소프트웨어를 개발하기는 현실적으로 불가능하다. 다만, 오류를 최소화하는 노력을 지속적으로 해야 한다. 이러한 오류의 최소성이 인정되면 보편적인 소프트웨어로 널리 사용될 수 있다.

2.3 소프트웨어의 역할 변화

2.3.1 소프트웨어의 과거

컴퓨터가 개발되고 상업용으로 사용되기 시작한 1960년대부터 컴퓨터 분야는 하드웨어가 중심이었다. 소프트웨어는 하드웨어를 보조하는 수단으로 인식되고 이러한 인식이 긴 세월 동안 하드웨어 발전에 비해 소프트웨어 기술 발전이 뒤쳐지는 결과를 초래하였다.

소프트웨어 위기(Crisis)라는 용어는 컴퓨터의 발전 과정 중에 소프트웨어보다는 하드웨어 중심적으로 기술이 발전됨에 따라 소프트웨어가 하드웨어의 발전 속도를 따라가지 못하고 사용자의 복잡한 요구사항을 적절히 반영하지 못하는 문제가 빈번히 발생한다는 의미이다. 이러한 소프트웨어 위기의 원인은 다음과 같이 정리할 수 있다.

① 소프트웨어의 특징에 대한 이해 부족 : 소프트웨어는 비가시성의 특징을 가져 물리적으로 보이지 않는 특성을 이해하지 못함

② 소프트웨어의 관리 부재 : 하드웨어 중심의 관리체제로 소프트웨어에 대한 효율적인 자원 통제가 이루어지지 않음

③ 프로그래밍에만 치중 : 프로그램 구현에만 집착하고 소프트웨어의 품질이나 유지보수는 고려하지 않으며 다양하고 복잡해지는 요구사항을 처리하지 못함

이와 같은 소프트웨어 위기의 원인으로 인해 개발 인력의 부족과 인건비 상승, 수행 성능 및 신뢰성 저하, 비효율적 개발로 인한 기간 지연 및 비용 증가, 복잡한 요구사항에 대한 유지보수성 저하 및 비용 증가, 소프트웨어의 생산성 저하, 소프트웨어의 품질 저하 등과 같은 부정적인 결과를 초래하였으며, 현재도 소프트웨어 분야에서 극복해야 할 문제점이다.

2.3.2 소프트웨어 중심사회로의 변화

스마트폰의 등장과 인터넷을 통한 플랫폼 서비스 등 소프트웨어는 사회와 산업 패러다임의 변화를 주도하고 있다. 빠르게 변화되고 진보되는 기술 성장에 따라 하드웨어 기술의 발전은 더 이상 기대하기 어려울 정도로 진행되어 그 속도가 점점 늦어지고 있다. 이와 반

대로 소프트웨어는 아직 발전의 여력이 많이 남아 있다. 특히 기존의 하드웨어를 소프트웨어와 결합하거나 아예 대체하는 경향이 우세하다. 독일 벤츠의 CEO인 디터 제체(Dieter Zetsche)는 "자동차는 가솔린이 아니라 소프트웨어로 달린다"라고 말해 자동차 산업에서의 소프트웨어의 중요성을 강조했다. 또한 "은행은 금융을 가장한 소프트웨어 산업체"라는 말이 나올 정도로 소프트웨어는 전 분야에 걸쳐 산업구조를 변화시키고 있다. 즉 소프트웨어 중심의 사회로 변화하고 있다.

소프트웨어 중심사회란 "소프트웨어가 혁신과 성장, 가치 창출의 중심으로 개인, 기업, 국가의 경쟁력을 좌우하는 사회"를 의미한다[1]. 즉 산업의 모든 지식이 소프트웨어에 집적되고, 소프트웨어를 통해서 지식이 새로운 산업을 형성함으로써 소프트웨어가 모든 산업의 기반이 되어 산업의 경쟁력을 좌우하는 도구로 작용하는 사회이다.

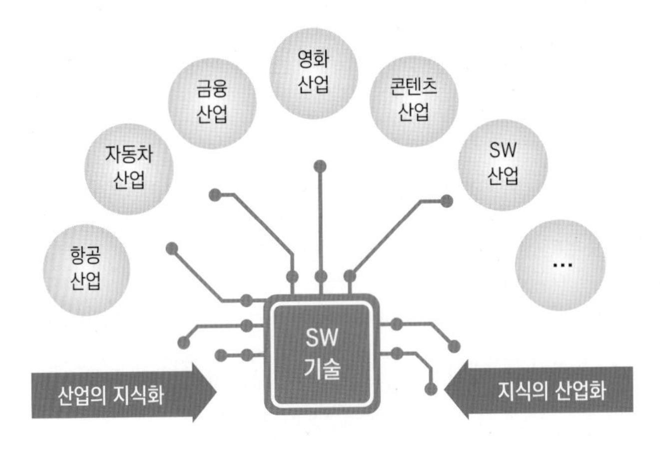

그림 1-6 **소프트웨어 중심사회에서 산업의 중심인 소프트웨어의 위상**

출처 : 소프트웨어정책연구소(SPRI) 발표자료

앞으로의 사회에서 소프트웨어는 혁신을 주도하는 도구로서의 역할을 담당하게 될 것이다. 새로운 아이디어는 소프트웨어로 구현되고, 혁신가에게 소프트웨어 능력은 필수요소이며, 소프트웨어 개발자는 혁신을 주도하는 역할을 담당하게 된다.

1 소프트웨어 정책연구소(SPRI)

컴퓨터의 데이터 표현

컴퓨터는 문자, 숫자, 음성, 이미지 등을 입력과 출력의 대상으로 삼고 계산하는 장치이다. 다양한 데이터를 다루지만, 실제로 컴퓨터는 0과 1 밖에 모르는 기계이다. 따라서 입력과 출력의 모든 데이터들은 내부적으로 0 또는 1의 디지털 데이터로 번역되어 처리된다.

3.1 디지털 컴퓨터와 데이터

현재 우리가 사용하는 컴퓨터는 대부분이 디지털 컴퓨터이다. 디지털 컴퓨터는 불연속적인 개별의 데이터를 처리한다. 이와 반대로 전기, 기계, 수력 현상 등과 같은 연속적인 형태의 데이터를 사용하는 컴퓨터를 아날로그 컴퓨터라고 한다. 이러한 아날로그 컴퓨터가 전기적 파장을 이용해 특정 목적을 수행하였으나, 데이터의 저장, 전송, 재생산이 어려운 단점

표 1.1 디지털 컴퓨터와 아날로그 컴퓨터의 비교

구분	디지털 컴퓨터	아날로그 컴퓨터
구성 회로	논리 회로	증폭 회로
입력 자료	문자, 숫자, 멀티미디어 등	온도, 전압, 전류, 수력 등
연산 종류	사칙연산, 논리 연산	병렬 연산, 미적분
연산 속도	느림	빠름
처리 데이터	비연속적인 데이터	연속적인 데이터
기억 능력	반영구적으로 기억이 가능	기억에 제약이 있음
정밀도	필요한 한도까지 (높음)	제한적 (낮음)
프로그램 유무	프로그램 필요	프로그램 불필요
적용 분야	범용	특수 목적용

이 있었다. 반면 디지털 컴퓨터는 정수(0과 1) 데이터를 사용하기 때문에 아날로그 컴퓨터의 치명적인 단점을 개선한다. 이러한 디지털 컴퓨터와 아날로그 컴퓨터의 특징을 비교하면 [표 1.1]과 같다.

[표 1.1]의 비교에서와 같이 프로그램을 통해 다양한 데이터의 처리가 가능하고 다양한 목적으로도 활용할 수 있기 때문에 디지털 컴퓨터가 많은 분야에서 폭 넓게 사용되고 있다. 일반적으로 컴퓨터는 디지털 컴퓨터를 지칭한다.

컴퓨터는 두 가지 정보인 0과 1의 정수 데이터만 처리할 수 있기 때문에 다수의 데이터를 묶어서 데이터를 표현한다. 컴퓨터가 표현하는 가장 최소 단위를 비트(Bit)라하며 0 또는 1로 구성된다. 이러한 비트 8개를 묶어서 컴퓨터의 기본 정보처리 단위인 바이트(Byte)로 사용한다. 하나의 비트가 2가지 상태를 표현할 수 있기 때문에 1바이트는 2^8=256가지의 데이터를 표현할 수 있다. 즉, n비트를 모아 2^n개의 데이터를 표현할 수 있다. 워드(Word)는 컴퓨터 명령어나 연산을 처리하는 기본 단위로 컴퓨터의 기종에 따라 2바이트, 4바이트, 8바이트 등 다양하게 구성된다.

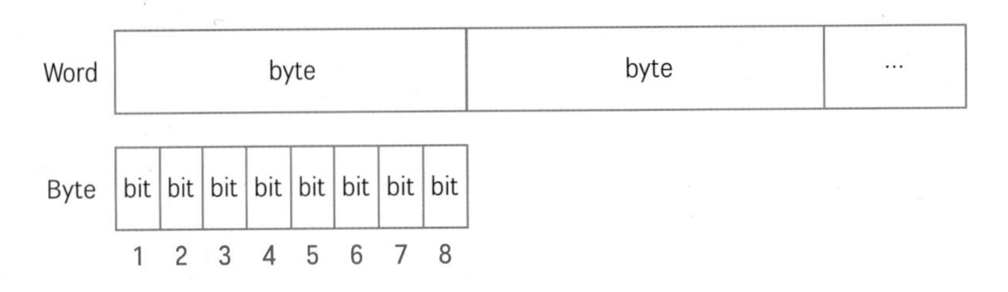

그림 1-7 컴퓨터 데이터(정보)의 표현 단위

컴퓨터에서는 데이터를 저장하는 기억장치의 용량을 일반적으로 바이트로 표현하며, 기억용량의 크기를 나타내는 단위는 [표 1.2]와 같다.

표 1.2 데이터의 기억 용량 단위

기억 용량 단위	크기	비고
bit	1bit	두 가지 상태만 표현 가능
byte	8bit	제한된 문자 표현 가능
KB(Kilo Byte)	1024byte (2^{10}byte)	간단한 문서 파일 크기
MB(Mega Byte)	1024KB (2^{20}byte)	1~2장의 사진 파일 크기
GB(Giga Byte)	1024MB (2^{30}byte)	1~2시간 분량의 동영상 파일 크기
TB(Tera Byte)	1024GB (2^{40}byte)	20만장 이상의 사진 파일 크기
PB(Peta Byte)	1024TB (2^{50}byte)	데이터 센터용 서버 구축 가능

3.2 문자의 표현

컴퓨터에서는 영어, 한글, 특수문자 등 다양한 문자가 사용된다. 이러한 문자 데이터를 표현하기 위해서는 0과 1의 비트로 일정한 크기와 체계가 있는 코드화가 필요하게 되었다. 과거 컴퓨터에서는 컴퓨터 별로 서로 다른 문자 표현 코드 체계를 사용하여 호환성 문제가 일어났다. 이러한 호환성 문제를 해결하기 위해 표준화된 코드 체계가 등장하였으며, 대표적인 것으로 아스키(ASCII)코드, 2진화 10진(Binary Coded Decimal, BCD) 코드, 확장 2진화 10진(Extended BCD) 코드, 유니코드(Unicode) 등이 있다.

3.2.1 아스키(American Standard Code for Information Interchange, ASCII) 코드

아스키 코드는 미국 표준협회 ANSI(American National Standard Institute)에 의해 1967년 데이터를 처리하거나 통신 시스템 간 데이터의 교환을 위한 표준으로 제정되었다. 각 문자를 표현하기 위해 7개의 비트를 사용하는 코드 체계로서 33개의 제어문자와 공백을 포함하여 95개의 문자를 위한 코드로 구성된다. 아스키 코드는 데이터를 전송할 때 생길 수 있는 오류를 검사하기 위해 문자 표현 7개 비트에 추가적으로 오류 검사를 위한 패리티 비트(Parity bit)를 더해 총 8비트를 일반적으로 사용한다. 표현 가능한 문자로는 영어 알파벳 52개(대 · 소문자 각 26개), 숫자 10개, 특수 문자 32개 및 하나의 공백문자가 있다.

표 1.3 아스키 코드표

2진수	10진수	16진수	문자	2진수	10진수	16진수	문자
0000000	0	0x00	NUL	1000000	64	0x40	@
0000001	1	0x01	SOH	1000001	65	0x41	A
0000010	2	0x02	STX	1000010	66	0x42	B
0000011	3	0x03	ETX	1000011	67	0x43	C
0000100	4	0x04	EOT	1000100	68	0x44	D
0000101	5	0x05	ENQ	1000101	69	0x45	E
0000110	6	0x06	ACK	1000110	70	0x46	F
0000111	7	0x07	BEL	1000111	71	0x47	G
0001000	8	0x08	BS	1001000	72	0x48	H
0001001	9	0x09	TAB	1001001	73	0x49	I
0001010	10	0x0A	LF	1001010	74	0x4A	J
0001011	11	0x0B	VT	1001011	75	0x4B	K
0001100	12	0x0C	FF	1001100	76	0x4C	L
0001101	13	0x0D	CR	1001101	77	0x4D	M
0001110	14	0x0E	SO	1001110	78	0x4E	N
0001111	15	0x0F	SI	1001111	79	0x4F	O
0010000	16	0x10	DLE	1010000	80	0x50	P
0010001	17	0x11	DC1	1010001	81	0x51	Q
0010010	18	0x12	DC2	1010010	82	0x52	R
0010011	19	0x13	DC3	1010011	83	0x53	S
0010100	20	0x14	DC4	1010100	84	0x54	T
0010101	21	0x15	NAK	1010101	85	0x55	U
0010110	22	0x16	SYN	1010110	86	0x56	V
0010111	23	0x17	ETB	1010111	87	0x57	W
0011000	24	0x18	CAN	1011000	88	0x58	X
0011001	25	0x19	EM	1011001	89	0x59	Y
0011010	26	0x1A	SUB	1011010	90	0x5A	Z
0011011	27	0x1B	ESC	1011011	91	0x5B	[
0011100	28	0x1C	FS	1011100	92	0x5C	}
0011101	29	0x1D	GS	1011101	93	0x5D	]
0011110	30	0x1E	RS	1011110	94	0x5E	^
0011111	31	0x1F	US	1011111	95	0x5F	_

2진수	10진수	16진수	문자	2진수	10진수	16진수	문자
0100000	32	0x20	Space	1100000	96	0x60	`
0100001	33	0x21	!	1100001	97	0x61	a
0100010	34	0x22	“	1100010	98	0x62	b
0100011	35	0x23	#	1100011	99	0x63	c
0100100	36	0x24	$	1100100	100	0x64	d
0100101	37	0x25	%	1101010	101	0x65	e
0100110	38	0x26	&	1100110	102	0x66	f
0100111	39	0x27	‘	1100111	103	0x67	g
0101000	40	0x28	(	1101000	104	0x68	h
0101001	41	0x29	)	1101001	105	0x69	i
0101010	42	0x2A	*	1101010	106	0x6A	j
0101011	43	0x2B	+	1101011	107	0x6B	k
0101100	44	0x2C	,	1101110	108	0x6C	l
0101101	45	0x2D	-	1101101	109	0x6D	m
0101110	46	0x2E	.	1101110	110	0x6E	n
0101111	47	0x2F	/	1101111	111	0x6F	o
0110000	48	0x30	0	1110000	112	0x70	p
0110001	49	0x31	1	1110001	113	0x71	q
0110010	50	0x32	2	1110010	114	0x72	r
0110011	51	0x33	3	1110011	115	0x73	s
0110100	52	0x34	4	1110100	116	0x74	t
0110101	53	0x35	5	1110101	117	0x75	u
0110110	54	0x36	6	1110110	118	0x76	v
0110111	55	0x37	7	1110111	119	0x77	w
0111000	56	0x38	8	1111000	120	0x78	x
0111001	57	0x39	9	1111001	121	0x79	y
0111010	58	0x3A	:	1111010	122	0x7A	z
0111011	59	0x3B	;	1111011	123	0x7B	
0111100	60	0x3C	<	1111100	124	0x7C	|
0111101	61	0x3D	=	1111101	125	0x7D	
0111110	62	0x3E	>	1111110	126	0x7E	~
0111111	63	0x3F	?	1111111	127	0x7F	DEL

아스키 코드를 이용하여 "Software"를 표현하면 다음과 같다.

S	o	f	t	w	a	r	e
1010011	1101111	1100110	1110100	1110111	1100001	1110010	1100101

그림 1-8 "Software" 표현을 위한 아스키 코드 값

아스키 코드는 128(2^7)개의 문자 데이터를 표현할 수 있으므로 다양한 데이터를 표현하기엔 한계가 있다. 특히 영문자가 아닌 다른 나라의 문자를 표현하는 것은 불가능에 가깝기 때문에 다른 코드 체계가 필요하다.

3.2.2 유니코드(Unicode)

유니코드는 전 세계의 모든 문자를 컴퓨터에서 일관된 방법으로 표현하고 다룰 수 있도록 설계된 코드 체계이다. 애플, HP, 마이크로소프트, IBM 등이 참여하여 개발되었고, 1995년 국제 표준으로 제정되었다. 유니코드는 운영 체제, 프로그래밍 언어와 상관없이 문자별 고유의 코드 값을 제공하며, 16비트를 사용하기 때문에 최대 65,536(2^{16})개의 문자 표현이 가능하다.

유니코드에서 한글은 초성 19개, 중성 21개, 종성 28개를 곱한 11,172개의 문자를 지원하고 있으며, 한글의 유니코드 표는 http://www.unicode.org/charts/PDF/UAC00.pdf 에서 확인 가능하다[2]. "소프트웨어"를 유니코드로 표현하면 다음과 같다.

	소	프	트	웨	어
16진수	D18C	D504	D28B	C6E8	C5B4
2진수	1101000110001101	110101000000100	1101001010111000	1100011011101000	1100010110110100

그림 1-9 "소프트웨어" 표현을 위한 유니코드 값

2 각 언어별 유니코드 표는 http://www.unicode.org/charts 에서 확인 가능

C100 **Hangul Syllables** **C1FF**

	C10	C11	C12	C13	C14	C15	C16	C17	C18	C19	C1A	C1B	C1C	C1D	C1E	C1F
0	섀 C100	섐 C110	선 C120	섰 C130	셀 C140	셐 C150	셠 C160	셰 C170	솀 C180	손 C190	솠 C1A0	솰 C1B0	쇀 C1C0	쇐 C1D0	쇠 C1E0	쇰 C1F0
1	섁 C101	섑 C111	섡 C121	성 C131	셁 C141	셑 C151	셡 C161	셱 C171	솁 C181	솑 C191	송 C1A1	솱 C1B1	쇁 C1C1	쇑 C1D1	쇡 C1E1	쇱 C1F1
2	섂 C102	섒 C112	섢 C122	섲 C132	셂 C142	셒 C152	셢 C162	셲 C172	솂 C182	솒 C192	솢 C1A2	솲 C1B2	쇂 C1C2	쇒 C1D2	쇢 C1E2	쇲 C1F2
3	섃 C103	섓 C113	섣 C123	섳 C133	셃 C143	셓 C153	셣 C163	셳 C173	솃 C183	솓 C193	솣 C1A3	솳 C1B3	쇃 C1C3	쇓 C1D3	쇣 C1E3	쇳 C1F3
4	섄 C104	섔 C114	설 C124	섴 C134	셄 C144	셔 C154	셤 C164	셴 C174	솄 C184	솔 C194	솤 C1A4	솴 C1B4	쇄 C1C4	쇔 C1D4	쇤 C1E4	쇴 C1F4
5	섅 C105	섕 C115	섥 C125	섵 C135	셅 C145	셕 C155	셥 C165	셵 C175	솅 C185	솕 C195	솥 C1A5	솵 C1B5	쇅 C1C5	쇕 C1D5	쇥 C1E5	쇵 C1F5
6	섆 C106	섖 C116	섦 C126	섶 C136	셆 C146	셖 C156	셦 C166	셶 C176	솆 C186	솖 C196	솦 C1A6	솶 C1B6	쇆 C1C6	쇖 C1D6	쇦 C1E6	쇶 C1F6
7	섇 C107	섗 C117	섧 C127	섷 C137	셇 C147	셗 C157	셧 C167	셷 C177	솇 C187	솗 C197	솧 C1A7	솷 C1B7	쇇 C1C7	쇗 C1D7	쇧 C1E7	쇷 C1F7
8	섈 C108	섘 C118	섨 C128	세 C138	셈 C148	션 C158	셨 C168	셸 C178	솈 C188	솘 C198	솨 C1A8	솸 C1B8	쇈 C1C8	쇘 C1D8	쇨 C1E8	쇸 C1F8
9	섉 C109	섙 C119	섩 C129	섹 C139	셉 C149	셙 C159	셩 C169	셹 C179	솉 C189	솙 C199	솩 C1A9	솹 C1B9	쇉 C1C9	쇙 C1D9	쇩 C1E9	쇹 C1F9
A	섊 C10A	섚 C11A	섪 C12A	섺 C13A	셊 C14A	셚 C15A	셪 C16A	셺 C17A	솊 C18A	솚 C19A	솪 C1AA	솺 C1BA	쇊 C1CA	쇚 C1DA	쇪 C1EA	쇺 C1FA
B	섋 C10B	섛 C11B	섫 C12B	섻 C13B	셋 C14B	셛 C15B	셫 C16B	셻 C17B	솋 C18B	솛 C19B	솫 C1AB	솻 C1BB	쇋 C1CB	쇛 C1DB	쇫 C1EB	쇻 C1FB
C	섌 C10C	서 C11C	섬 C12C	센 C13C	셌 C14C	셜 C15C	셬 C16C	셼 C17C	소 C18C	솜 C19C	솬 C1AC	솼 C1BC	쇌 C1CC	쇜 C1DC	쇬 C1EC	쇼 C1FC
D	섍 C10D	석 C11D	섭 C12D	섽 C13D	셍 C14D	셝 C15D	셭 C16D	셽 C17D	속 C18D	솝 C19D	솭 C1AD	솽 C1BD	쇍 C1CD	쇝 C1DD	쇭 C1ED	쇽 C1FD
E	섎 C10E	섞 C11E	섮 C12E	섾 C13E	셎 C14E	셞 C15E	셮 C16E	셾 C17E	솎 C18E	솞 C19E	솮 C1AE	솾 C1BE	쇎 C1CE	쇞 C1DE	쇮 C1EE	쇾 C1FE
F	섏 C10F	섟 C11F	섯 C12F	섿 C13F	셏 C14F	셟 C15F	셯 C16F	셿 C17F	솏 C18F	솟 C19F	솯 C1AF	솿 C1BF	쇏 C1CF	쇟 C1DF	쇯 C1EF	쇿 C1FF

그림 1-10 한글 표현을 위한 유니코드 표(일부)

3.3 숫자의 표현

3.3.1 진법 표현

일반적으로 사람은 0~9 사이의 수를 이용하여 숫자를 표현하는 10진법을 사용한다. 반면 컴퓨터는 0과 1 두 가지 숫자만을 이용하는 2진법을 사용한다. 컴퓨터에서 처리되는 숫자형 데이터는 2진법으로 변환되어 표현된다. 10진법과 2진법은 모두 위치값 기수법(Positional notation)으로 각 자리별 가중치가 반영된다. 위치값 기수법의 수 z는 다음의 수식으로 표현한다. (수식에서 a는 주어진 자리의 수이고, x는 등급화된 기수를 의미한다.)

$$z = a_n x^n + a_{n-1} \mathrm{x}^{n-1} + \cdots + a_1 x^1 + a^0 x^0$$

따라서 10진수 200과 2진수 11001000은 다음과 같이 위치값 기수법을 이용하여 재표현 될 수 있다.

$$200_{(10)} = 2 \times 10^2 + 0 \times 10^1 + 0 \times 10^0$$

$$11001000_{(2)} = 1 \times 2^7 + 1 \times 2^6 + 0 \times 2^5 + 0 \times 2^4 + 1 \times 2^3 + 0 \times 2^2 + 0 \times 2^1 + 0 \times 2^0$$

컴퓨터 분야에서 사용하는 수의 표현 방법에는 2진법과 10진법 외에도 8진법과 16진법이 있으며, 큰 수를 2진수로 표현할 때 자릿수가 많이 필요하고 직관적으로 이해하기 어려운 불편함을 해소하는데 사용된다. 즉 n진법을 이용한 수의 표현은 n개의 기호를 이용하여 데이터를 표현하는 방법으로 이해할 수 있다.

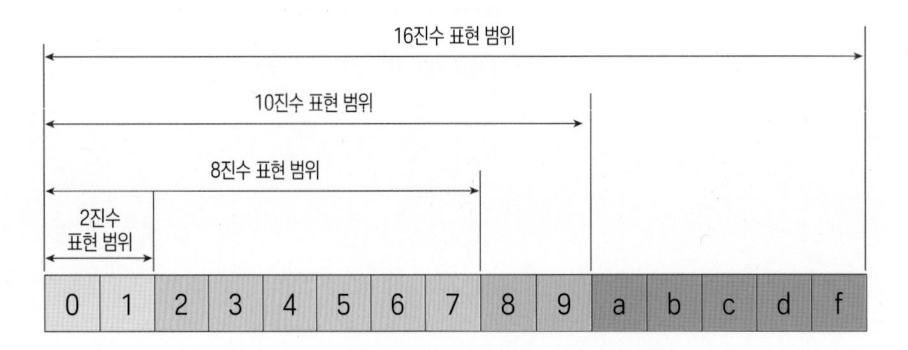

그림 1-11 진법을 이용한 수의 표현 기호와 범위

결론적으로 위치값 기수의 개념을 통해 2진법을 사용하는 컴퓨터는 어떤 진법의 수라도 0과 1만을 사용하여 연산과 처리가 가능함을 알 수 있다. 예를 들어 2진수 $001011001011_{(2)}$은 기수식에 의해 다음과 같이 재표현 되고, 이를 계산하면 10진수 $715_{(10)}$가 된다.

$$0\times2^{11}+0\times2^{10}+1\times2^{9}+0\times2^{8}+1\times2^{7}+1\times2^{6}+0\times2^{5}+0\times2^{4}+1\times2^{3}+0\times2^{2}$$
$$+1\times2^{1}+1\times2^{0}=715$$

10진수를 2진수로 변환하는 방법은 기수법을 이용한 계산을 역으로 하여 실행한다. 즉 10진수를 계속하여 2로 나누고, 나머지를 역순으로 배열하면 된다.

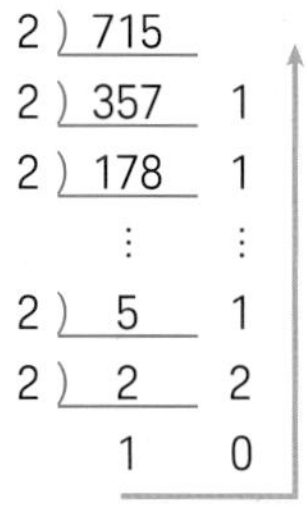

```
2 ) 715
2 ) 357   1
2 ) 178   1
     ⋮    ⋮
2 )   5   1
2 )   2   2
      1   0
```

2진수를 8진수와 16진수로 변환하는 방법은 오른쪽 끝을 기준으로 8진수는 3자리, 16진수는 4자리씩 묶음으로 하여 기수법 표현을 통해 상호 변환이 가능하다. 2진수 $001011001011_{(2)}$의 변환 과정은 다음과 같다.

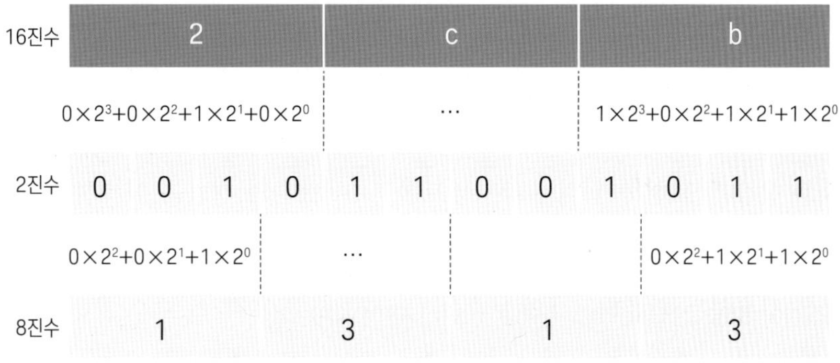

16진수	2	c	b
	$0\times2^3+0\times2^2+1\times2^1+0\times2^0$	…	$1\times2^3+0\times2^2+1\times2^1+1\times2^0$
2진수	0 0 1 0	1 1 0 0	1 0 1 1

2진수	0 0 1	0 1 1	0 0 1	0 1 1
	$0\times2^2+0\times2^1+1\times2^0$	…		$0\times2^2+1\times2^1+1\times2^0$
8진수	1	3	1	3

3.3.2 정수의 표현

현실 세계에서는 정수를 자릿수에 제한 없이 필요한 만큼 표현이 가능하다. 그러나 컴퓨터는 기억공간이 제한되기 때문에 표현할 수 있는 정수의 범위도 제한된다. 데이터를 기억장치로부터 CPU로 한 번에 가져와 처리할 수 있는 양은 기억장치의 용량과 별도로 제한될 수 밖에 없다. 이렇게 CPU가 처리할 수 있는 데이터의 크기가 정수의 표현 범위로 제한된다. 즉 n개의 비트를 사용한다면 $2^n(0\sim2^{n-1})$개의 정수만 표현할 수 있다는 의미이다.

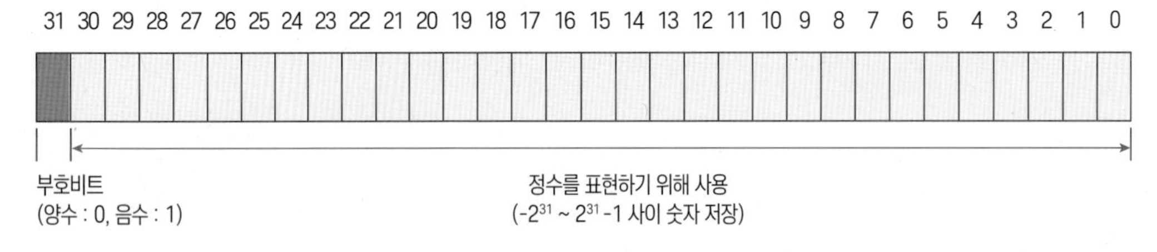

그림 1-12 정수를 표현하기 위한 공간의 구성

약간의 차이가 있지만 일반적으로 정수 처리를 위해 32비트를 사용한다. 그리고 수학에서는 정수를 양의 정수와 음의 정수로 구분하기 때문에 +, − 부호를 사용하여 표현한다. 더욱이 양의 정수인 경우 부호를 생략할 수 있다는 약속도 되어 있다. 그러나 컴퓨터는 양수인지 음수인지를 분명하게 구분해 주어야 한다. 또한 부호는 사용할 수 없기 때문에 부호비트(양수는 0, 음수는 1로 표현)를 두어야하며, 이로 인해 실제 정수를 표현하는 범위는 31비트로 줄어든다. 따라서 실제로 표현 가능한 정수의 범위는 $-2^{31}\sim2^{31}-1$ (−2,147,483,648 ~ 2,147,483,647)이 된다.

■ 보수(Complement)

컴퓨터에서는 음수를 표현하기 위해 부호비트를 두고 보수의 개념을 이용하여 표현하고 처리한다. 컴퓨터 내부에서 X−Y의 연산은 Y의 보수인 −Y를 구하여 X+(−Y)로 이루어진다. 이때 2진법을 사용하는 컴퓨터는 1의 보수(1' Complement)와 2의 보수(2' Complement)를 사용한다.

1의 보수는 각 자릿수의 값이 모두 1인 수에서 주어진 2진수를 빼면 1의 보수가 된다. 즉 1의 보수는 주어진 수에서 0은 1로 1은 0으로 바뀐다. 2의 보수는 1의 보수에 1을 더한 값과 같다. 예를 들어 양의 정수 6은 4비트를 사용하는 2진수로는 0110이다. 0110의 1의 보수는 1001이고, 2의 보수는 1010이 됨을 쉽게 알 수 있다. 양의 정수 0110의 보수를 구하는 다음의 그림을 통해 쉽게 이해할 수 있을 것이다.

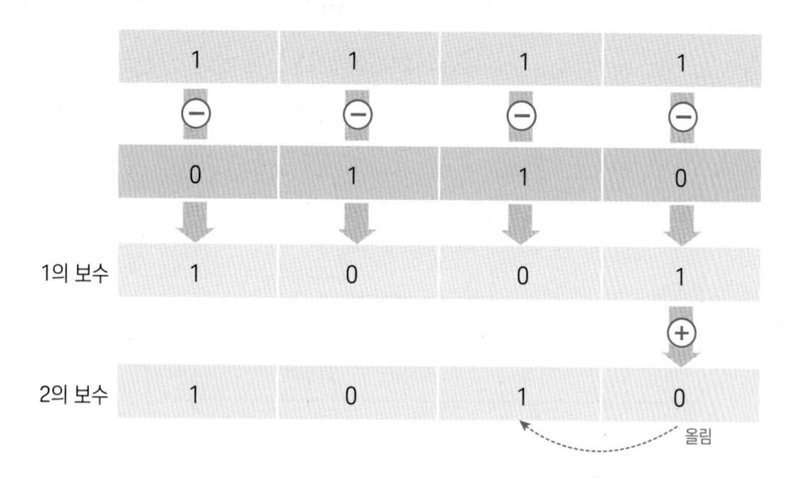

그림 1-13 양의 정수 0110의 1의 보수와 2의 보수를 구하는 과정

3.3.3 실수의 표현

컴퓨터에서는 실수를 표현하기 위해 부동 소수점(Floating-point) 표기법을 사용한다. 수의 크기에 따라 소수점 위치가 유동적이고 제한된 자릿수로 표현해야 하기 때문에 정규화된 방식을 적용한다. 부동 소수점 방식의 실수 표현은 다음과 같은 수학적 정규화를 따른다.

$$R = \pm(0.XX \cdots X) \times B^e$$

± : 부호(sign), X : 가수(mantissa), B : 기저(base), e : 지수(exponent)

위의 정규화를 따라 실수를 표현하면 가수부와 지수부를 구분하여 저장할 수 있고, 소수점의 위치를 별도로 신경쓰지 않아도 되는 장점이 있다.

123.45 ☞ 0.12345×10^3

12.345 ☞ 0.12345×10^2

0.0012345 ☞ 0.12345×10^{-2}

수의 크기는 지수부가 결정하고 소수부는 수의 정밀도를 결정하는 요소로 작용한다. 수가 아주 작을 경우에는 지수가 음수이기 때문에 수 전체의 부호 외에도 지수부의 부호도 필요하게 된다. 이런 이유 때문에 컴퓨터는 엄격하게 정수와 실수를 구분한다. 저장되는 공간의 모양이 달라 직접적으로 교환될 수 없기 때문이다.

컴퓨터는 내부적으로 정규화된 실수를 저장하기 위해 다음과 같은 부동소수점 구조를 사용한다.

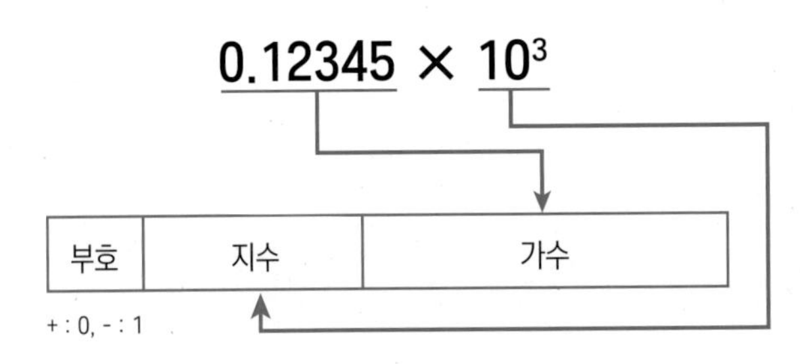

그림 1-14 실수 표현을 위한 부동소수점 형식

지수부와 부호부는 구조화된 표준인 IEEE 754에 따라 일반적으로 32비트로 표현하는 단정도(Single precision) 실수와 64비트로 표현하는 배정도(Double precision)실수 형식이 사용된다. 32비트 단정도는 지수부가 8비트이고 64비트 배정도 형식은 지수부가 11비트이다. 나머지 공간은 가수부(각각 23와 52비트)에 할당된다.

지수부에는 부호를 위해 첫 비트를 지수의 부호를 표현한다. 지수부가 8비트이면 2진수 01111111이 지수 0(bias)이 되고 1000000이면 지수가 1, 0111110이면 지수가 −1이 된다. 참고로 양의 지수와 음의 지수가 구분되도록 단정도일 때는 실제 지수값에 바이어스 127을 더하고 배정도 형식일 때는 1023을 더한다. 그리고 가수에는 정수값 1을 생략하고 저장한다.

$-12.75_{(10)}$를 2진수로 변환 $-1100.11_{(2)}$

-0.110011×2^4

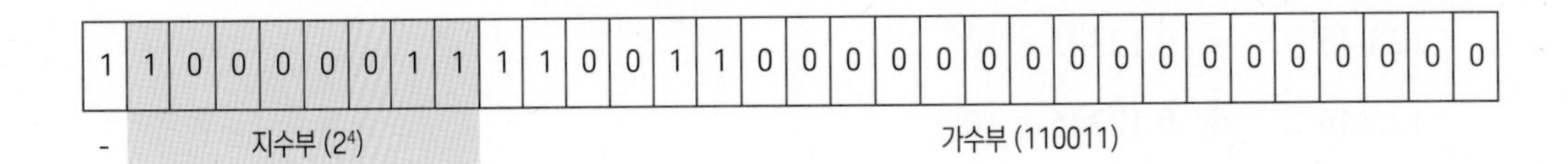

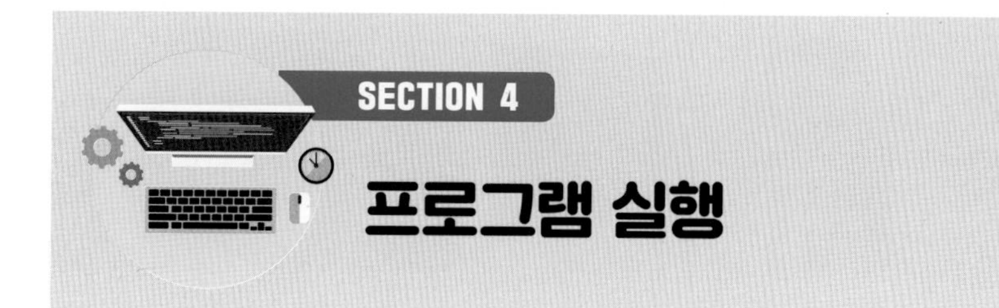

SECTION 4 프로그램 실행

4.1 컴퓨터와 소통하는 방법

컴퓨터는 사람의 일을 자동으로 대신해주기 위해 발명되고 발전해 온 기계이다. 컴퓨터에게 일을 시키기 위해서는 어떤 형식으로든 소통이 되어야하며, 대표적인 소통방법이 소프트웨어, 즉 프로그램을 제작하여 실행시키는 것이다. 컴퓨터와 사람이 소통하기 위한 방법은 크게 세 가지로 구분할 수 있다.

- 인간의 언어를 컴퓨터가 인식할 수 있게 하는 것
- 컴퓨터의 언어를 인간이 사용하는 것
- 인간과 컴퓨터만의 공통 언어를 사용하는 것

4.1.1 인간의 언어로 컴퓨터와 소통하기

인간의 언어를 컴퓨터가 인식하는 것은 오랜 시간 동안 연구와 노력이 진행되어 오고 있는 방법이다. 음성인식, 상황인식, 인공지능 기술의 발달로 인해 다양한 분야에서 사람의 언어(음성, 글자, 동작 등)을 인식하여 주어진 동작이나 일을 시킬 수 있는 정도의 발전은 이루었으나, 비교적 단순하고 간단한 영역에서 활용되고 있다. 이러한 방법은 발전을 위한 노력이 현재 진행 중에 있다. 생각만으로 컴퓨터에게 명령을 전달하여 동작시키는 기술은 초보적인 단계에서 조금씩 앞으로 나아가고 있는 만큼 먼 미래일지라도 결국은 도달하게 될 것이다.

그림 1-15 인간의 언어(음성, 동작, 뇌파)를 인식하는 컴퓨팅 기술

4.1.2 컴퓨터의 언어로 소통하기

컴퓨터의 언어는 앞서 소개한 바와 같이 0과 1의 2진화된 데이터만으로 구성되어 있다. 이를 기계어(Machine Language)라고 한다. 컴퓨터가 발명된 태동기에는 기계어만이 유일한 소통 방법이었다. Section 3에서 학습한 것을 바탕으로 문자와 숫자를 직접 코드화하여 컴퓨터에게 일을 시킨다는 것은 생각만으로도 끔찍할 것이다.

그림 1-16 컴퓨터 언어인 기계어로 컴퓨터와 소통의 어려움

4.1.3 인간과 컴퓨터만의 공통 언어로 소통하기

인간은 0과 1로만 구성된 기계어를 이해하기 어렵다. 따라서 인간 수준에서 컴퓨터와 소통이 가능한 공통 언어인 프로그래밍 언어(Programming Language)가 등장하게 되었다. 최종적으로는 컴퓨터가 이해하는 기계어로 바뀌어 동작되어야 하기 때문에 이를 위한 별도의 도구가 내부적으로는 동작한다. 이것은 마치 우리나라 사람이 중국인과의 대화에서 각자의 모국어 대신 영어를 사용하는 것과 같은 것으로, 우리가 중국인과 영어로 대화한 내용을 우리말로 바꾸어 이해하는 것과 같은 이치이다.

결론적으로 인간이 컴퓨터에게 일을 시키고 소통하기 위해서는 둘 사이의 공통 언어인 프로그래밍 언어를 사용하여 프로그램으로 만드는 것이 가장 효과적인 방법이며, 4차 산업혁명 시대에 우리가 소프트웨어를 이해하고 코딩을 해야 하는 이유이다.

4.2 프로그래밍 언어의 분류

프로그래밍 언어는 크게 사용자 중심 언어와 기계 중심 언어로 구분될 수 있다. 사용자 중심 언어는 인간이 이해하기 용이한 형식으로 자연 언어에 가까운 특징을 가지며 고급 언어라고도 한다. 반면, 기계 중심 언어는 사용자보다 컴퓨터 수행 측면을 고려한 형식으로 저급 언어라고 한다.

4.2.1 저급 언어(Low-level language)

저급 언어는 컴퓨터 내부 표현에 가까운 언어로 기계어와 어셈블리어로 나눌 수 있다. 기계어는 0과 1로 작성하고, 어셈블리어는 인간이 이해하기 쉽도록 기계어와 일대일로 대응된 기호화된 언어이다.

■ 기계어(Machine language)

기계어는 컴퓨터 내부의 본연적 동작 모양을 0과 1로 표현한 언어이며 별도의 변환 과정이 필요치 않기 때문에 속도가 매우 빠르다. 다만, 인간이 이해하기 어렵고 하드웨어에 종속적이기 때문에 기종이 다른 컴퓨터에는 호환되지 않는 문제점을 가지고 있다. 아래 코드는 기계어를 16진수 형태로 표현한 예시이다.

```
8B542408 83FA0077 06B80000 0000C383
FA027706 B8010000 00C353BB 01000000
C9010000 008D0419 83FA0376 078BD98B
B84AEBF1 5BC3
```

그림 1-17 기계어 프로그램의 예

■ 어셈블리어(Assembly language)

어셈블리어는 기계어 명령을 알기 쉬운 기호로 표현하기 때문에 기계어보다는 이해하기가 용이하다. 그럼에도 컴퓨터 내부 동작과 거의 흡사한 구성을 가지고 있기 때문에 프로그래밍을 위해서는 전문적인 지식이 요구된다. 따라서 어셈블리어는 주로 전문가 집단에서 주기억장치, 레지스터, CPU, 입출력 장치 등과 같이 하드웨어를 직접 제어하는 용도로 활용되고 있다.

아래 어셈블리어로 작성된 프로그램은 [그림 1-17]의 기계어에 대응되는 일부분이다.

```
mov edx, [esp+8]
cmp edx, 0
ja @f
mov eax, 0
ret

@@:
cmp edx, 2
ja @f
mov eax, 1
ret

@@:
push ebx
mov ebx, 1
mov ecx, 1
⋮
```

그림 1-18 어셈블리어 프로그램의 예

4.2.2 고급 언어(High-level language)

고급 언어는 컴퓨터 기술이 발달하고 보편화되는 과정에서 사용자의 요구 수준이 높아지고 컴퓨터 사용의 접근성을 용이하도록 만들어진 인공적인 언어이다. 데이터의 코드화나 메모리 주소 지정 및 CPU의 내부 동작을 이해하지 않더라도 쉽게 프로그램을 작성할 수 있다.

고급언어는 우리가 일상에서 사용하는 표현을 대부분 따른다. 다만, 객관적이고 논리적인 표현을 위한 문법 구조(Syntax)와 데이터의 구조화에 대한 규칙을 만들어 두고 있다. 우리가 "프로그래밍 언어를 배운다"는 것은 프로그램 언어의 문법적 규칙을 배운다는 것이다. 예를 들어 연산자의 경우 우리가 사용하는 사칙연산(+, −, *, /) 기호를 유사하게 정의하여 사용하고 있다.

표 1.4 고급 언어와 저급 언어의 비교

고급 언어	저급 언어
• 사용자 중심 언어 • 가독성 높다 • 이식성이 높다(기계 독립적) • 작성이 용이하다 • 프로그램 사이즈가 크다 • 프로그램 실행 속도가 느리다	• 기계 중심 언어 • 가독성이 낮다 • 이식성이 낮다(기계 종속적) • 작성이 어렵다 • 프로그램 사이즈가 작다 • 프로그램 실행 속도가 빠르다

■ 프로그램 언어 발전과 종류

1950년대 언어 이전까지 기계어로 작성하던 프로그램을 1950년대 초에 처음으로 어셈블리어로 작성하였다. 과학 분야의 복잡한 계산을 수행하기 위해 포트란(FORTRAN: FORmulaTR ANslator) 언어가 개발되었다. 포트란은 프로그래밍 언어가 발전하는 데 새로운 이정표를 세웠다.

1960년대에는 대표적인 사무 처리용 언어인 코볼(COBOL: COmmon Business Oriented Language)이 등장한다. 포트란 같은 과학기술용 언어는 프로그램을 수학적 표기법을 사용하여 작성하는데 반해, 코볼은 영어에 가까운 구문을 사용하기 때문에 작성하기도 편하고 이해하기 쉽다는 장점이 있다. 1960년대 중반에는 포트란과 코볼의 장점을 살린 하이브리드 형태인 PLI(Programming Language One)이 등장해 관심을 크게 끌기도 하였다.

1970년대로 접어들면서 운영체제의 등장과 발전으로 인해 소프트웨어 비중이 증가하기 시작했고, 소프트웨어의 복잡성 관리가 중요한 쟁점으로 떠오르면서 더 강력하고 새로운 개념의 언어가 필요해졌다. 이때 개발된 언어가 C언어와 파스칼(PASCAL)이다. C언어는 원래 시스템 소프트웨어를 개발하는 언어였지만 다양한 종류의 컴퓨터에 이식할 수 있다는 장점 때문에 현재까지도 여러 분야에서 두루 사용되고 있다.

1980년대에는 개인용 컴퓨터(Personal Computer, PC)가 대중화 되면서 학생들과 컴퓨터 초보자들도 쉽게 배울 수 있는 교육용 언어가 필요해졌고 이때 등장한 언어가 베이직(Basic)이다. 이후 성능이 개선된 퀵베이직(Quick Basic)과 비주얼 베이직(Visual Basic)이 등장했고 지금까지도 널리 사용되고 있다.

Jan 2020	Jan 2019	Change	Programming Language	Ratings	Change
1	1		Java	16.896%	-0.01%
2	2		C	15.773%	+2.44%
3	3		Python	9.704%	+1.41%
4	4		C++	5.574%	-2.58%
5	7	↑	C#	5.349%	+2.07%
6	5	↓	Visual Basic .NET	5.287%	-1.17%
7	6	↓	JavaScript	2.451%	-0.85%
8	8		PHP	2.405%	-0.28%
9	15	⇈	Swift	1.795%	+0.61%
10	9	↓	SQL	1.504%	-0.77%
11	18	⇈	Ruby	1.063%	-0.03%
12	17	⇈	Delphi/Object Pascal	0.997%	-0.10%
13	10	↓	Objective-C	0.929%	-0.85%
14	16	↑	Go	0.900%	-0.22%
15	14	↓	Assembly language	0.877%	-0.32%
16	20	⇈	Visual Basic	0.831%	-0.20%
17	25	⇈	D	0.825%	+0.25%
18	12	⇊	R	0.808%	-0.52%
19	13	⇊	Perl	0.746%	-0.48%
20	11	⇊	MATLAB	0.737%	-0.76%

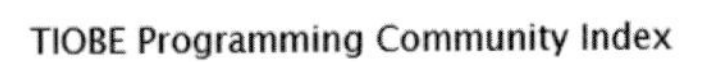

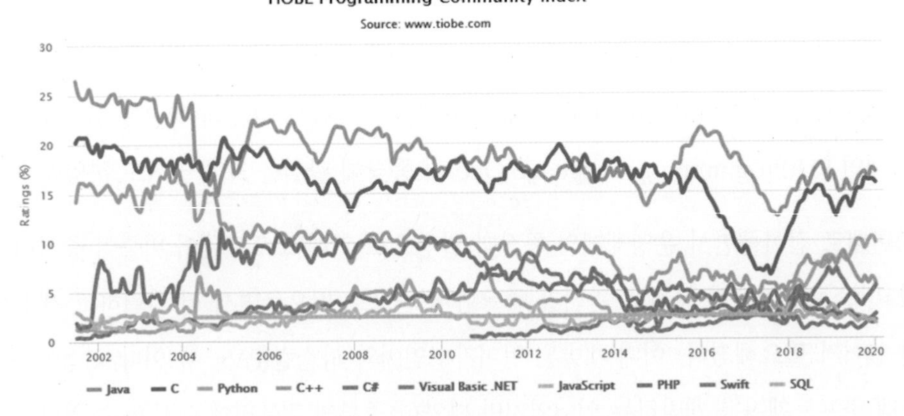

그림 1-19 **전 세계 프로그래밍 언어 사용 순위 (2020년 1월 기준)**

출처 : Tiobe 홈페이지–http://www.tiobe.com/tiobe–index

1990년대에는 프로그래밍의 새로운 패러다임인 객체 지향(Object-oriented) 개념이 등장하였고, 이에 발맞춰 객체 지향 언어가 본격적으로 등장했다. 특히 GUI(Graphical User Interface) 환경의 추세에 맞춰 C++, 자바(JAVA) 등의 객체 지향 언어가 널리 사용되고 있다.

2000년 이후 사용자는 더욱 간편하고 쉬운 방법으로 프로그래밍하길 원했고 이미 개발된 프로그램을 쉽게 가져다 쓸 수 있는 소프트웨어가 나오길 다렸다. 강화된 기능의 웹과 저렴해진 하드웨어는 이러한 사용자 요구를 만족시킬 만한 방법을 찾아냈다. 파워빌더(PowerBuilder), 델파이(Delphi), 각종 쿼리(Query)전용 언어, C#, 파이썬(Python) 등이 등장하였고, 웹과 데이터베이스를 쉽게 연결하여 프로그래밍할 수 있는 웹 전용 언어인 ASP, JSP, PHP, JavaScript 등이 널리 사용되고 있다.

지구상에는 다양한 민족만큼 다양한 언어가 존재한다. 컴퓨터 프로그램 언어도 소개한 언어 외에도 무수히 많은 언어들이 필요에 의해 개발되고 발전하고 있다. 이 모든 언어를 다 안다는 것은 불가능한 일이다. 그러나 일부 특수한 경우를 제외하면 대부분의 고급 언어들은 비슷한 구조와 문법을 가지고 있다. 그렇기 때문에 하나의 프로그래밍 언어를 잘 사용할 수 있으면, 다른 언어도 쉽게 배울 수 있게 될 것이다.

일반적으로 사람에 의해 작성되는 컴퓨터 프로그램은 고급언어로 작성된다. 고급언어로 작성된 프로그램은 결국 컴퓨터에 의해 기계어로 변환되어 동작되며, 프로그램이 변환되어 실행되는 방법은 다음의 세 가지 방법으로 분류한다.

- 컴파일러를 이용하는 방식
- 인터프리터를 이용하는 방식
- 컴파일러와 인터프리터를 모두 이용하는 방식

1 컴파일러(Compiler)를 이용하는 방식

일반적인 번역기 방식으로 원시 프로그램을 한 번에 모두 번역하여 번역의 결과인 목적 프로그램을 생성하는 방식이다. 한번 만들어진 목적 프로그램은 프로그램 변경이 없으면 실행할 때 마다 재번역 없이 바로 실행할 수 있는 구조이다.

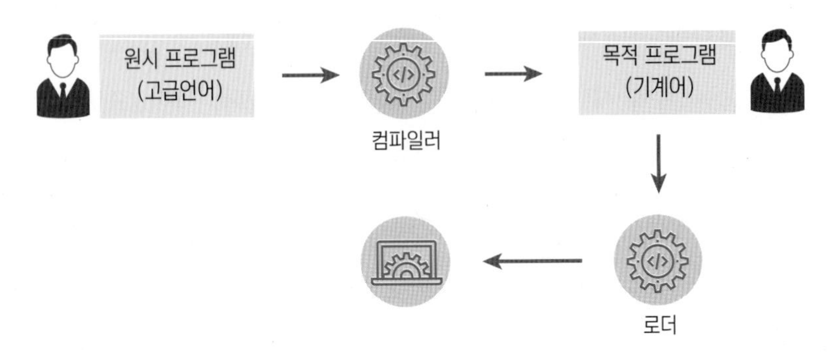

그림 1-20 **컴파일러 번역 방식**

2 인터프리터(Interpreter)를 이용하는 방식

컴파일러와 달리 번역의 결과물을 별도로 남기지 않는다. 그리고 프로그램 전체를 한 번에 번역하는 것이 아니고 한 행씩 번역하여 곧바로 실행하는 방식이다.

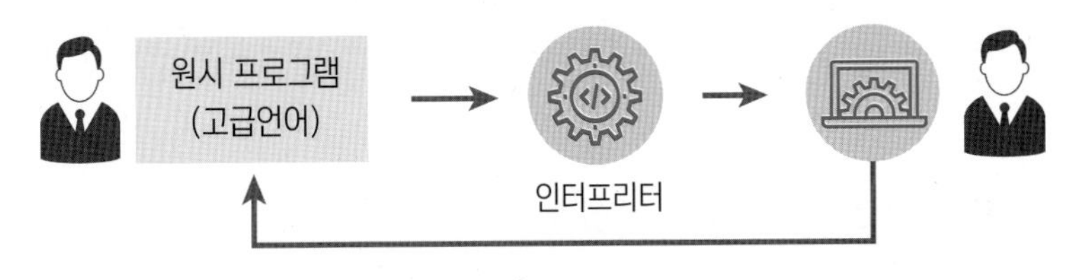

그림 1-21 **인터프리터 번역 방식**

3 하이브리드(Hybrid) 방식

컴파일러와 인터프리터를 함께 이용하는 방식으로 자바(JAVA) 언어에서 사용하는 방법이다. 이 방식은 컴파일러가 원시 프로그램이 아닌 중간 코드라는 또 다른 고급 언어로 번역을 한다. 그리고 중간 코드는 실행되는 시점에서는 인터프리터에 의해 실행된다.

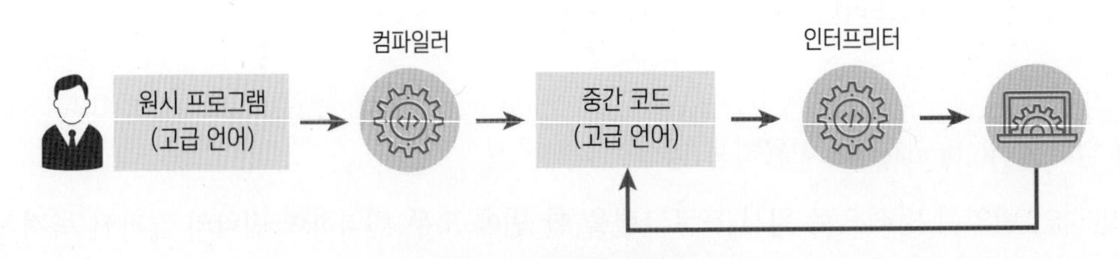

그림 1-22 **하이브리드 번역 방식**

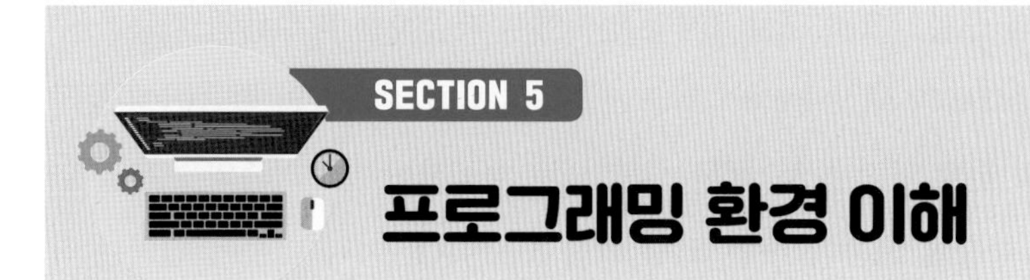

SECTION 5 프로그래밍 환경 이해

지금까지 컴퓨터에서의 데이터 표현과 프로그램의 실행에 대해 학습하였다. 컴퓨터 프로그램을 작성하기 위해서는 여러 가지 준비사항들이 있는데, 먼저 프로그램의 개발을 위한 환경을 준비해야 한다.

5.1 랩터(Raptor) 소개

랩터는 문제 해결을 위해 순서도(Flowchart)에 기반한 비주얼 프로그래밍 개발 도구이다. 순서도는 컴퓨터에게 작업을 지시하는 명령어와 논리적 절차와 같은 알고리즘을 표현하는 방법 중 하나이다. 쉽고 간단한 도형으로 구성된 순서도를 통해 알고리즘을 표현하면 전체 알고리즘을 한눈에 파악할 수 있어 유용하다.

순서도는 주로 프로그램에 대한 아이디어를 구현하는 코딩을 위한 기초 자료가 될 뿐만 아니라 프로그램의 변경 및 기능 추가 등에 유용하게 활용할 수 있다. 더불어 구현을 위한 코딩을 실시하기 전에 구현하고자하는 기능의 알고리즘 등에 논리적 오류가 없는지 사전에 검증 수 있게 한다. 그러나 순서도는 사람이 이해하기 쉽도록 보조적인 역할을 수행할 뿐 직접 실행을 통해 그 결과를 확인할 수는 없다.

랩터는 이러한 순서도를 작성하고 작성된 순서도를 컴퓨터에서 프로그램을 실행 시킨 것과 거의 유사한 결과를 제공한다. 따라서 랩터를 이용하여 만들고자 하는 컴퓨터 프로그램의 알고리즘을 순서도로 표현하는 훈련을 통해 코딩 역량을 효과적으로 향상시킬 수 있다. 특히 컴퓨팅 사고와 디자인 씽킹 등에서 아이디어의 구체화를 위해 순서도를 작성하는 것만으로도 실제 동작의 결과를 확인하고 문제점을 손쉽게 개선할 수 있다는 점에서 매우 유용하게 활용될 수 있다.

랩터는 단순화된 최소한의 구문만으로 프로그래밍 언어에서 제공하는 대부분의 기능을 구현할 수 있기 때문에 프로그램의 핵심 논리와 알고리즘을 수립하는 과정의 학습이 가능하다. 또한 작성한 순서도의 진행 과정을 시각화된 방법으로 제공하여 알고리즘의 흐름을 이해하고 개선하는 과정의 학습에 도움을 주는 코딩 학습 도구이다. 이와 더불어 랩터는 작성한 순서도를 기반으로 C, Java 등의 프로그래밍 언어로 작성된 코드를 자동으로 생성하는 기능도 내장하고 있다.

랩터는 미 공군에서 개발하였으며 전 세계 17개국 이상의 나라에서 프로그래밍 교육용 도구로 사용하고 있다.

5.2 파이썬(Python) 소개

파이썬은 1989년 네덜란드의 개발자 귀도 반 로썸(Guido van Rossum)에 의해 개발되기 시작하여 다양한 기능이 추가 확장된 3.0 버전이 2008년 출시되어 사용되고 있다. 파이썬은 코드의 가독성(Readability)과 간결한 문법이 특징인 범용의 인터프리터 방식 프로그래밍 언어이다. 파이썬의 특징을 정리하면 다음과 같다.

- 문법이 쉬워 빠르게 배울 수 있다.
- 무료로 사용할 수 있으며, 강력한 기능이 많이 포함되어 있다.
- 문법이 간결하고 가독성이 높다.
- 소프트웨어 개발 속도가 매우 빠르다.

다양한 운영체제에서 편리하게 프로그래밍 개발이 가능하기 때문에 기초 프로그래밍 교육뿐만 아니라 기업의 실무에서도 널리 사용되고 있다. 특히, 구글에서 만든 소프트웨어 절반가량이 파이썬으로 만들어지고 있고, 인스타그램, 드롭박스 등도 파이썬으로 개발된 것으로 잘 알려져 있다. 그 외에도 윈도우 응용 프로그램, 인터넷 응용 프로그램, 빅데이터, 인공지능 등 다양한 분야에서 널리 활용되고 있다.

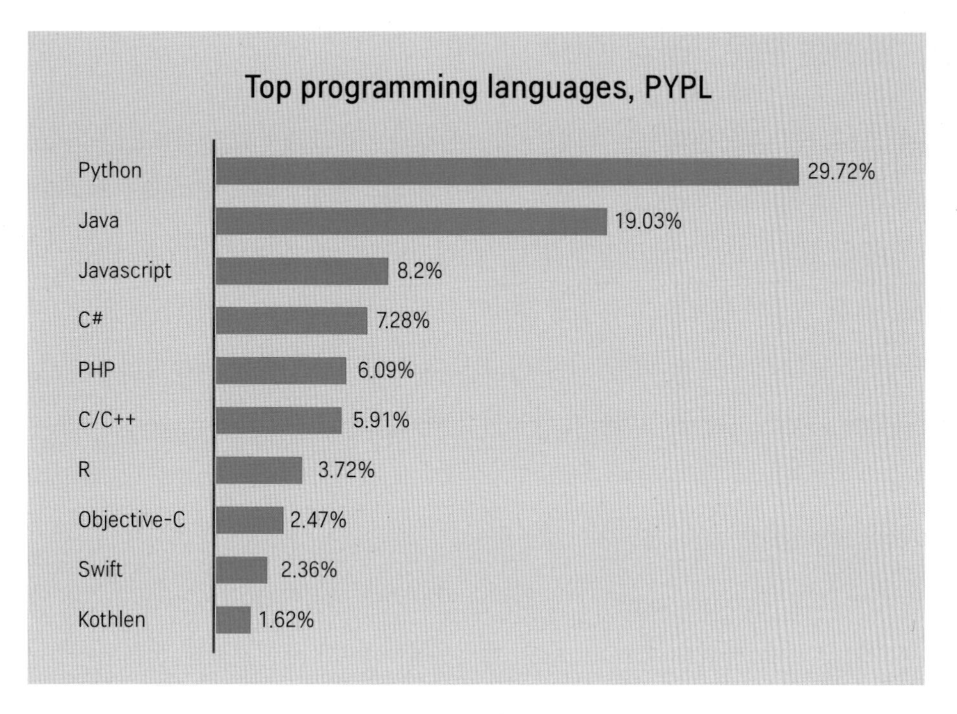

그림 1-23 프로그래밍 언어 사용 순위

출처 : SHARE

파이썬은 다양한 분야에서 활용할 수 있도록 다양한 모듈이 추가 확장되고 있다. 현재 파이썬으로 할 수 있는 것은 다음과 같다.

- 시스템 유틸리티 제작
- GUI(Graphic User Interface) 프로그래밍
- 다른 프로그래밍 언어(C/C++)와의 결합
- 수치 연산 프로그래밍
- 웹 프로그래밍
- 인공지능, 데이터 분석, 사물인터넷 프로그래밍

그러나 아직 파이썬으로는 하드웨어 시스템과 밀접한 프로그래밍 영역과 모바일 앱 프로그래밍 등에는 활용할 수 없다. 그럼에도 불구하고 향후 모바일 앱을 파이썬으로 제작하는 것도 멀지 않은 시간에 가능할 것으로 기대된다.

5.3 파이썬 프로그래밍 준비

파이썬 프로그래밍을 위해서는 다양하게 제공되는 통합개발환경(IDLE, Integrated DeveLopment Environment)들 중에서 자신에게 적당한 IDLE를 선정하여 설치하는 것이 시작이다. IDLE(또는 IDE라고도 함)는 편집기(Editor), 컴파일러(Compiler), 디버거(Debuger) 등 개발에 필요한 도구가 통합되어 있어 프로그래밍을 쉽게 할 수 있다. 파이썬 개발을 위한 통합 도구를 소개하고자하며, IDLE의 특징이나 기존의 사용하던 도구를 고려하여 자신에게 맞는 것을 잘 선택하여 사용하기 바란다.

1 파이썬 기본 IDLE

파이썬 개발 그룹인 python.org에서 제공하는 기본 통합개발환경이다. python.org 웹사이트에서 무료로 다운 받아서 설치 후 사용 가능하며, 설치가 성공적으로 이루어지면 쉘 모드와 편집기를 이용한 스크립트 모드를 둘 다 사용 가능하다.

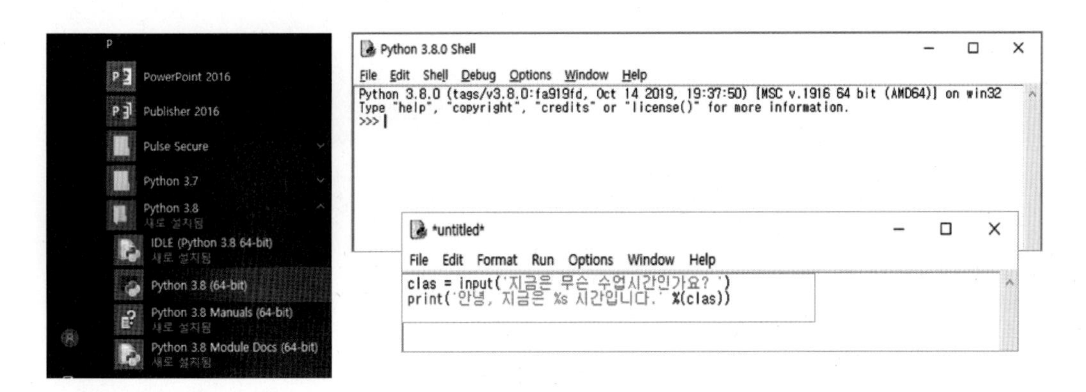

그림 1-24 파이썬 기본 IDLE

2 비주얼 스튜디오 코드(Visual Studio Code)

마이크로소프트에서 무료로 배포하는 통합 개발 환경으로 파이썬 뿐만 아니라 C/C++ 등 다양한 프로그래밍 개발을 지원한다. 공식 다운로드 사이트(http://code.visualstudio.com)에서 다운로드 및 설치 가능하다. 비주얼 스튜디오 코드에서 파이썬을 사용하기 위해서는 파이썬 Extension을 설치하여야하며, 그 외 다소 번거로운 설정들이 요구된다. 그럼에도 불구하고, 비주얼 스튜디오 코드는 다양한 소프트웨어 프레임워크 사용 가능 등 최신의 기술을 잘 지원하기 때문에 파이썬 이외의 다양한 개발환경이 필요한 경우 매우 훌륭한 개발 도구이다.

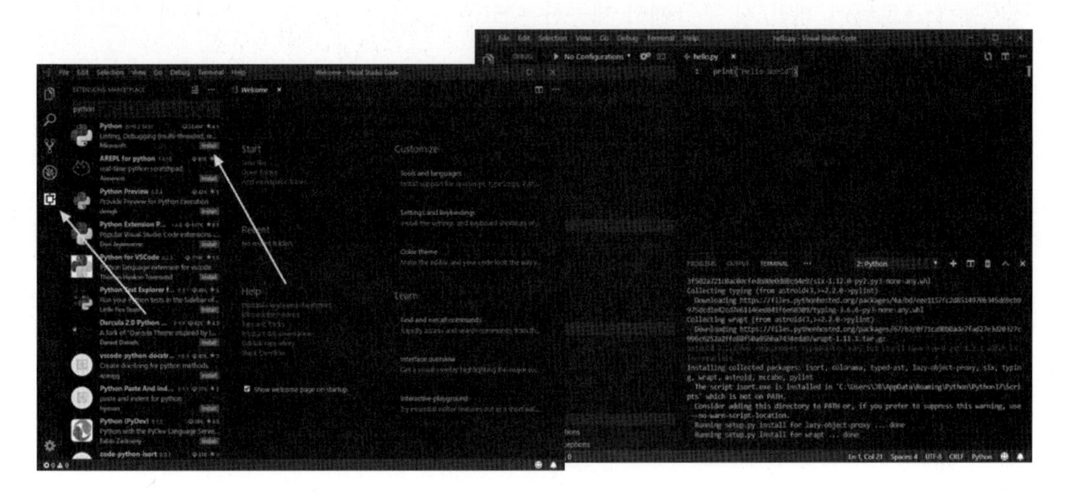

그림 1-25 Visual Studio Code와 파이썬 Extension

3 파이참(PyCharm)

파이썬을 위한 IDLE 중 매우 유명하고, 많이 사용되고 있는 도구 중 하나로 코드 자동완성, 문법 체크 등의 편리한 기능을 에디터에서부터 제공하고 있다. 공식 사이트(http:www.jetbrains.com/pycharm/download)에서 다운로드 가능하고, 무료로 사용도 가능하다.

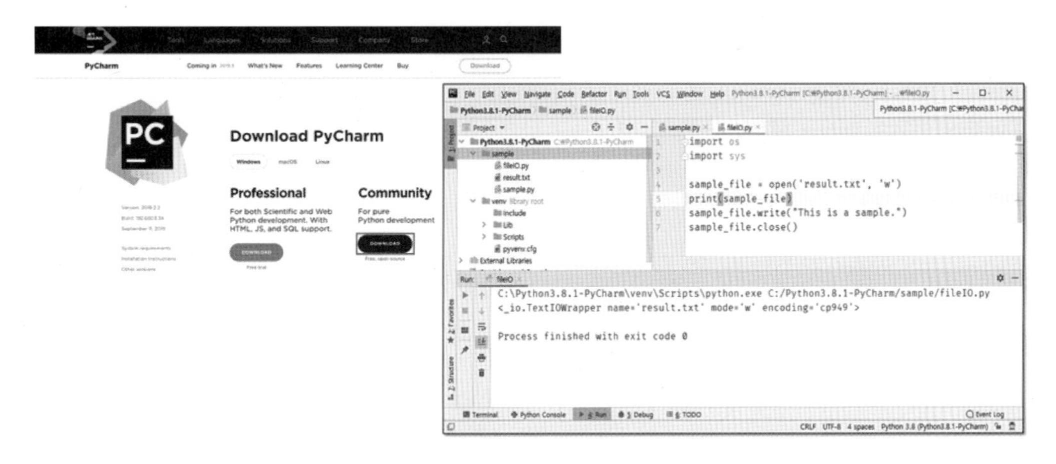

그림 1-26 파이참 공식 사이트와 통합 도구

4 주피터 노트북(Jupyter Notebook)

가장 유명한 파이썬 개발 도구로 인공지능, 빅데이터 등에서 주로 활용되고 있다. 특히 인공지능 소프트웨어 개발 시 구글에서 제공하는 코랩(Colab)이 주피터 노트북과 동일한 형태이기 때문에 주피터 노트북의 활용이 증가하였다. 설치 시 아나콘다 내비게이터 등을 이용하여 쉽게 통합 설치가 가능하다. 교재에서는 주피터 노트북으로 파이썬 구현을 하고 있으니, 부록을 참고하여 직접 설치해보자.

EXERCISE

1. 디지털 컴퓨터와 아날로그 컴퓨터의 특징을 비교하여 설명하시오.

2. 컴퓨터에서 처리하는 데이터의 표현 단위를 설명하시오.

3. 데이터의 기억 용량 단위 중 PB(Peta Byte) 이상의 단위에 대해 조사하고 설명하시오.

4. 유니코드 표를 참고하여 자신의 영문 이름과 한글 이름에 해당하는 16진수 코드를 각각 적으시오.

5. 10진수 16진수로 바꾸는 방법에 대해 임의의 수를 정하여 설명하시오.

6. 16진수를 2진수로 바꾸는 방법에 대해 설명하시오.

7. 2진수를 8진수로 바꾸는 방법에 대해 설명하시오.

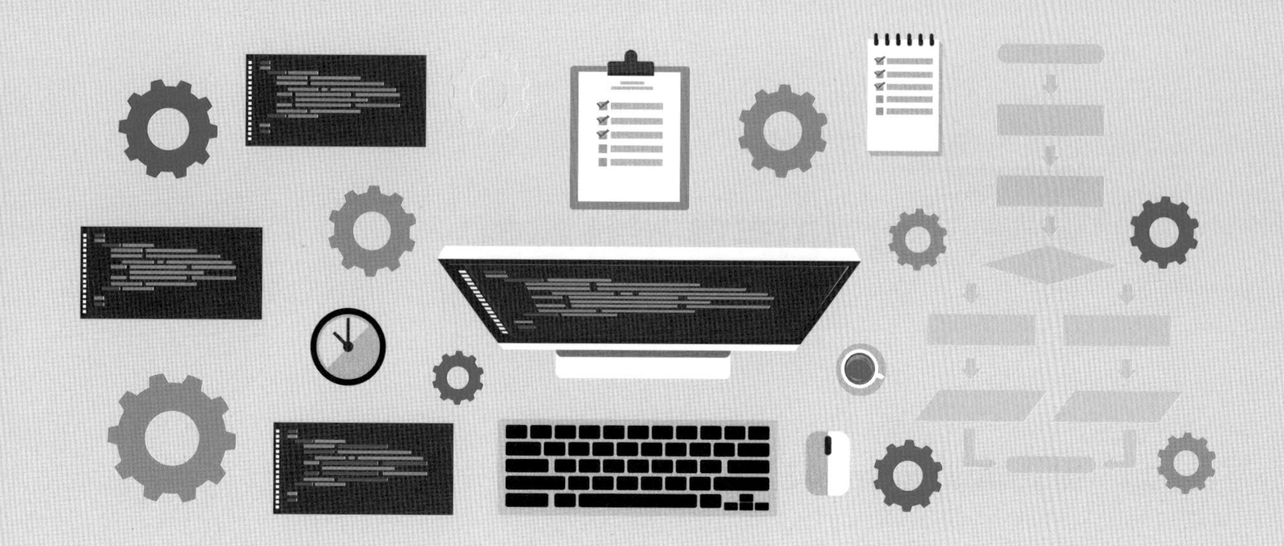

CHAPTER 2

알고리즘과 프로그램 논리

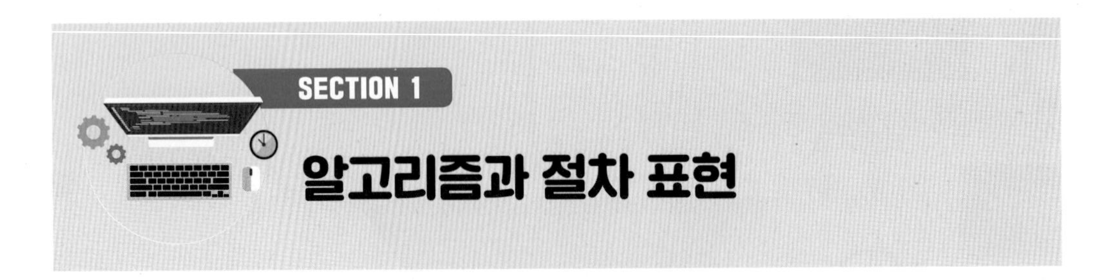

1.1 알고리즘(Algorithm)

알고리즘의 사전적 정의는 “주어진 문제를 해결하기 위해 정해진 일련의 논리적인 절차나 방법을 표현한 것”으로, 실행을 통해 주어진 문제를 해결하는 결과를 제공하는 절차적 단계이다. 우리는 일상에서 세부적인 과정에 대한 명확한 인식 없이도 매일 알고리즘을 사용하고 있다. 예를 들어 자동차 시동을 걸 때, 컴퓨터를 켜고 로그인 할 때, 오전 1교시 수업에 참석하기 위해 집에서 학교에 올 때 등은 단계별 일련의 과정인 하나의 알고리즘을 따른 것이다.

4차 산업혁명 시대에는 컴퓨터를 통해 보다 창의적이고 생산적인 다양한 일을 만들어 나가야한다. 그러나 인공지능과 같은 첨단 기술이 발달하였다고 하더라도 여전히 컴퓨터를 통해 새롭고 창의적인 문제를 해결하는 많은 부분은 사람이 만든 알고리즘에 의존하고 있다. 컴퓨터는 사람이 만든 알고리즘에 따라 동작하고 있는 것이다. 따라서 컴퓨터가 성공적으로 동작하고 기능을 수행할 수 있는 논리적이면서도 명확한 알고리즘을 제공할 수 있어야 한다.

알고리즘 사고는 이러한 알고리즘을 이해, 실행, 평가 및 생성할 수 있는 능력을 말한다. 알고리즘 사고는 사람에 따라 또는 알고리즘의 복잡성과 정도에 따라 다를 수 있다. 또한 지식 도메인과 관련되어 있기 때문에 알고리즘의 사용영역과 목표하는 문제에 따라 중요성과 복잡성이 다르게 적용된다. 드론의 자율비행과 관련된 알고리즘을 간호사가 이해해서 생성하기에는 많은 어려움이 있는 이유와 같다.

1.2 문제해결과 절차 표현

일반적으로 문제의 해결을 위해서는 절차와 전략이 필요하다. 절차와 전략 중 문제해결을 위한 논리적인 절차를 알고리즘이라고 할 수 있다. 다시 말해 알고리즘은 문제해결을 위해 정의된 규칙과 절차이며 명확성을 가진 제약 및 명령의 집합이다. 특히 컴퓨터와 소프트웨어로 문제를 해결하고자 할 경우 알고리즘은 문제 해결을 위한 아이디어 발상의 시작점으로 컴퓨터 프로그램을 만드는 중요한 요소이다.

1.2.1 논리적인 절차의 표현

실세계의 문제들은 자료 수집, 분석, 구조화 단계를 거치고, 추상화 단계에서 모델링, 분해 과정을 거쳐 알고리즘으로 표현된다. 이러한 알고리즘으로 기술된 논리적인 절차는 어떤 일을 어떤 순서로 진행할 것인가를 잘 표현할 수 있어야 한다.

알고리즘의 논리적 절차는 다음의 특성을 만족할 수 있어야 한다.

- 명확성: 기술된 명령은 한 가지 이상의 의미를 포함하지 않도록 하여야 하며, 각 명령어들은 명확해야 한다.
- 효과성: 기술된 명령은 반드시 주어진 상황에 영향을 주어서 실제로 상황을 변화시키는 효과가 있어야 한다.
- 입·출력(Input/Output): 외부에서 제공되는 자료가 0개 이상 있으며, 적어도 한 가지 이상의 문제해결 결과에 따른 출력을 생성한다.
- 유한성: 명령대로 수행하면 한정된 단계를 처리한 후에 종료되어야 한다.

특정 문제에 대하여 위와 같은 조건이 만족되면 주어진 문제는 해결이 가능하다고 볼 수 있다. 알고리즘을 표현하는 방법으로 순서도(flowchart) 또는 의사코드(pseudocode)와 같은 방법들이 대표적으로 사용된다.

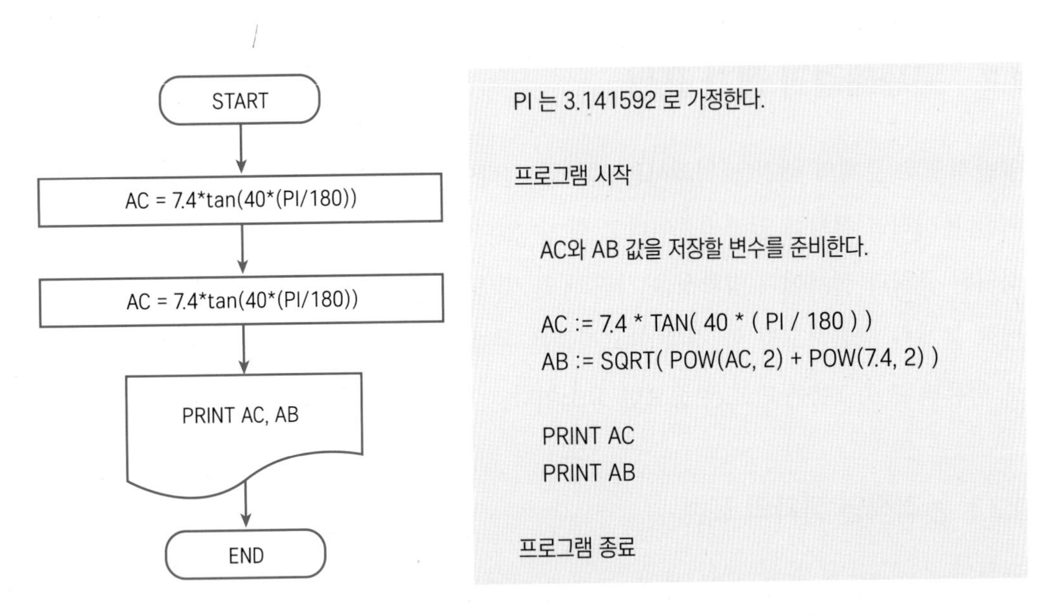

그림 2-1 삼각형 선분의 길이를 구하기 위한 순서도와 의사코드의 예

1.2.2 랩터 기반 순서도

랩터는 프로그램의 절차를 작성하기 위한 순서도 개념의 모델을 위해 6개의 심볼을 제공한다. 기본 명령어인 배정문(Assignmetn), 서브프로그램 호출(Call), 입력(Input) 및 출력(Output)으로 구성된 4개의 심볼과 선택문(Selection)과 반복문(Loop) 표현을 위한 제어 명령어로 구성된 2개의 심볼을 제공한다. [표 2.1]은 랩터에서 제공하는 심볼의 명칭과 설명이다.

표 2.1 **절차 표현을 위한 랩터의 심볼**

분류	심볼	명칭	설명
기본 명령어		Assignment 배정	처리 및 결과 데이터를 변수에 배정
		Call 프로시저 호출	서브 프로시저를 현재 위치에 호출
		Input 입력	사용자로부터 데이터를 입력 받고 변수에 저장
		Output 출력	변수에 저장된 값을 출력

분류	심볼	명칭	설명
제어 명령어	Yes No	Selection 선택	주어진 조건에 따른 선택적 처리 제어
	Loop No Yes	Loop 반복	주어진 조건에 따른 특정 부분의 반복적 처리 제어

■ 배정(Assignment)

배정은 할당 또는 대입이라는 단어로 대치할 수 있다. 랩터에서 배정 심볼은 변수의 값을 초기화 또는 변경하는 데 사용된다. 또한 배정은 오른쪽의 값(계산식, 변수)을 왼쪽의 값에 할당하는 것을 의미하며, 랩터에서는 그림 2-2와 같이 입력 창을 통해 배정문을 완성한다.

그림 2-2에서는 "Variable"이라는 변수에 식 "Count+1"의 연산결과를 배정하는 문장 "Variable ← Count+1"을 배정문 심볼로 표현한다.

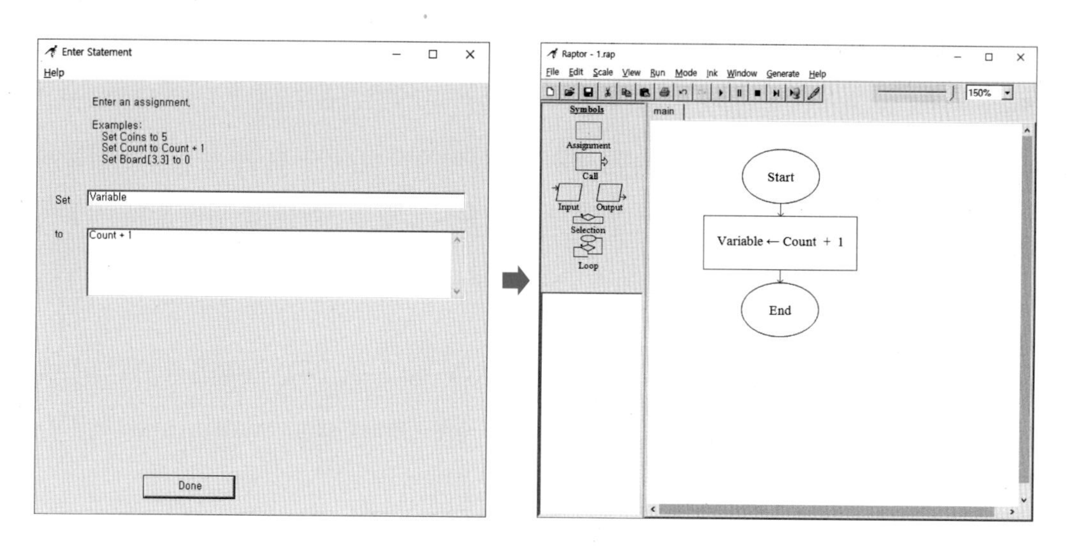

그림 2-2 랩터 순서도의 Assignment 사용 예

기억하기 Set A to B (A ← B) : A라는 변수에 B의 값을 할당하라.

■ 프로시저 호출(Call)

프로시저 호출은 말 그대로 프로시저를 현재 위치로 불러온다는 의미이다. 프로시저는 서브루틴 및 함수와 같은 의미이다. 즉 하나의 프로시저는 특정 작업을 수행하기 위한 프로그램의 일부 또는 전체로 생각할 수 있다. 프로시저 호출에 대해서는 5장에서 자세히 다룰 예정이다.

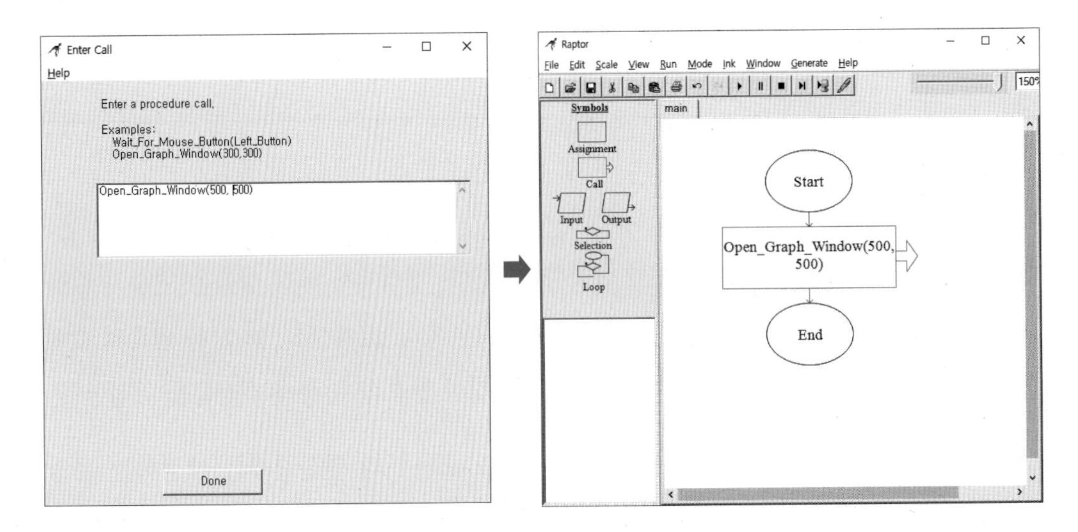

그림 2-3 **랩터 순서도의 Call 사용 예**

■ 입력(Input)

프로그램의 실행을 위해 데이터를 외부(사용자)로부터 입력 받고자 할 때 사용하는 심볼이다. 입력 심볼을 통해 프로그램 수행 중에 숫자나 문자열 등의 데이터를 입력 받아 지정된 변수에 저장하여 프로그램에서 활용할 수 있게 한다.

① Enter Prompt Here: 프로그램 실행 시 데이터 입력 창에 표시되는 문장을 입력한다. 예를 들어 프로그램에서 학생 정보를 입력 받는 경우 "Enter your Student number?"를 입력할 수 있다.

② Enter Variable Here: 사용자의 입력 데이터를 저장하여 프로그램 수행 시 사용할 변수명을 입력한다. 랩터에서는 별도의 변수 선언 없이 여기서 입력한 변수에 대해 선언과 초기화가 이루어진 것으로 간주한다. 예를 들어 사용자가 입력창에서 입력한 학번 데이

터는 지정된 변수 Student_Id에 저장 된다.

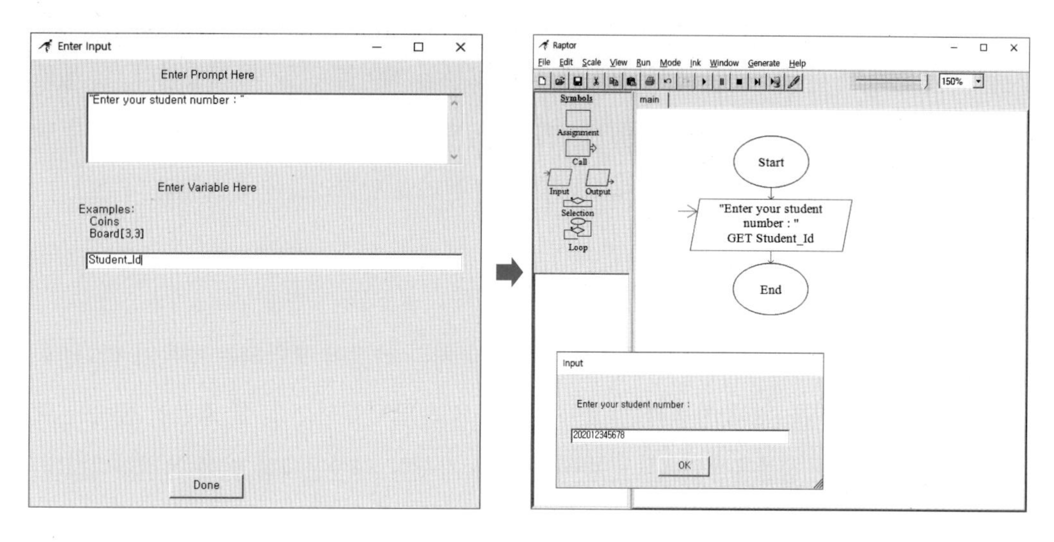

그림 2-4 랩터 순서도의 Input 심볼 사용 예

■ 출력(Output)

화면에 결과를 출력하고자 할 경우 사용하는 심볼로 문자와 변수를 혼용하여 사용 가능하다. 출력 설정의 "End current line"은 출력 후 줄 바꿈의 여부를 결정할 수 있다.

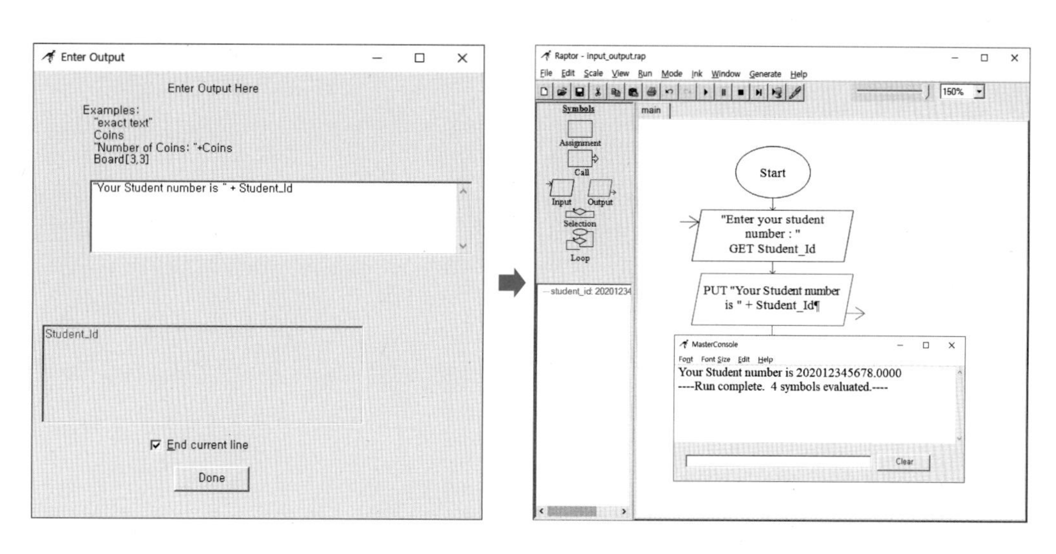

그림 2-5 랩터 순서도의 Output 사용 예

■ 선택(Selection)

프로그램의 수행에서 주어진 조건에 따라 서로 다른 명령의 실행이 필요할 때 선택 논리를 사용한다. 랩터의 선택 심볼은 선택 논리에 따른 흐름의 제어를 만들 때 사용한다. 이 심볼에서는 조건식을 만들고 이에 따른 참/거짓에 따라 분기된 프로그램 명령의 흐름을 각각 만들 수 있다. 조건식을 이용한 선택 논리는 3장 선택 논리와 알고리즘에서 자세히 다룬다.

■ 반복(Loop)

주어진 문제의 해결과정에는 특정 구간의 반복적인 처리 과정이 포함되는 경우가 많다. 이러한 반복적인 처리를 위해 사용하는 것이 반복문으로 랩터에서는 특정 조건이 충족될 때까지 반복이 가능한 심볼을 사용한다. 반복에 대한 자세한 사항은 4장 반복 논리와 알고리즘에서 다룬다.

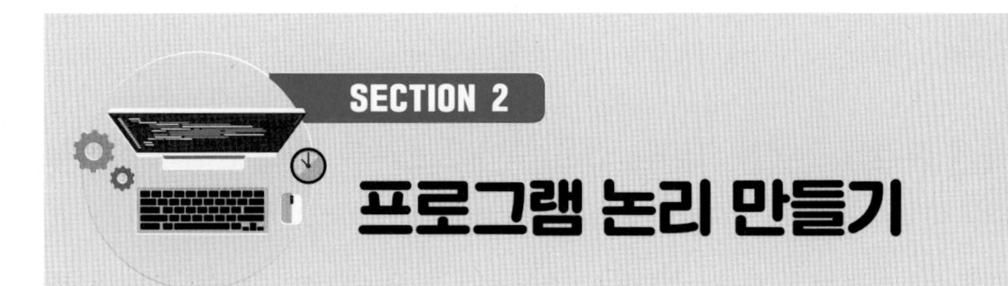

프로그램 논리 만들기

2.1 알고리즘 수립 과정

컴퓨팅 사고는 문제 정의와 해결 방법에 관한 사고의 흐름으로 요약할 수 있다. 이러한 컴퓨팅 사고는 복잡한 구조의 문제를 알고리즘을 사용하여 해결하기 위해 사용되거나, 효율적 개선을 추구하기 위해 사용된다. 이러한 알고리즘을 완성하는 과정은 일련의 반복되는 다음의 3단계의 절차로 구성된다.

- 추상화(Abstraction) 단계 : 실세계 모델에 대한 속성을 드러내기 위한 정보의 재표현 단계로 복잡성을 가지는 실세계의 엔티티(Entity)들의 필요한 속성에 초점을 맞추어 보다 간소한 모델로 생성하고, 효율적인 해결 방법의 설계와 문제에 대한 해답의 도출을 가능하게 한다.
- 알고리즘(Algorithm) 생성 단계 : 명확한 규칙의 집합에 따른 모델화 및 정보 조작을 위한 절차 표현 단계로 문제를 해결할 수 있는 프로세스를 생성하고 추상화 단계에서 정의된 모델의 정보를 조작한다.
- 자동화(Programming) 단계 : 실제 프로그램을 작성하는 자동화 단계로 알고리즘의 실행을 구체화하여 컴퓨터 등의 자동화된 동작을 제공하기 위한 구현 및 실현 과정이다.

이상의 단계를 거친 컴퓨팅 사고는 추상화와 알고리즘에 대한 아이디어들을 엮어서 컴퓨터가 동작하는 관점에서 세상을 바라보며, 자동화된 기기가 동작하는 원리에 대한 이해가 가능하도록 한다.

2.2 프로그램 논리

컴퓨팅 사고를 통한 문제 해결에 있어서 어려운 점은 주어진 문제를 작은 단위로 분해하고, 분해된 작은 문제를 알고리즘으로 만들어 표현하는 것이다. 문제를 알고리즘으로 표현하기 과정에서는 사용되는 프로그램 논리는 순서(sequence), 선택(selection), 반복(repetition)이라는 3 종류의 절차적 논리로 요약된다. 알고리즘에 표현된 프로그램 논리는 대부분의 프로그래밍 언어에서 유사한 방법의 문법으로 제공되고 있기 때문에, 프로그램 논리를 이해하여 알고리즘을 수립할 수 있다는 것은 컴퓨터로 프로그래밍이 하는 것도 어려운 일이 아닌 것이 된다.

컴퓨터 프로그램을 만드는 방법에는 1970년대에 개발되어 활용되고 있는 구조적 프로그래밍(structured programming) 기법이 있다. 이 방법은 순서, 선택, 반복의 프로그램 논리를 기반으로 두고 있다. 즉 구조적 프로그래밍을 사용하여 프로그램을 작성한다는 것은 문제해결을 위한 절차에 순서, 선택, 반복의 논리를 이용하여 알고리즘을 완성하고, 컴퓨터를 통해 자동화된 실행으로 결과를 도출한다는 의미다 .

따라서 컴퓨팅 사고 기반의 소프트웨어 설계의 첫 단계는 분해된 문제들을 순서, 선택, 반복 논리를 이용하여 명확하게 알고리즘으로 표현하는 것과 이를 컴퓨터로 실행하여 결과를 검증한 후 개선하는 것을 반복하여 학습하는 것이다.

2.2.1 순서 논리

순서 논리는 순차 논리라고도 하며 가장 일반적이면서도 기본이 되는 논리이다. 어떤 행위가 순서적으로 이루어져야 하는 것을 의미하며, 알고리즘에서는 명확한 순서관계가 중요하다. 순서 논리는 반드시 순차적으로 실행되어야 하는 절차가 존재하는 경우에 이를 표현하는 방법이다. 다음은 두 개의 수를 더하여 결과를 출력하는 순차적 과정을 랩터 순서도로 나타낸 것이다.

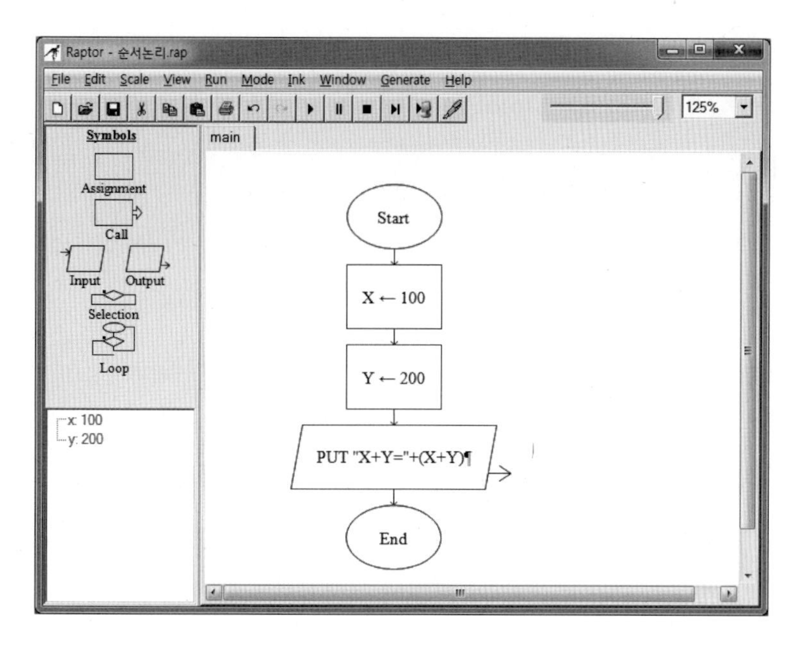

그림 2-6 두 수의 합을 순차 논리를 이용해 구하는 랩터 프로그램

순서도에서는 X와 Y에 더할 수를 각각 할당하고 난 후 X와 Y를 더한 결과 값을 화면에 출력하는 순서를 표현하고 있다. 두 수를 더하기하여 화면에 출력하는 과정은 다음과 같이 순서를 정해야 한다.

- 더해야하는 두 수를 결정
- 결정된 두 수에 대한 덧셈 연산 실행
- 실행된 결과를 화면에 출력하기

사람의 경우 이러한 과정이 하나로 단순화되어 이해될 수 있지만, 컴퓨터는 이 단순한 과정도 명확한 순서관계가 있어야 정확한 결과를 만들어 낼 수 있다는 점을 유의해야 한다.

2.2.2 선택 논리

선택 논리는 특정 조건에 따라 수행되는 절차를 다르게 만들고자 할 때 필요한 프로그램 논리이다. 순서 논리와 차별되는 점은 조건이 반영되는 점이다. 일상에서 우리는 다양한 선택을 하게 되는데, 이때 "만약(if)"이라는 조건이 개입되는 경우가 많다. 선택 논리는 이러한 만약에 해당하는 조건적 상황을 참과 거짓의 두 가지 상황으로 모델링하여 표현한다. 즉 선택 논리는 반드시 조건이 수반되어야 하고, 조건의 결과는 반드시 참 또는 거짓이 되어야 하는 논리이다.

다음은 두 개의 서로 다른 수를 비교하여 누가 더 큰 수인지를 화면에 출력하는 랩터 순서도이다.

순서도에서 알 수 있듯이 선택 논리는 순차 논리의 기본적인 절차(Start → … → End)를 따르면서 조건에 따른 선택을 표현한다. 위의 순서도에서 조건은 마름모 도형으로 표현하고 있으며 두 수의 비교를 위해 "X > Y"를 제시하여 참과 거짓을 판단하게 한다. 이것을 문장으로 바꾸면 "만약 X가 Y보다 크면"이 된다. 결국 참(Yes)인 경우 "X is larger than Y"와 거짓(No)인 경우 "Y is larger than X"가 화면에 선택적으로 표시되게 된다. 이와 같이 주어진 조건에 따라 반드시 참 또는 거짓의 결과 중 하나가 선택되는 것이 선택 논리이다.

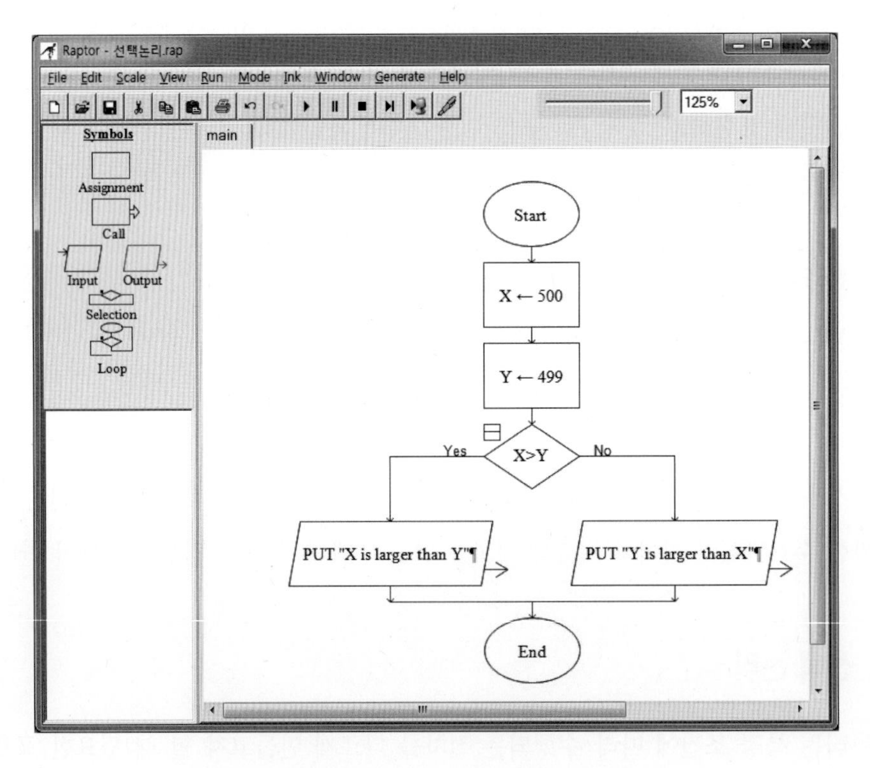

그림 2-7 두 수를 비교하여 큰 수를 확인하는 랩터 순서도

2.2.3 반복 논리

반복 논리는 특정 조건을 만족하는 상태에서 일정한 절차를 반복적으로 수행하고자 할 때 필요한 프로그램 논리이다. 반복 논리 역시 선택 논리와 같이 핵심은 조건이다. 즉 조건이 참인 경우(또는 거짓인 경우)에 따라 특정 구간을 반복적으로 수행하는 것이 반복 논리이다.

반복 논리의 경우 매 반복 시 마다 조건을 판별하는데, 언젠가는 조건이 참(또는 거짓)이 되어 반복을 끝낼 수 있어야 한다. 만일 조건이 영원히 참(또는 거짓)이 되지 않는다면, 무한 반복(infinite loop)이 되어 영원히 끝나지 않는 늪이 될 수 있다.

1부터 100까지의 합을 구하는 것을 생각해 보자. 이를 위해서는 "Total=1+2+3+4+5+6+7+ … +98+99+100"과 같은 수식을 직접 사용할 수 있지만, 1부터 100까지 또는 1부터 1,000,000까지의 합을 구하기 위해서는 식을 만드는 일이 꽤 고단한 작업이 될 것이다. 컴퓨터 프로그래밍에서는 고전적으로 이 문제를 반복 논리를 사용하여 간단하게 해결한다. 수를 1부터 1씩 증가시켜가면서 합계에 누적하여 더해주는 작업을 반복적으로 수행하게 하는 것이다.

다음은 이러한 방법을 사용하여 1부터 100까지 정수의 합을 구하는 랩터 순서도이다. 순서도에서는 조건을 위해 "number > 100"을 제시하였고, 거짓(No)인 경우 누적 합을 구하고 수를 1 증가시켜준 후 반복(Loop) 절차의 처음 지점으로 되돌아온다. 만약 참(Yes)인 경우라면 종료(End) 되는 것을 확인할 수 있다. 이와 같이 주어진 조건에 따라 특정 부분을 반복 수행하는 것이 반복 논리이다.

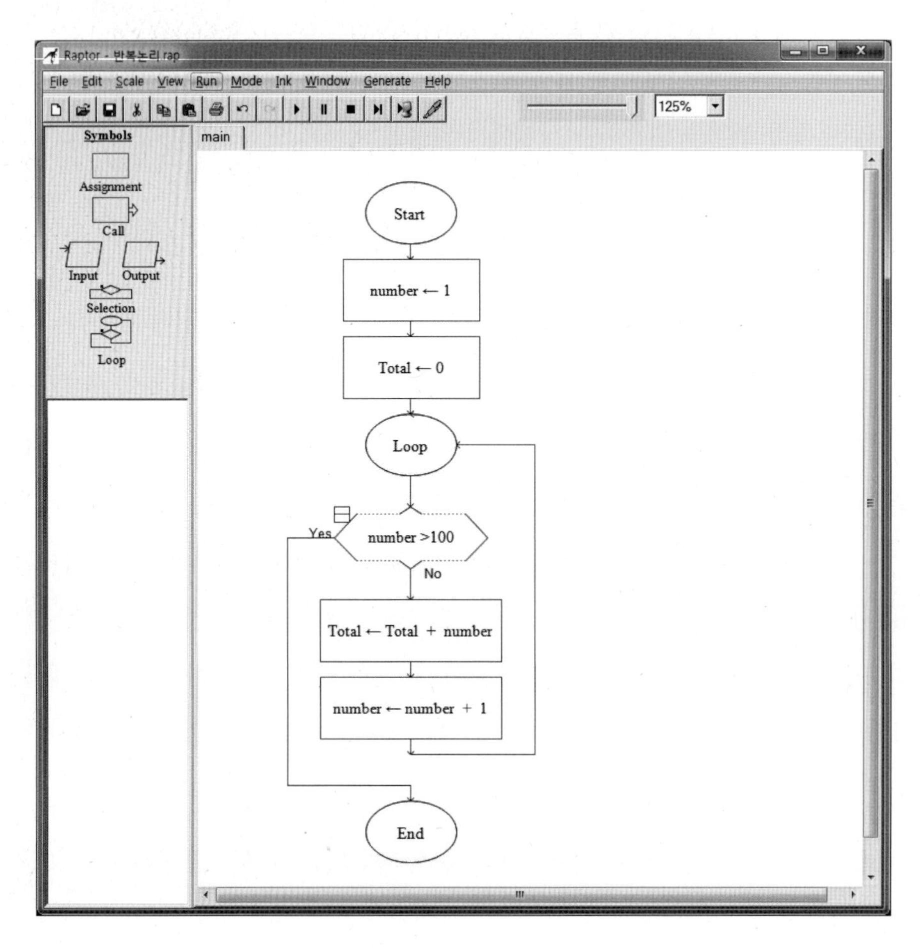

그림 2-8 1부터 100까지 정수의 합을 구하는 랩터 순서도

SECTION 3

문제 분해와 해결

컴퓨팅 사고의 과정은 주어진 문제의 분해(Decomposition)로부터 시작되어진다. 복잡한 문제를 해결하기 쉬운 수준까지 작은 단위 문제들로 분해하는 것이다. 문제를 분해할 때 중요한 것은 “관리가 가능한” 단위로 나누어 분해된 모듈의 기능이 독립적이면서 명료해질 수 있도록 하는 것이다. 수학에서 인수분해를 이용한 2차 방정식의 해를 구하는 과정은 문제 분해의 좋은 예이다.

$$x^2 - 5x + 6 = 0^2$$

분해

$$(x - 2)(x - 3) = 0^2$$

인수분해 되지 않은 2차 방정식의 해를 구하는 과정을 알고리즘으로 표현한다고 생각해보자. 먼저 근의 공식을 알고리즘으로 순차 처리를 이용하여 기나긴 과정이 나열되어야 한다. 부가적으로 판별식에 따른 선택 처리도 고려되어야 한다.

반면 인수 분해되진 것을 대상으로 해를 구하는 과정은 각 분해되어진 작은 부분만 고려하기 때문에 알고리즘이 간단하다. 즉 위의 예에서와 같이 $x-2=0$과 $x-3=0$을 위한 간단한 알고리즘만 기술하면 된다.

분해된 작은 문제는 순서, 선택, 반복 논리를 사용하여 알고리즘으로 표현할 수 있다. 분해된 작은 문제를 분석하여 문제로부터 조건을 추출하고, 조건에 따라 선택을 수행할 것인지, 반복을 수행할 것인지만 결정하여 알고리즘을 작성하는 것이다. 컴퓨터로 해결해야 하는 대부분의 문제들은 이와 같이 논리가 서로 섞여있게 된다.

문제 해결을 위한 기초 설계의 학습은 다음과 같은 과정을 반복한다.

- 주어진 문제를 작은 단위로 분해한다.
- 작고 간단한 문제로부터 조건을 추출한다.
- 조건에 따른 논리가 선택적 인지 반복적인지 판단한다.
- 각 요소들을 연결하여 순서대로 알고리즘을 작성한다.

4.1 변수란?

변수(Variables)라는 것은 계속 변하는 수를 의미하며, 컴퓨터 프로그램에서는 데이터를 기억하는 저장 장소의 이름을 의미한다. 즉 프로그램이 일을 처리하기 위해 필요한 다양한 자료를 담아 두기 위해서 변수를 사용하는 것이다.

여러분들이 수학시간에 많이 다루었던 미지수 x에 대한 방정식은 변수의 좋은 예가 된다. 변수 x에 대응하는 $f(x)$를 다음과 같이 정의하면 다음의 그래프와 같이 표현될 수 있다.

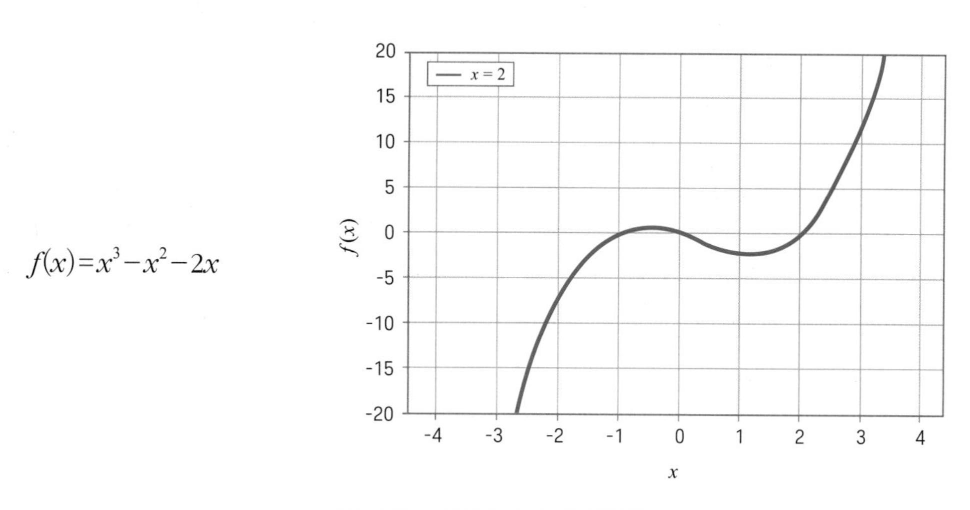

그림 2-9 3차 방정식 $f(x)$와 그래프

위 식에서 x와 $f(x)$는 모두 변할 수 있는 수이므로 변수이다. 이러한 변수에 대입 또는 저장하는 값을 데이터라고 한다. 따라서 변수 x에 데이터 2를 저장하면 방정식에 따라 변수 $f(x)$는 데이터 0을 저장하게 된다.

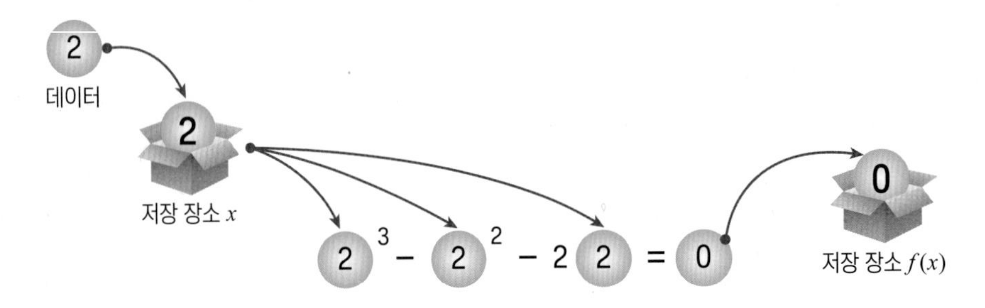

그림 2-10 변수에 데이터가 저장되는 과정

데이터(data)는 넓은 의미에서 어떠한 사실, 개념, 명령 또는 과학적인 실험이나 관측 결과로 얻은 수치나 정상적인 값 등 실체의 속성을 숫자, 문자, 기호 등으로 표현되는 모든 값을 의미한다. 이름, 주민번호, 주소, 핸드폰번호와 같은 개인정보나 학교, 학과, 학번과 같은 학생정보도 모두 데이터라고 할 수 있다. 프로그램에서는 이러한 데이터들을 저장하기 위한 공간적인 개념의 변수가 반드시 필요하다.

다양한 프로그래밍 언어에서 사용되는 변수는 대부분 비슷한 특징을 가지고 있다. 변수의 규칙과 형태는 프로그래밍 언어의 종류에 따라 다를 수 있으나, 공통적인 규칙을 따른다.

4.1.1 식별자

모든 사람과 사물에는 식별할 수 있는 이름이 있다. 변수도 마찬가지로 저장 장소의 이름이므로 각각의 변수를 식별할 수 있도록 이름을 만들어 주어야 한다. 변수에 부여된 이름을 식별자 또는 변수명이라 하고, 이를 만드는 데는 다음과 같은 규칙을 따르도록 한다.

- 키워드는 사용할 수 없다.
- 알파벳 대 · 소문자, 숫자, 밑줄(_)로 구성되며, 특수문자나 공백은 사용할 수 없다.
- 첫 문자로 숫자는 사용할 수 없다.
- 대 · 소문자를 구분한다.
- 데이터의 특징을 잘 표현하는 이름을 붙인다.

■ 식별자(변수명)의 올바른 예

Ages	Month	day
Student23	Kor03	total_score_1
std_name	stdName	std_23

■ 식별자(변수명)의 올바르지 못한 예

23Student	$Account	total score 1	if	sqrt

변수 이름을 만들 때에는 변수의 사용 용도에 따르거나 변수에 들어가는 데이터의 특징을 잘 반영하여 이름을 짓는 것이 중요하다.

키워드(예약어)는 if, return 등과 같이 그 기능과 용도가 이미 정의되어 있는 단어를 의미한다. 그렇기 때문에 키워드를 재정의하거나 식별자로 사용하는 것은 불가능하다.

파이썬도 이상의 규칙을 따르고 있으며, 변수명을 만들 때 한글로도 가능하다는 점이 차별화된다. 다만, 한글 사용의 경우 호환성 문제가 발생할 수 있으니 주의해야 한다.

4.1.2 변수의 선언과 초기화

변수를 사용하려면 반드시 미리 선언(Declaration)하는 것이 원칙이다. 선언을 한다는 것은 컴파일러에게 사용할 변수를 미리 알리는 과정으로 변수에 저장될 자료의 유형(data type)에 맞는 저장 공간을 할당해준다. 자료 유형은 컴퓨터에서 처리되는 자료의 형태를 의미하며, 프로그래밍 언어마다 지원하는 자료 유형은 다소 다르나, 크게 정수형(Integer), 실수형(Float), 문자형(Character), 문자열(String) 등으로 구분할 수 있다.

랩터와 파이썬에서는 별도의 변수를 반드시 미리 선언할 필요는 없으며, 자료형 역시 미리 선언하지 않아도 사용되는 데이터에 따라 적절하게 대응해주기 때문에 크게 신경쓰지 않아도 된다. 다만, 처음 사용하는 변수는 반드시 배정문을 통해 초기값이 할당될 수 있도록 준비하는 것이 중요하다. 이는 변수가 초기화되지 않을 경우 의도하지 않은 값인 쓰레기 값이 들어있을 수 있기 때문에 초기화를 해주는 것이 중요하다.

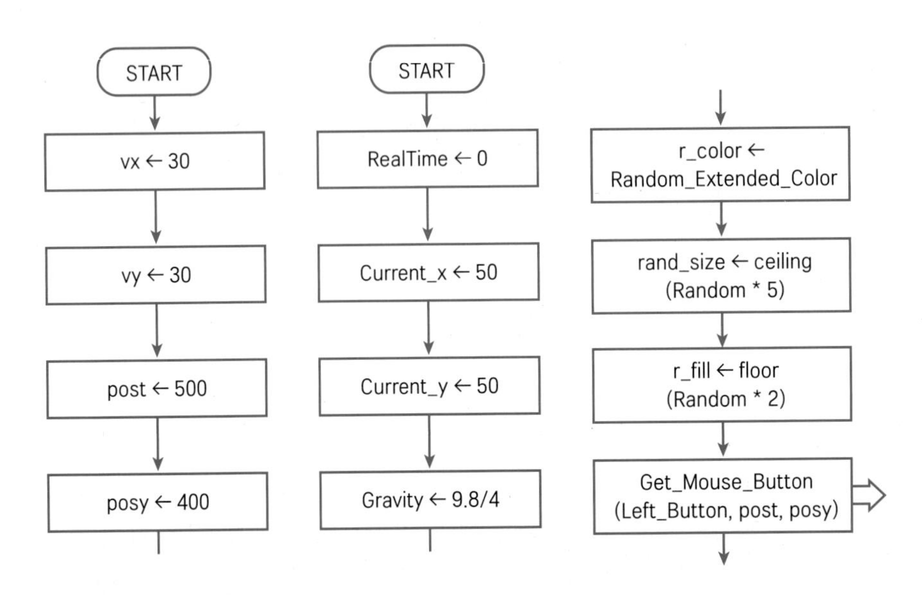

그림 2-11 **랩터의 변수 선언과 초기화 사용 예**

변수에 값을 저장하기 위한 배정 연산자는 오른쪽의 값을 평가하여 그 결과를 왼쪽의 변수가 지정하는 곳에 저장한다는 의미이다. 그러므로 "←" 및 "="를 기준으로 오른쪽에는 숫자, 계산식, 변수 등이 올 수 있지만, 왼쪽에는 반드시 변수명만 올 수 있다.

데이터 계산하기

컴퓨터는 데이터를 이용하여 계산(연산)하는 장치이다. 컴퓨터를 이용한 연산에는 산술연산, 관계연산, 논리연산, 제어연산 등 다양하며, 알고리즘 작성을 위해서는 산술연산, 관계연산을 학습하여 활용하는 것이 중요하다.

수학과 컴퓨터 프로그램에서 연산은 모두 연산자와 피연산자로 구성된 수식으로 표현된다. 그러나 우리가 알고 있는 연산과 수식은 대부분 유사한 개념으로 컴퓨터에서 사용하고 있으나 약간의 차이점이 있어 주의해야 한다.

5.1 컴퓨터 프로그램에서의 수식 표현

5.1.1 "=" 연산자

두 항이 서로 같음을 나타내는 수학 기호 "="는 랩터에서는 동일한 의미를 가지지만, 파이썬 프로그램에서는 다른 의미로 사용되기 때문에 "=="를 사용하여 등호의 의미를 표현한다. 랩터는 "==" 기호도 일반 프로그램과 동일한 의미로 사용되는 것을 허용한다. 따라서 파이썬 프로그래밍과의 혼란을 피하기 위해서 "=="을 사용하는 것을 권장한다.

파이썬 프로그램에서 "$a=b$"의 의미는 변수 a에 변수 b의 값을 대입하라는 의미로 사용되며 이를 배정 연산이라고 부른다. 랩터는 배정 연산을 "$a \leftarrow b$"와 같이 표현한다.

표현	수학	랩터	파이썬
등호	$a=b$	$a=b$ (or $a==b$)	$a==b$
배정	-	$a \leftarrow b$	$a=b$

5.1.2 연산자의 표현과 생략

기본적인 수학적 연산(산술 연산)을 위해 흔히 사용하는 기호는 수학과 컴퓨터가 대부분 유사하다. 하지만, 일부 다른 기호를 사용하고 컴퓨터에서만 활용하는 기호도 있어 알아두어야 한다.

표현	수학	랩터	파이썬
더하기	+	+	+
빼기	-	-	-
곱하기	×	*	*
나누기	÷	/	/
나머지 구하기		rem (or mod)	%
거듭 제곱하기		^ (or **)	**
연결자		+	+ (or &)

곱셈을 포함하는 수식의 경우 수학에서는 곱셈기호를 생략하는 것이 가능하지만 컴퓨터에서는 생략된 표현은 인식하지 못하므로 반드시 기호를 포함해야 한다.

표현	수학	랩터(or 파이썬 프로그램)
수식	$y=2x^2-3x+5$	$y=2*x**2+3*x+5$

컴퓨터 프로그램에서는 수식에 다양한 산술 연산자와 배정 연산자가 결합되어 사용되고 있는데, 수학에서와 마찬가지로 연산자의 우선순위가 적용된다. 물론 배정 연산의 경우 수학에 없는 개념으로 인해 수식의 연산에 미치는 영향이 수학과는 다르다. 하지만, 랩터와 파이썬을 이용한 기초 설계에서는 연산자의 우선순위가 수학에서 알고 있는 것과 동일하다고 이해해도 무방하다.

5.1.3 문자 연산

컴퓨터에서는 문자 데이터도 연산의 대상이다. 대표적인 문자 연산에는 “연결”이 있다. 즉 두 개 이상의 문자(열)를 연결하는 것을 말한다. 이러한 연산을 위해 연결자를 두고 문자 또는 문자열의 연결에 사용한다.

연산자	사용 예	설명
+	“Software” + “Coding”	두 문자열이 연결(“SoftwareCoding”)
	“The result is ” + number	문자열과 변수의 값이 연결
	“Total price : ” + (note+pencil)	문자열과 수식의 결과 값이 연결

5.2 순차 논리를 이용한 데이터의 저장과 출력

프로그램을 이용하여 산술 연산을 이용한 데이터의 계산을 실습하고자 한다. 컴퓨터 프로그래밍 학습자들을 위해 만들어진 말로 “백문(百聞)이 불여일타(不如一打)”가 있다. 백번 물어보는 것보다 한번 코딩하는 것이 좋다는 의미이다. 코딩은 유사한 문제의 반복 학습과 스스로 개선점을 만드는 학습이 효과적이다.

Coding Practice

예제 2-1

새학기를 맞이하여 학용품을 구매하려고 한다. 인터넷 쇼핑몰에서 볼펜(1,200원) 5개와 노트(2,000원) 8개를 주문하였다. 배송비 3,000원을 포함하여 결제해야 할 금액을 계산하는 프로그램을 작성하시오.

실행 결과 예시

결재 금액 : 000000원

∷ 랩터로 설계하기(예제 2-1)

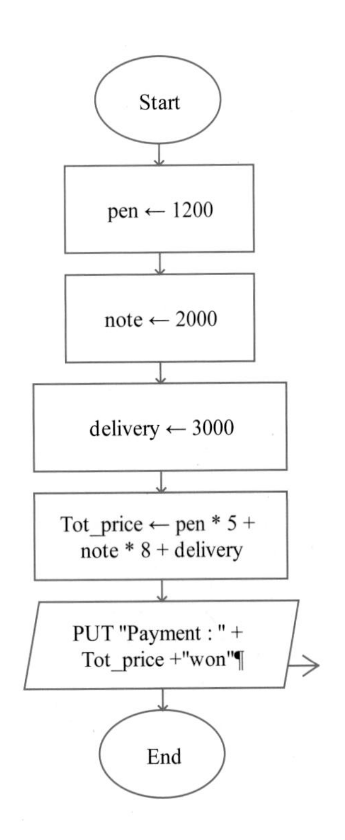

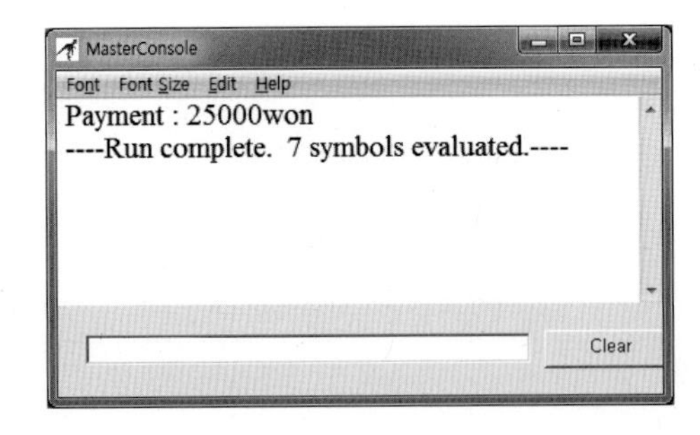

∷ 파이썬으로 구현하기(예제 2-1)

```
pen = 1200
note = 2000
delivery = 3000
Tot_price = pen * 5 + note * 8 + delivery

print("결제 금액 :", Tot_price, "원")
```

```
결제 금액 : 25000 원
```

알아두기 화면 출력 방법

❖ 출력하기 (랩터)

① Symbols에서 Output 심볼 선택 및 순서도의 출력하고자 하는 위치에 끌어 놓기

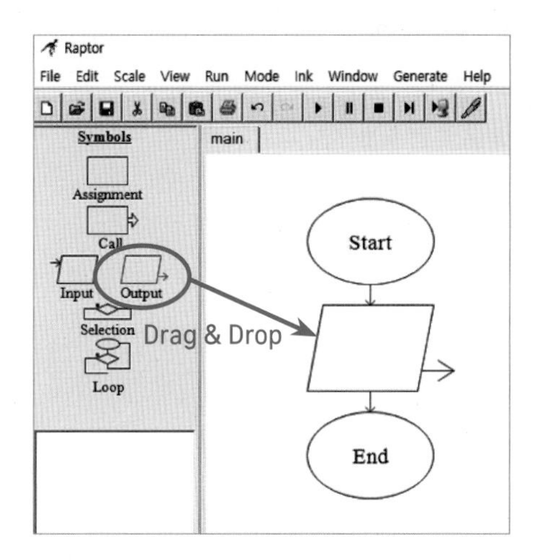

② 순서도에 위치한 Output 심볼 더블 클릭 또는 마우스 오른쪽 클릭하여 나타나는 팝업 창에서 Edit 선택하여 Enter Output 창 실행

③ 문자 입력 박스에 출력하고자하는 문자열의 조합 입력 후 Done 클릭

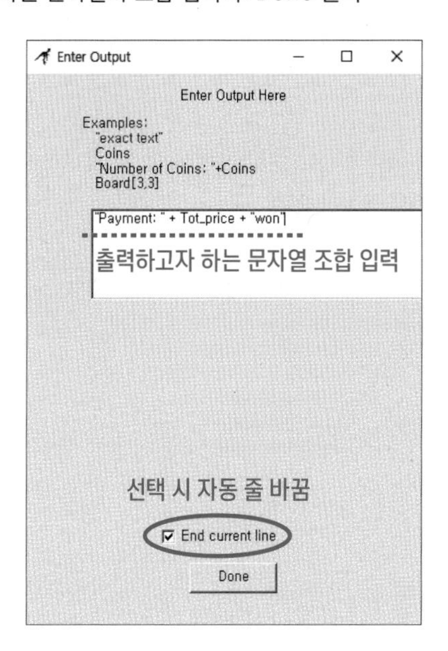

- End current line에 체크되어 있으면, 문장 출력 후 자동 줄 바꿈(자동 줄 바꿈을 원하지 않을 경우 체크 해제)

④ 문자열 조합 만들기

- Output은 하나의 문자열을 출력하는 것이 기본 (ex. "문자열")
- 문자열 연결자(+)를 이용하여 연결할 수 있으며, 이때 변수 및 수식은 문자열로 연결됨

❖ 출력하기 (파이썬)

① 파이썬에서 화면으로 출력하는 방법 : print 문 사용

- print("문자열") 의 형태가 기본으로 하나의 문자열을 출력
- 출력하고자 하는 문자열을 괄호 안에 입력하며, 변수 및 수식을 포함하여 여러 문자를 연결할 수 있음

② 변수(숫자형) 및 수식 연결 방법

- print("문자열", 변 수(또는 수 식), "문자열")
- print("문자열 {0} {1}".format(변수, 수식))
- 사용 예
  - print("결재 금액: ", Tot_price, "원")
  - print("결재 금액: {0}원".format(Tot_price))

③ 변수(문자형) 연결 방법

- print("문자열" + 변 수 + "문자열")

Coding Practice

예제 2-2

다솔이는 이번 학기 중간고사에서 국어 85점, 영어 90점, 수학 82점, 코딩 85점을 받았다. 다솔이의 중간고사 총점과 평균을 구하는 프로그램을 작성하시오.

실행 결과 예시

총점 : 000

평균 : 000.00

⁝⁝⁝ 랩터로 설계하기 (예제 2-2)

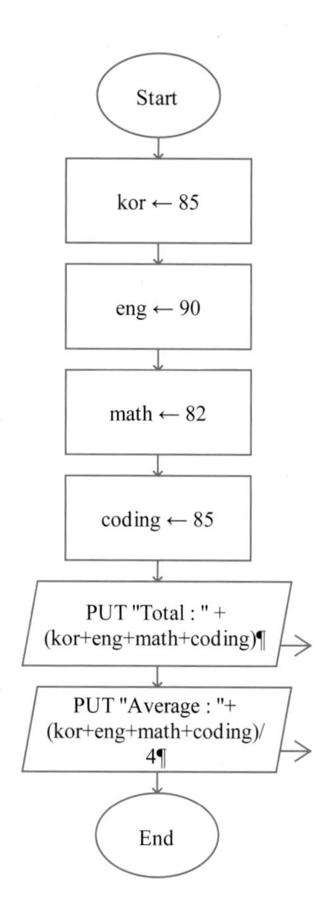

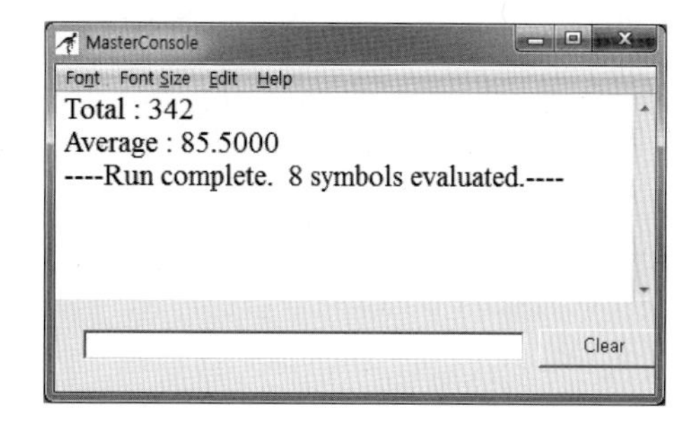

⁝⁝⁝ 파이썬으로 구현하기 (예제 2-2)

```
kor = 85
eng = 90
math = 82
coding = 85

print("총점 :", kor + eng + math + coding)
print("평균 :", (kor + eng + math + coding)/4)
```

```
총점 : 342
평균 : 85.5
```

Coding Practice

예제 2-3

원의 반지름을 입력하면 원의 둘레와 원의 넓이를 계산하여 출력하는 프로그램을 만들고자 한다. 랩터와 파이썬을 이용하여 프로그램을 작성하시오.

실행 결과 예시

둘레 : 000

넓이 : 000.00

랩터로 설계하기 (예제 2-3)

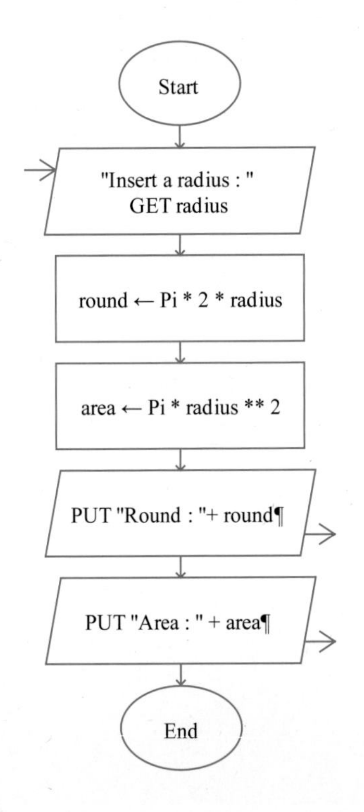

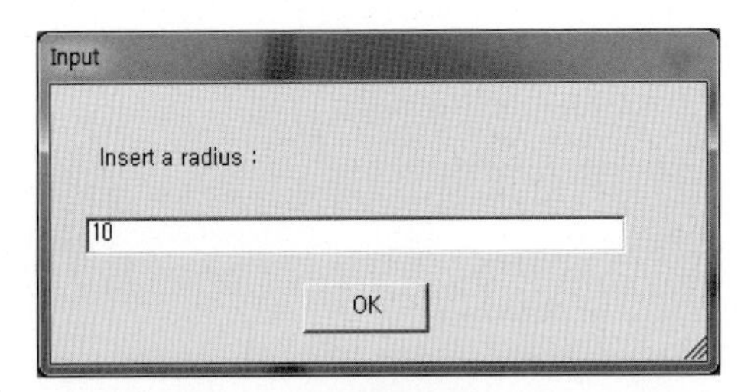

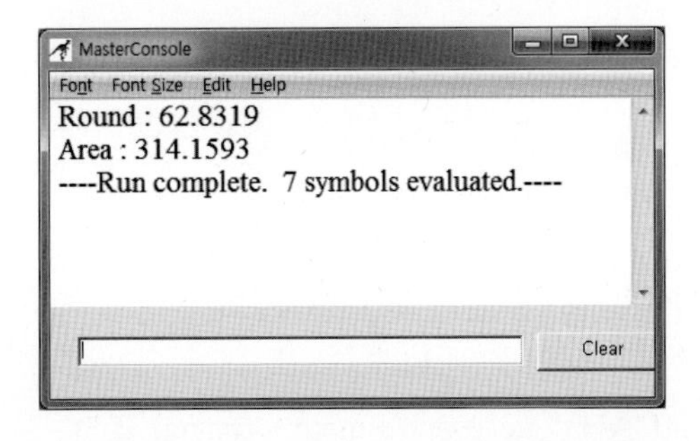

∷ 파이썬으로 구현하기 (예제 2-3)

```
radius = int(input("반지름 입력 : "))
```

```
반지름 입력 : 10
```

```
Pi = 3.141592
c_round = 2 * Pi * radius
c_area = Pi * radius**2

print("원의 둘레 :", c_round)
print("원의 넓이 :", c_area)
```

```
원의 둘레 : 62.83184
원의 넓이 : 314.1592
```

알아두기 입력 값 받는 방법

❖ 사용자로부터 값 입력받기 (랩터)

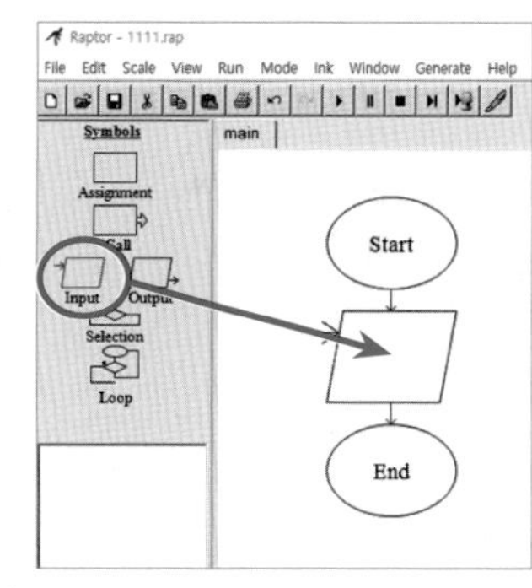

① Symbols에서 Input 심볼 선택 및 순서도에서 입력받고자 하는 위치에 끌어 놓기

② 순서도에 위치한 Input 심볼 더블 클릭 또는 마우스 오른쪽 클릭하여 나타나는 팝업 창에서 Edit 선택하여 Enter Input 창 실행

③ Enter Prompt Here 아래 문자 입력 박스에 입력 안내 문자 입력 및 Enter Variable Here 아래 문자 입력 박스에 변수 입력

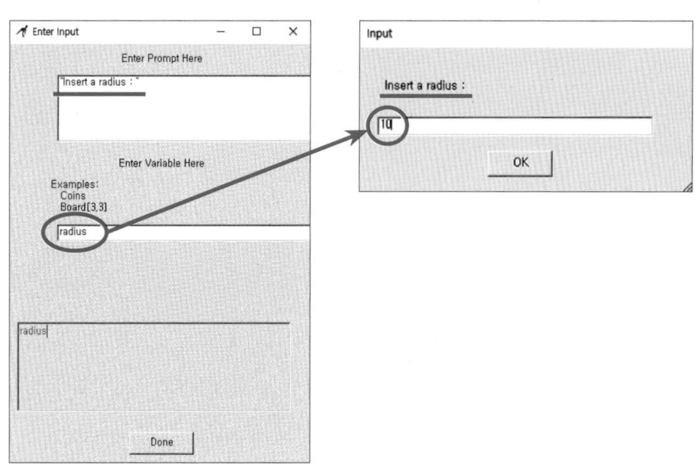

❖ 사용자로부터 값 입력받기 (파이썬)

① 파이썬에서 사용자 입력을 받아들이는 방법 : input( ) 사용

- 사용방법

```
변수 = input("프롬프트")
```

- 랩터의 Input 심볼과 유사하게 사용자 입력 안내를 위한 "프롬프트"와 사용자가 입력한 값을 받아들여 저장할 "변수"로 구성됨

② input( )으로 입력받은 값 사용하기

- 사용자 입력을 받아들이는 input( )은 주로 키보드의 입력을 받아들인다. 따라서, 입력되는 값은 숫자라도 문자로 인식됨
- 프로그램 내부에서 문자로 인식된 숫자의 연산은 오류를 야기하기 때문에 반드시 그 값을 자료 유형에 맞게 변환하여 사용해야 함 (특히, 숫자 입력에 유의)
- 정수로 변환 int( ) : 괄호 안의 값을 정수형 자료로 강제 변환
- 실수로 변환 float( ) : 괄호 안의 값을 실수형 자료로 강제 변환
- 사용 예

```
number1 = int( input("정수 입력(1~100): ") )
number2 = float( input("반지름 입력: ") )
```

Coding Practice

예제 2-4

민희는 자신이 가지고 있는 곰 인형을 현진이의 바비 인형과 바꾸기로 하였다. Minhee 변수에 저장된 “Teddy bear”와 Hyunjeen 변수에 저장된 “Barbie”를 교환 시키는 알고리즘을 순서도로 작성하시오.

실행 결과 예시

Minhee : Barbie
Hyunjeen : Teddy bear

::: 랩터로 설계하기 (예제 2-4)

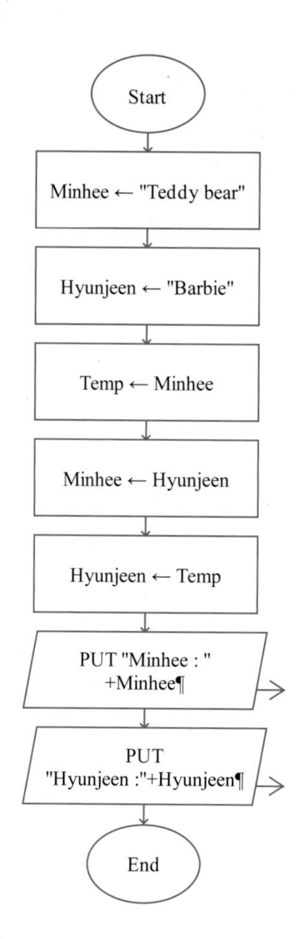

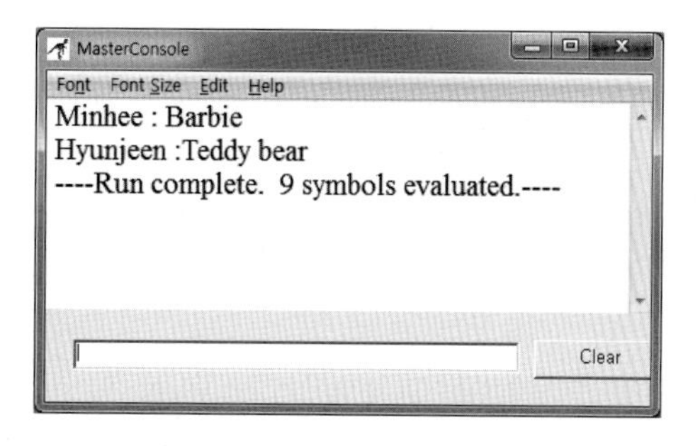

::: 파이썬으로 구현하기 (예제 2-4)

```
Minhee = "Teddy bear"
Hyunjeen = "Barbie"

Temp = Minhee
Minhee = Hyunjeen
Hyunjeen = Temp

print("Minhee :"+ Minhee)
print("Hyunjeen :" + Hyunjeen)
```

```
Minhee :Barbie
Hyunjeen :Teddy bear
```

EXERCISE

1. 두 수를 입력받아 더하기, 빼기, 곱하기, 나누기가 적용된 결과를 출력하는 프로그램을 작성하시오.

   실행 결과 예시

   56과 19의 합은 000이다.
   56과 19의 차는 000이다.
   56과 19의 곱은 000이다.
   56을 19로 나누면 000이다.

2. 태양전자 대리점의 올해 상반기에 TV를 2,500대 판매하였다. TV 한 대당 판매 가격은 120만원이고 대리점의 판매 수수료는 35만원이다. 상반기 TV 판매 총 매출액과 대리점의 총 수익금을 구하는 프로그램을 작성하시오.

3. 한 변이 80m인 정사각형 모양의 운동장 면적을 구하는 프로그램을 작성하시오.

4. 5개 과목(논리회로, 컴퓨터프로그래밍, 글쓰기, 기초영어, 대학수학)의 점수를 입력받아 총점과 평균을 구하는 프로그램을 작성하시오.

5. 40분에 2,100자를 입력할 수 있는 사람이 45분 동안 몇 자를 입력할 수 있는지 구하는 프로그램을 작성하시오.

6. 로봇 동아리는 삼겹살을 좋아하는 회원들의 요청에 따라 삼겹살집에서 저녁에 회식을 하였다. 식사 후 식사비로 240,000원이 계산되었다. 회식에 참석한 13명의 회원들이 더치 페이 할 수 있도록 계산하는 프로그램을 작성하시오.

EXERCISE

7. 일요일을 맞이하여 푸름이는 친구 5명과 함께 영화를 보기로 했다. 영화 관람료는 1인당 8,000원으로 학생증 있는 경우 학생 할인 15%가 적용되는 데, 학생증은 3명만 가지고 있다. 총 지불해야 할 관람료가 얼마인지 구하는 프로그램을 작성하시오.

8. 아름이는 등산을 좋아한다. 오늘은 왕복거리가 18.5Km인 산을 등산하고자 한다. 산에서 아름이는 시간당 평균 2.3Km를 걸을 수 있다. 오늘 아름이가 산을 왕복하는데 걸리는 시간을 계산하는 프로그램을 작성하시오.

9. 기식이의 SUV는 20리터의 기름으로 240.8Km를 주행할 수 있다. 평균 연비와 45리터의 기름으로 주행할 수 있는 거리를 구하는 프로그램을 작성하시오.

10. A전자에 다니는 황정수 대리의 본봉은 280만원이다. 직급 수당으로 매달 30만원을 받고 있으며, 세금으로 총액의 20%를 낸다. 이번 달 월급으로 정수씨가 받을 수 있는 금액을 계산하는 프로그램을 작성하시오.

11. 글쓰기 과목에서 제시한 "과학적인 글쓰기" 교재는 240페이지의 분량을 가지고 있다. 중간고사까지 완독해야 한다고 할 때, 소요되는 시간을 계산하는 프로그램을 작성하시오. (단, 1페이지 읽기는 평균 3분 소요된다고 가정한다)

12. 2020년 김철수에게 상반기 자동차 세금으로 173,000원이 부과되었다. 그런데 납부 기간 내에 세금을 내지 않아 가산금이 3% 부과됐다. 가산금을 포함하여 납부해야 하는 총 자동차 세금이 얼마인지를 구하는 프로그램을 작성하시오.

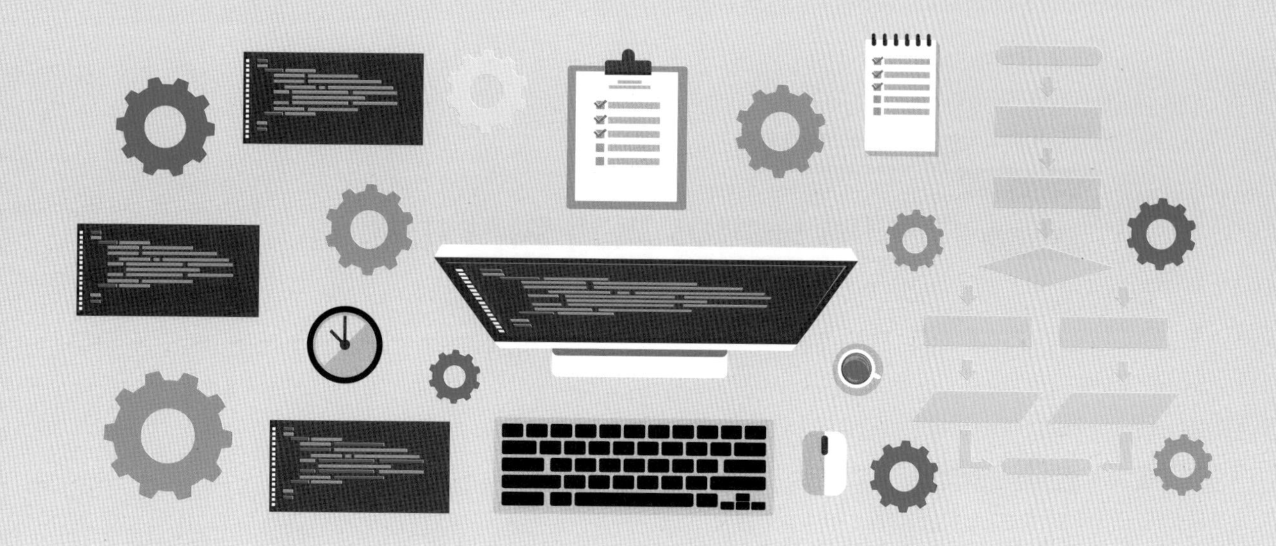

CHAPTER 3

선택 논리와 알고리즘

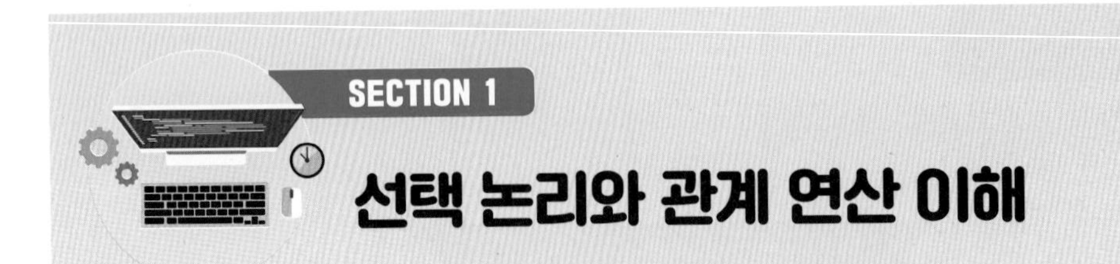

SECTION 1 선택 논리와 관계 연산 이해

1.1 선택 논리

컴퓨터를 통해서 문제를 해결하려고 하는 문제들은 순서 논리만으로는 해결할 수 없는 경우가 대부분이다. 프로그램에서 선택 논리는 주어진 조건에 따라 실행되는 문장이 다르다는 의미이다. 일상생활에도 선택 논리가 있다. "휴일이면 학교를 안가도 된다"를 실행에 옮기려고 한다면, "오늘이 휴일인가?"를 먼저 확인함으로써 학교를 안가도 되는 조건이 만족되어야 한다.

선택 논리의 핵심은 조건이다. 문제에 대한 답은 주어진 문제로부터 명확한 조건을 추출할 수 있어야 가능하다. 즉 선택 논리를 사용하여 문제를 해결하는 것은 참과 거짓 중에서 하나를 결정할 수 있는 조건을 추출해 내는 것으로부터 시작된다.

1.2 관계 연산

프로그램 논리의 조건을 위해서는 참과 거짓의 둘 중에 하나만을 만족할 수 있는 조건식을 만들어 사용한다. 조건식을 만들 때는 관계 연산(Relational Operation)과 논리 연산(Logical Operation)이 사용된다.

관계 연산은 두 수나 문자열을 비교하는 것으로 같음(equals), 같지 않음(not equals)이 있고,두 수의 크기를 비교하는 것으로 선택 논리와 반복 논리의 조건에 사용된다. 관계 연산의 결과는 반드시 참(true) 또는 거짓(false) 중의 하나로 결정될 수 있어야만 한다.

연산자	사용 예	설명
==	var1 == var2	var1과 var2가 같은 경우
!=	var1 != var2	var1과 var2가 같지 않은 경우
>	var1 > var2	var1가 var2 보다 큰 경우
<	var1 < var2	var1가 var2 보다 작은 경우
>=	var1 >= var2	var1가 var2 보다 크거나 같은 경우
<=	var1 <= var2	var1가 var2 보다 작거나 같은 경우

관계 연산의 조건식을 이용하여 다음과 같이 단순 선택, 이중 선택, 다중 선택 형태의 선택 논리 형식이 사용될 수 있다.

1.2.1 단순 선택

단순 조건을 만족하면 실행되는 선택 처리로 거짓일 경우 실행될 명령이 존재하지 않는다.

- "X가 Y보다 크면, X가 큰 수이다"

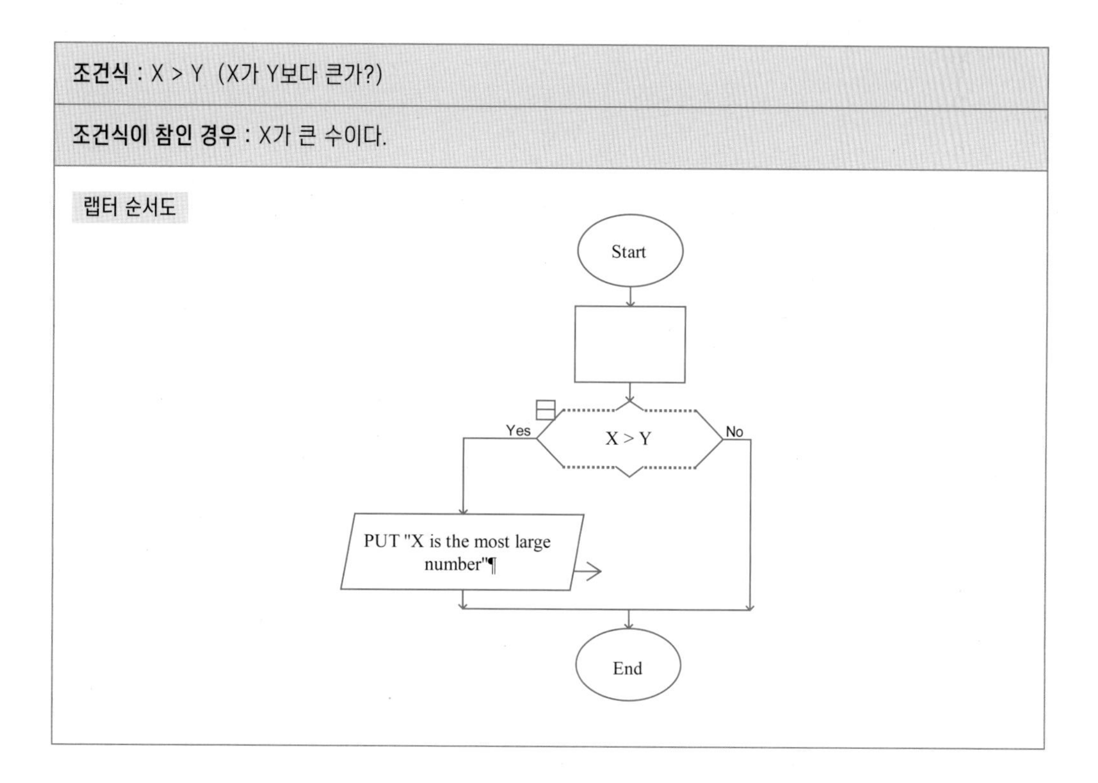

파이썬

```
...
if X > Y :
    print('X가 큰수이다.')
...
```

들여쓰기

1.2.2 이중 선택

조건에 따라 참일 때와 거짓일 때 각각 실행할 명령이 있는 선택 처리를 뜻한다.

- "X가 Y보다 크면, X가 큰 수이고, 그렇지 않으면 Y가 큰 수이다"

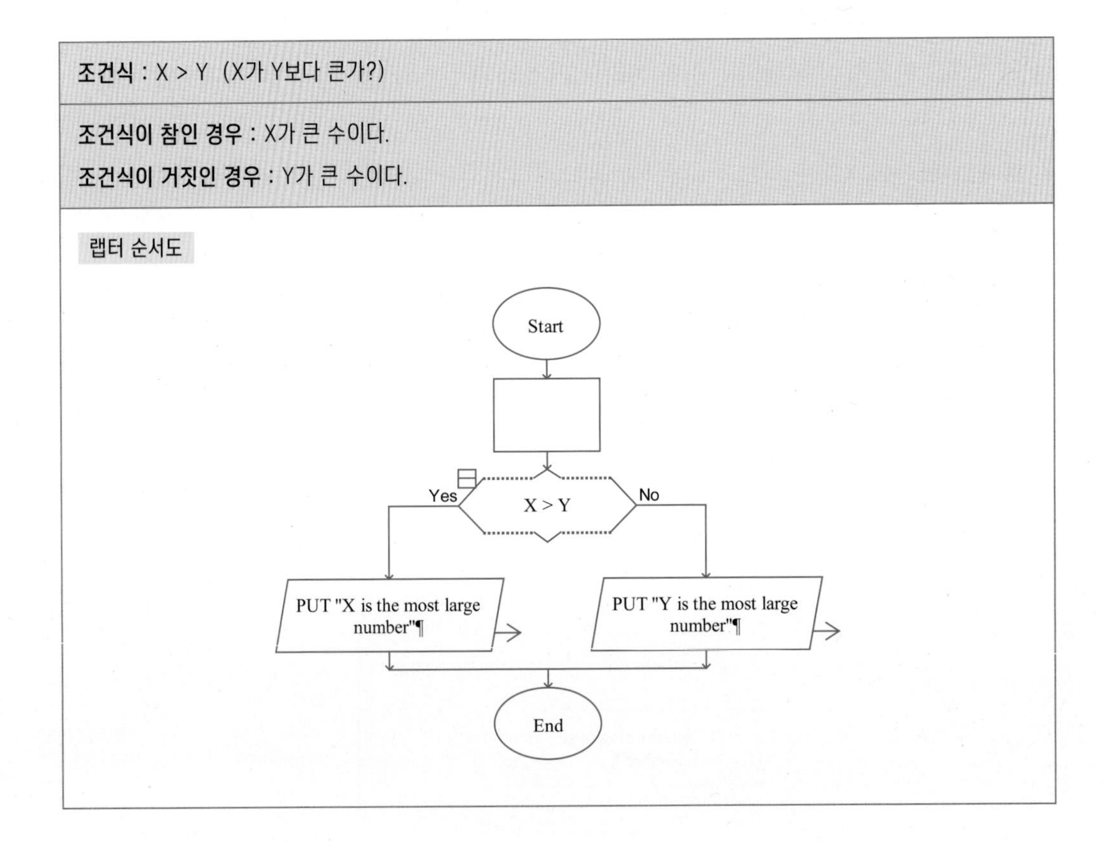

조건식 : X > Y (X가 Y보다 큰가?)

조건식이 참인 경우 : X가 큰 수이다.
조건식이 거짓인 경우 : Y가 큰 수이다.

랩터 순서도

```
파이썬
...
if X > Y :
    print('X가 큰 수이다.')
else :
    print('Y가 큰 수이다.')
...
```

1.2.3 다중 선택

조건이 여러 개일 경우를 뜻하는 것으로, 조건에 따라 참과 거짓이 존재한다. 조건식에 의한 단순 및 이중 선택은 참과 거짓 2가지 상황만 반영할 수 있다. 그러나 다중 선택은 2가지 이상의 선택 사항이 있을 때 2개 이상의 조건식을 연결하여 사용한다.

- "Age가 14미만이면 초등학생이고, 그렇지 않고 Age가 17미만이면 중학생이며, 그렇지 않고 Age가 17 이상이면 고등학생이다"

전제조건 : 나이(Age) 값은 8 ~ 19 사이 값만 입력
조건식 1 : Age < 14 (나이가 14보다 작은가?)
조건식 2 : Age < 17 (나이가 17보다 작은가?)
조건 1이 참인 경우 : 초등학생 **조건 1이 거짓이고 조건 2가 참인 경우** : 중학생 **조건 1과 조건 2 모두 거짓인 경우** : 고등학생

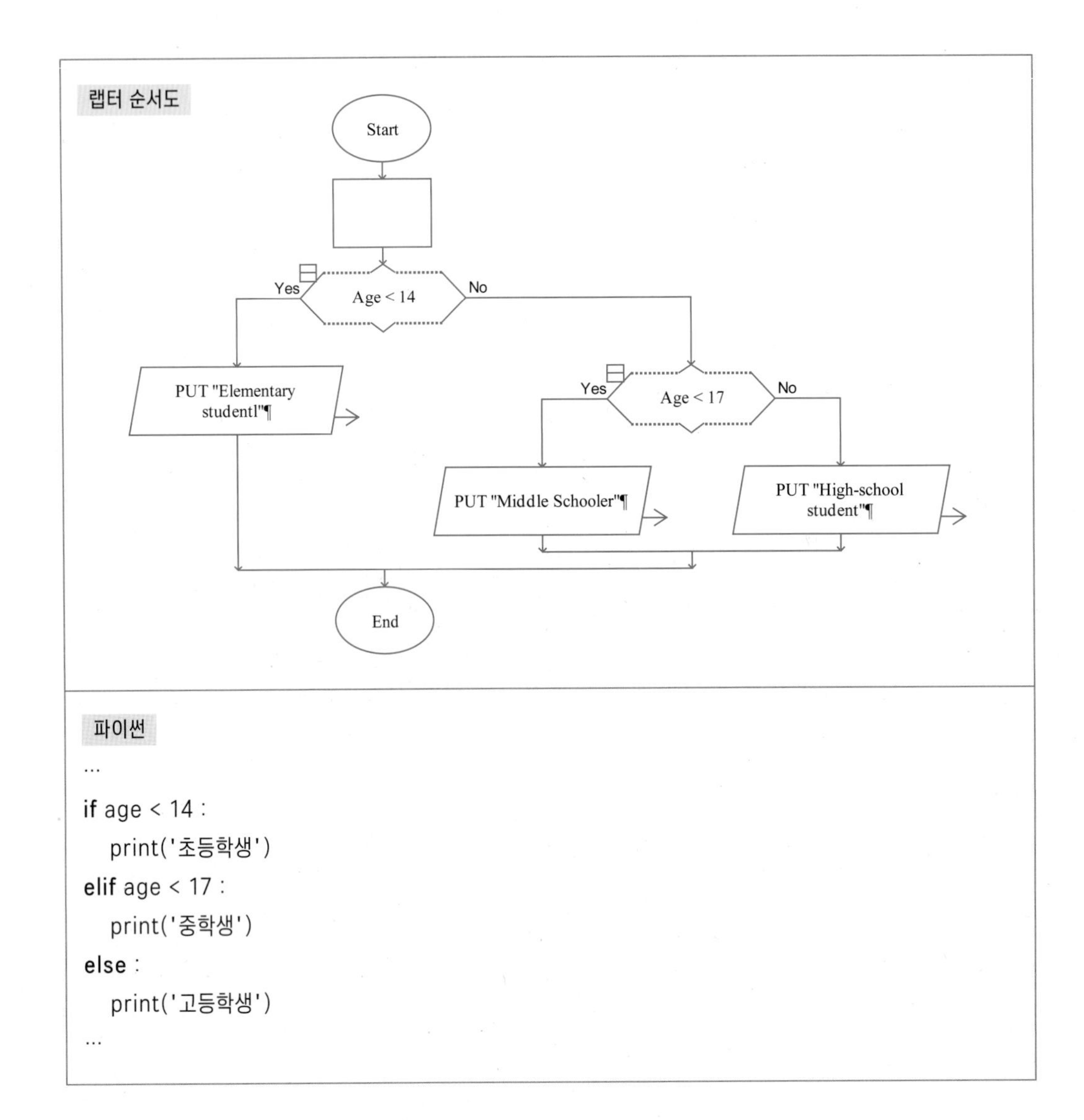

파이썬

```
...
if age < 14 :
   print('초등학생')
elif age < 17 :
   print('중학생')
else :
   print('고등학생')
...
```

Coding Practice

예제 3-1

변수 age에 저장된 나이가 65세 이상인지 비교하는 조건식을 관계 연산을 사용하여 만들어라.

▶ 조건식 만들기

65세 이상이므로 "크거나 같다"에 해당하는 연산자를 사용한다.

```
age >= 65
```

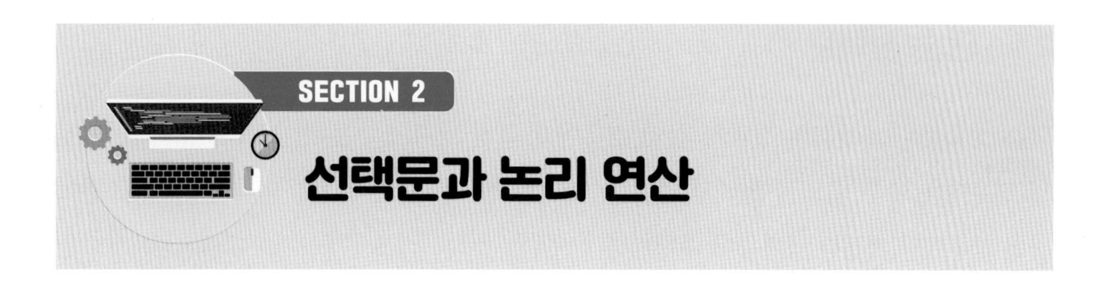

SECTION 2
선택문과 논리 연산

프로그래밍 언어에서는 선택 처리를 위한 선택문을 제공한다. 순서도에서는 마름모 형태로 표시하고, 조건식을 마름모 안에 기록한다. 랩터에서는 순서도와 유사한 심볼을 이용하여 선택문을 지원한다.

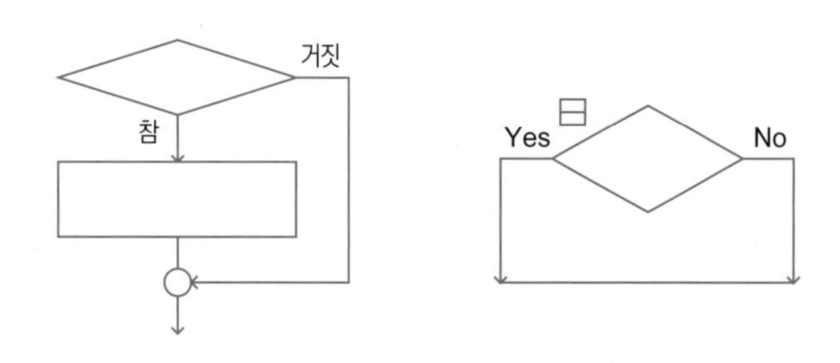

그림 3-1 선택 처리를 위한 순서도(좌)와 랩터의 선택문(우)

우리들의 실생활 문제들은 조건에 따라 서로 다른 처리를 해야 되는 경우가 많이 있다. 예를 들어 영화관에서 발권할 때 학생증이 있는 경우 15% 할인을 적용하고, 그렇지 않은 경우에는 할인하지 않는 경우를 생각해보자. 프로그램을 작성하기 위해서는 조건인 “학생증이 있는가?”를 만족(Yes)하는 경우 15% 할인을 적용하여 요금 계산을 처리해야 하고, 그렇지 않은 경우 정상적인 티켓 발급을 처리해야 한다.

선택문의 3가지 유형별로 구분하여 학습해보는 것은 다양한 조건에 따른 알고리즘의 수립에 도움이 될 것이다. 또한, 일반적인 프로그래밍 언어는 if문으로 선택 처리를 가능하게 하고 있는데, 랩터를 통해 배운 선택문은 파이썬을 포함한 일반적인 프로그래밍 언어의 선택문과 대부분 일치한다.

2.1 단순 선택문

단순 선택문은 조건식의 결과가 참인 경우에만 특정 명령(또는 문장)들을 수행하고, 거짓일 경우에는 아무 일도 수행하지 않는다. 이러한 형태를 단순 선택문이라고 하며, 조건이 참인 경우에만 지정된 명령들이 수행된다.

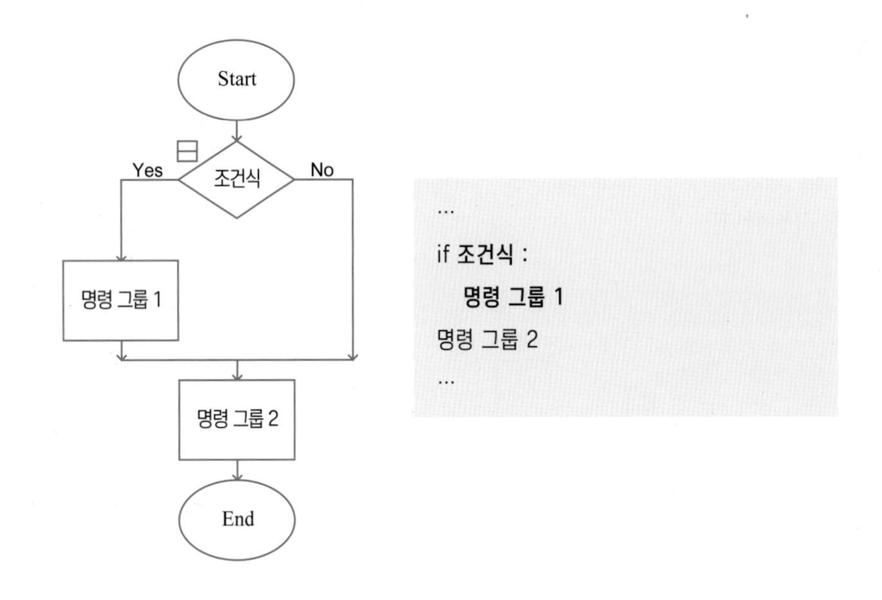

그림 3-2 랩터(좌) 및 파이썬(우)의 단순 선택문 구조

그림과 같이 단순 선택문은 조건식이 참일 경우에만 특정 작업들(명령 그룹1)을 수행하여 선택문 종료 후의 명령들(명령 그룹 2)을 수행하고, 조건이 거짓인 경우 선택문을 종료하고 바로 명령 그룹 2를 수행하게 된다.

Coding Practice

예제 3-2

사용자로부터 나이(age)를 입력 받아 65세 이상이면, “경로우대”를 출력하는 프로그램을 작성하시오.

실행 결과 예시

나이 입력: 67
경로우대

조건식 만들기

① 나이(age)를 입력 받아 65세 이상이면, "경로우대"를 출력
② 만약 **나이(age)가 65세 이상**이면, "경로우대" 출력
③ if age >= 65 then "경로우대" 출력

랩터로 설계하기 (예제 3-2)

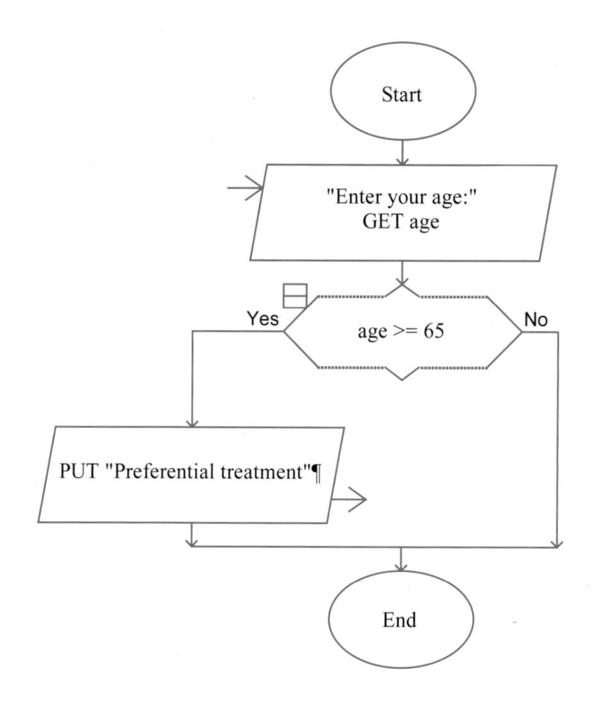

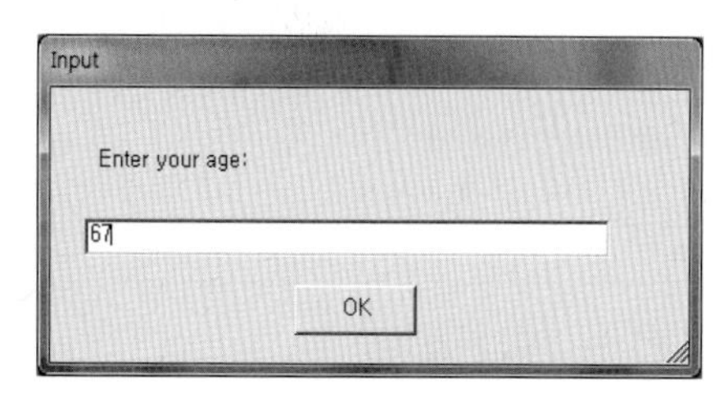

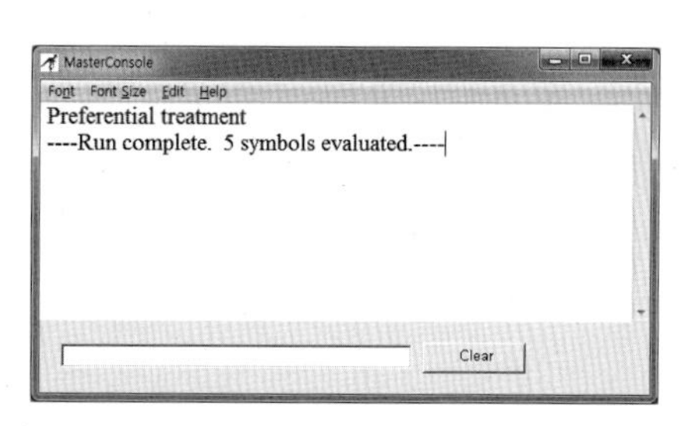

::: 파이썬으로 구현하기 (예제 3-2)

```
age = int(input('당신의 나이 입력 : '))
```

```
당신의 나이 입력 : 67
```

```
if age >= 65 :
    print('경로 우대')
```

```
경로 우대
```

Coding Practice

예제 3-3

사용자로부터 토익점수(0 ~ 990)와 영어성적(0 ~ 100)을 입력받아 두 점수의 합이 750점 이상이면, "해외 어학연수 합격"을 출력하는 프로그램을 작성하시오.

실행 결과 예시

토익점수 : 710
영어성적 : 80
해외 어학연수 합격!!

조건식 만들기

① 토익점수와 영어성적을 입력받아 두 점수의합이 750점 이상이면, "해외 어학연수 합격"을 출력
② 만약 **토익점수와 영어성적의 합이 750 이상**이면, "해외 어학연수 합격" 출력
③ if (토익점수+영어성적) >= 750 then "해외 어학연수 합격" 출력

⠿ 랩터로 설계하기 (예제 3-3)

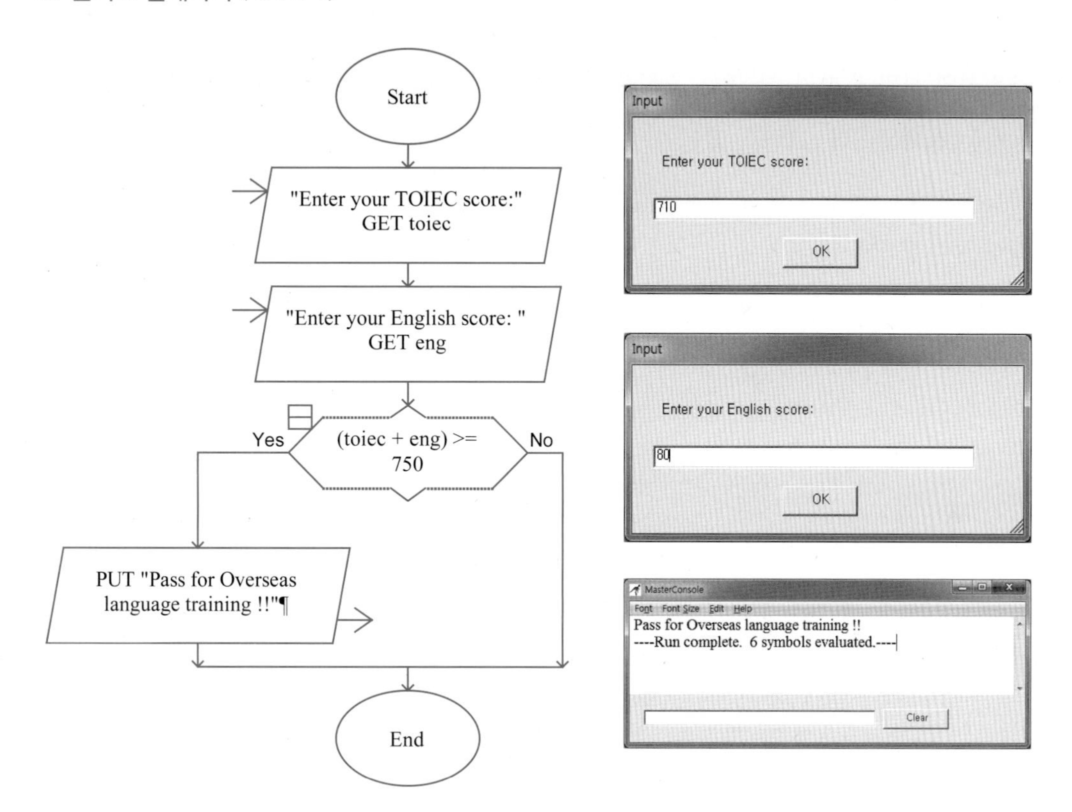

⠿ 파이썬으로 구현하기 (예제 3-3)

```
토익 = int(input("토익 점수 : "))
영어 = int(input("영어 점수 : "))
if 토익+영어 >= 750 :
    print("해외 어학연수 합격!!")
```

```
토익점수 : 710
영어성적 : 80
해외 어학연수 합격!!
```

2.2 이중 선택문

조건식의 결과에 따라 참 또는 거짓을 판단하여 서로 다른 명령을 수행해야 하는 경우 사용하는 선택문이다. 그림과 같이 이중 선택문은 조건식이 참인 경우 수행할 명령들(명령 그룹1)과 거짓인 경우 수행할 명령들(명령 그룹 2)이 각각 존재하여 조건식에 따라 각각 다른 명령을 수행하게 된다.

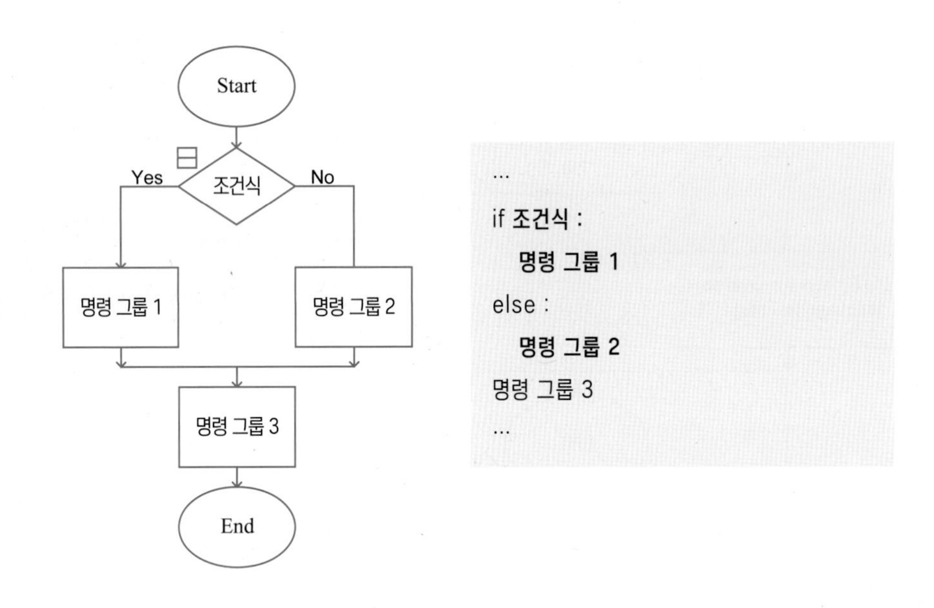

그림 3-3 랩터(좌) 및 파이썬(우)의 이중 선택문 구조

Coding Practice

예제 3-4

사용자로부터 임의의 숫자를 입력 받아 0 이상이면, "양수입니다"를 출력하고, 그렇지 않으면 "음수입니다"를 출력하는 프로그램을 작성하시오.

실행 결과 예시

숫자 입력 : 105
105는 양수입니다.

▶ 조건식 만들기

① 임의의 숫자를 입력 받아 0 이상이면, "양수입니다"를 출력하고, 그렇지 않으면 "음수입니다"를 출력

② 만약 **입력된 숫자가 0 이상이면**, "양수입니다" 출력, 그렇지 않으면 "음수입니다" 출력

③ if 입력된 숫자 >= 0 then "양수입니다" 출력
else "음수입니다" 출력

랩터로 설계하기 (예제 3-4)

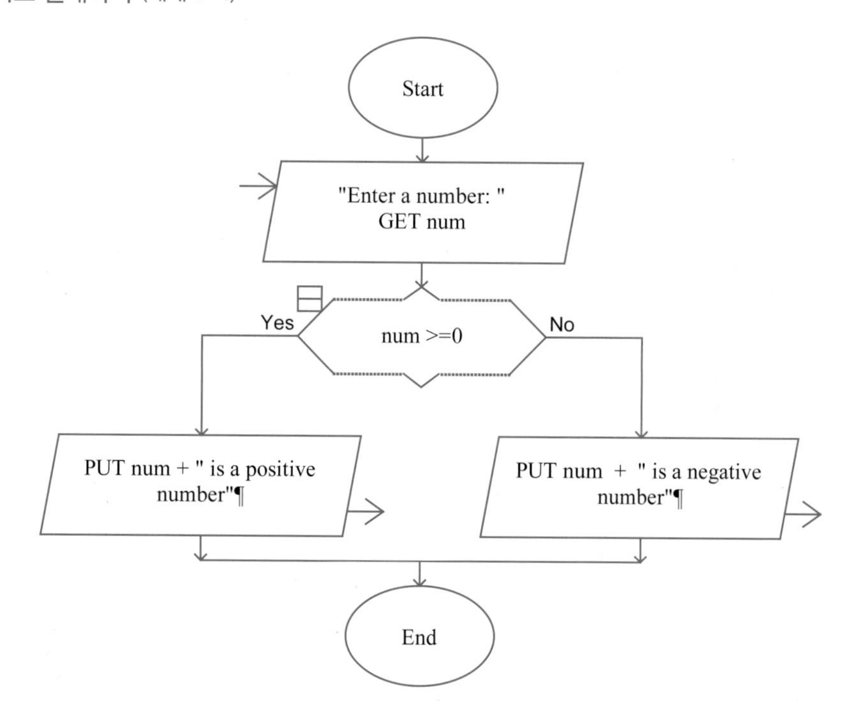

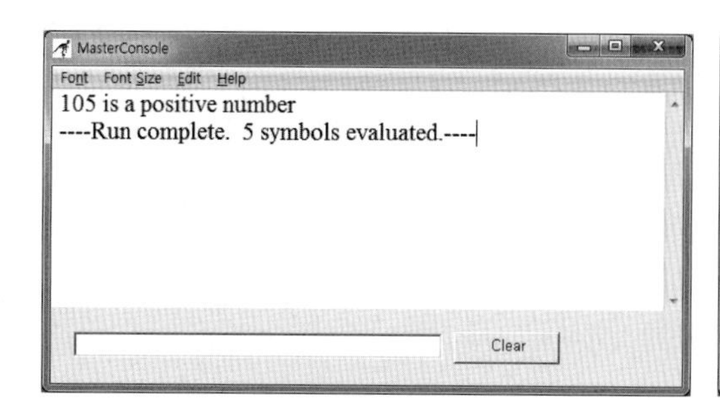

[양수를 입력한 경우]

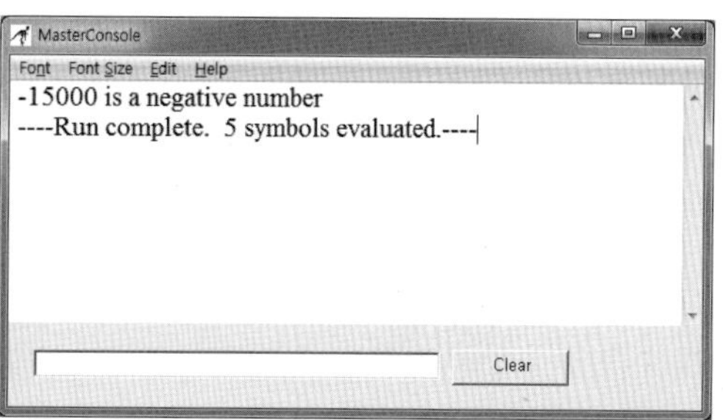

[음수를 입력한 경우]

⁝⁝⁝ 파이썬으로 구현하기 (예제 3-4) : 양수를 입력한 경우

```
num = int(input("숫자 입력 : "))

if num >= 0 :
    print("{0}는 양수입니다.".format(num))

else :
    print("{0}는 음수입니다.".format(num))
```

```
숫자 입력 : 105
105는 양수입니다.
```

⁝⁝⁝ 파이썬으로 구현하기 (예제 3-4) : 음수를 입력한 경우

```
num = int(input("숫자 입력 : "))

if num >= 0 :
    print("{0}는 양수입니다.".format(num))

else :
    print("{0}는 음수입니다.".format(num))
```

```
숫자 입력 : -15400
-15400는 음수입니다.
```

Coding Practice

예제 3-5

사용자로부터 학생증 소지 유무를 입력받고 학생증을 소지하고 있으면 "할인 티켓"을 화면에 출력하고, 그렇지 않으면 "일반 티켓"을 출력하는 프로그램을 작성하시오.

실행 결과 예시

```
학생증이 있습니까?(y/n) : y
할인 티켓
```

조건식 만들기

① 학생증 소지 유무를 입력받고 학생증을 소지하고 있으면 "할인 티켓"을 화면에 출력하고, 그렇지 않으면 "일반 티켓"을 출력

② 만약 **학생증을 소지하고 있으면**, "할인 티켓" 출력, 그렇지 않으면 "일반 티켓" 출력

③ if 학생증 유무 == 'y' then "할인 티켓" 출력 else "일반 티켓" 출력

랩터로 설계하기 (예제 3-5)

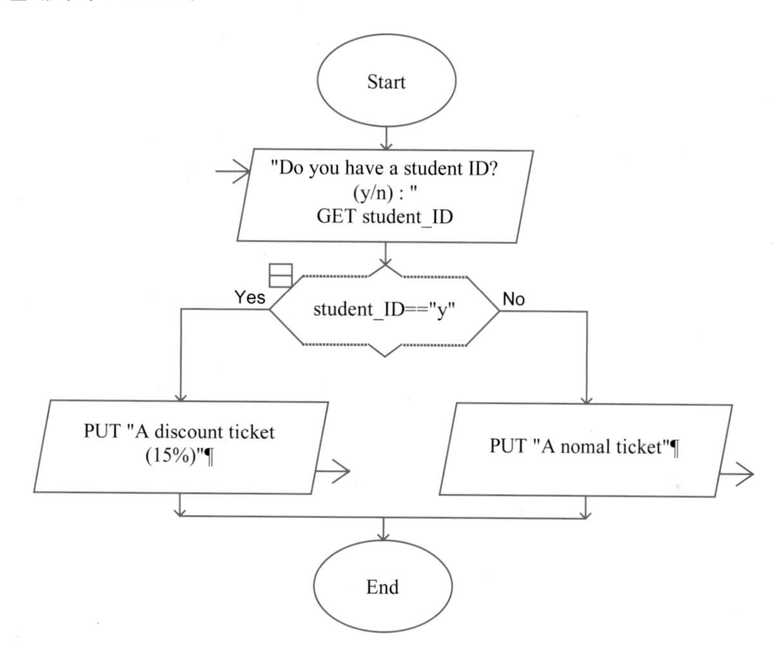

파이썬으로 구현하기 (예제 3-5)

```
student_ID = input("학생증이 있습니까?(y/n) : ")

if student_ID == 'y' :
    print("할인 티켓(15%)")

else :
    print("일반 티켓")
```

```
학생증이 있습니까?(y/n) : y
할인 티켓(15%)
```

Coding Practice

예제 3-6

사용자로부터 서로 다른 수 2개를 입력받아서 비교하여 큰 수를 찾아 화면에 출력하는 프로그램을 작성하시오.

실행 결과 예시

첫 번째 수 입력 : 59
두 번째 수 입력 : -59
59가 큰 수입니다.

조건식 만들기

① 사용자로부터 서로 다른 수 2개를 입력받아서 비교하여 큰 수를 찾아 화면에 출력
② 만약 **첫 번째 입력된 수(num1)가 두 번째 입력된 수(num2) 보다 크면**, num1이 큰 수이고, 그렇지 않으면 num2가 큰 수이다.
③ if num1 > num2 then num1이 큰 수 else num2가 큰 수

랩터로 설계하기 (예제 3-6)

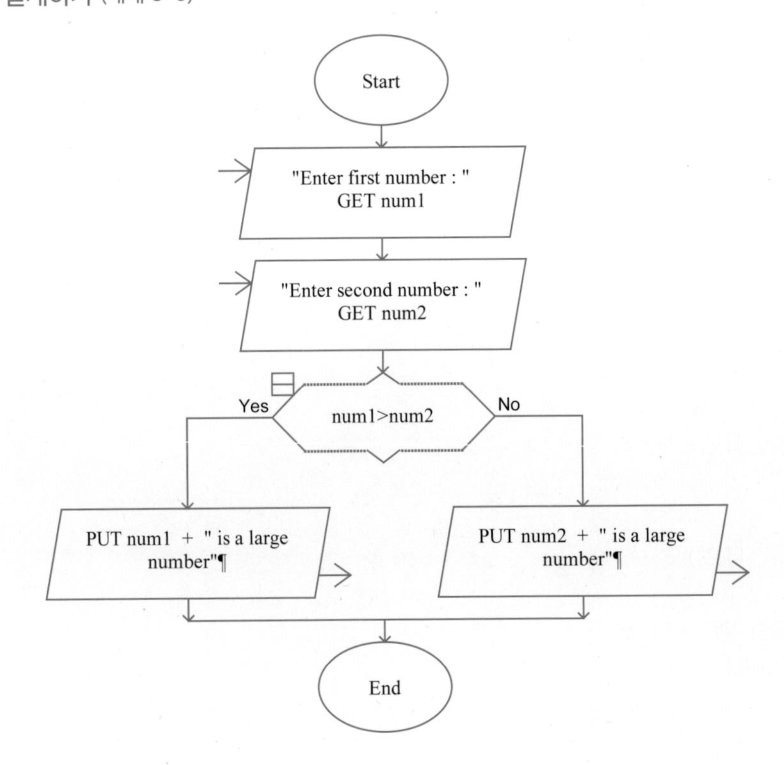

파이썬으로 구현하기 (예제 3-6)

```
num1 = int(input("첫 번째 수 입력 : "))
num2 = int(input("두 번째 수 입력 : "))

if num1 > num2 :
    print("{0}가 큰 수입니다.".format(num1))

else :
    print("{0}가 큰 수입니다.".format(num2))
```

```
첫 번째 수 입력 : 59
두 번째 수 입력 : -59
59가 큰 수입니다.
```

Coding Practice

예제 3-7

사용자로부터 필기점수(0~100)와 실기점수(0~100)를 각각 입력받아 평균이 60점 이상인 경우 “합격”을 그렇지 않으면 “불합격”을 출력하고 프로그램의 마지막에 “응시해주셔서 감사합니다”를 출력하는 프로그램을 작성하시오.

실행 결과 예시

```
필기점수 입력 : 50
실기점수 입력 : 55
불합격
응시해주셔서 감사합니다.
```

조건식 만들기

① 필기점수(0~100)와 실기점수(0~100)를 각각 입력받아 평균이 60점 이상인 경우 "합격"을 그렇지 않으면 "불합격"을 출력

② 만약 **필기점수와 실기점수의 평균이 60 이상**이면, "합격" 그렇지 않으면 "불합격"

③ if 평균(필기점수, 실기점수) >= 60 then "합격" 출력 else "불합격" 출력

랩터로 설계하기 (예제 3-7)

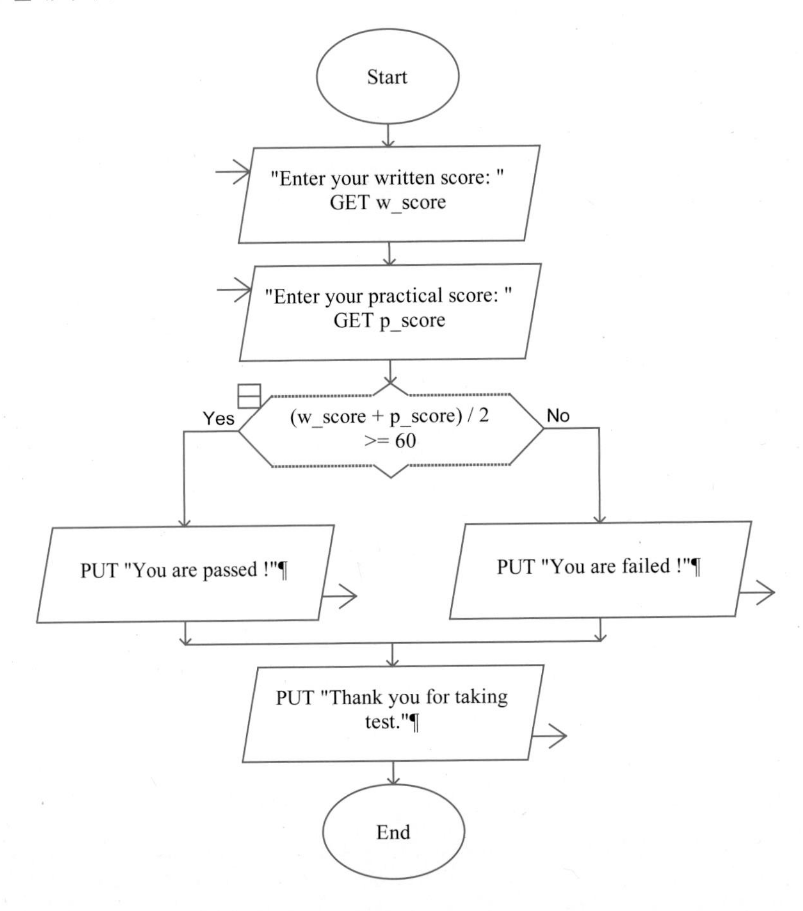

⁝⁝⁝ 파이썬으로 구현하기 (예제 3-7)

```
w_score = int(input("필기점수 입력 : "))
p_score = int(input("실기점수 입력 : "))

if (w_score + p_score)/2 >= 60 :
   print("합격")

else :
   print("불합격")

print("응시해주셔서 감사합니다.")
```

```
필기점수 입력 : 50
실기점수 입력 : 55
불합격
응시해주셔서 감사합니다.
```

2.3 다중 선택문

다중 선택을 제공하는 선택문이다. 이중 선택문은 하나의 조건식으로 2가지 경우의 선택만이 가능하다는 한계가 있다. 여러 가지의 경우를 선택하고자 할 때는 둘 이상의 조건식을 연결하여 다중 선택문으로 구성하는 방법이 있다. 즉 첫 번째 조건식이 거짓일 경우 다시 선택적 조건식을 제시하여 선택하게 한다. 이러한 방법은 선택 조건을 반복적으로 제시할 수 있기 때문에 필요한 만큼 확장이 가능하다. 다중 선택문에서 반복적으로 제시될 수 있는 조건식의 수는 제한이 없다.

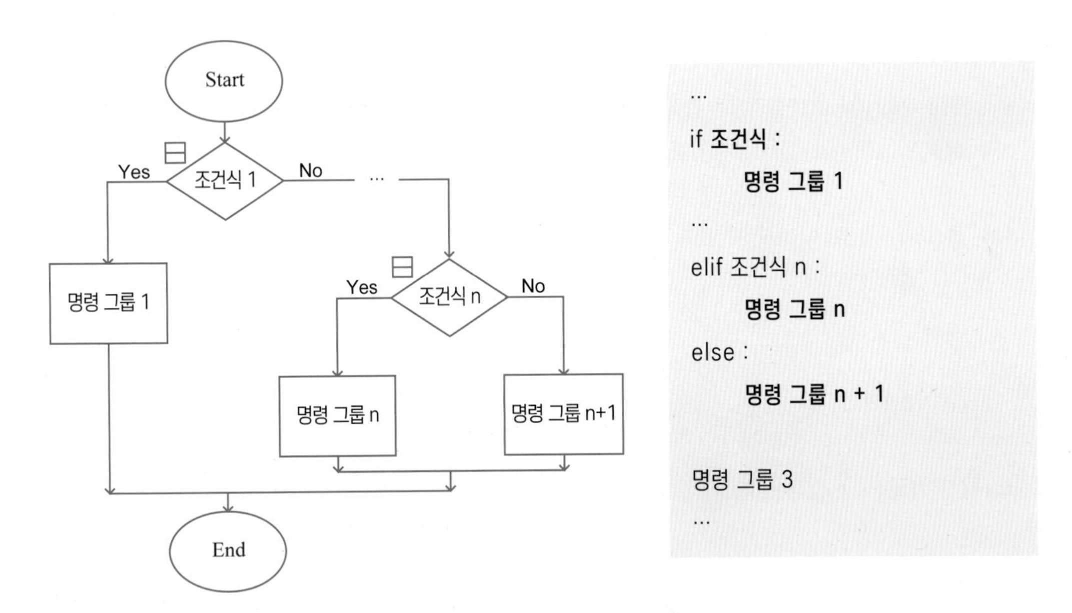

그림 3-4 랩터(좌) 및 파이썬(우)의 다중 선택문 구조

실습 예제 [3-4]는 0을 양수로 포함하는 논리적인 오류를 포함하고 있다. 이러한 논리적인 오류는 다중 선택문으로 "음수, 0, 양수"를 판별할 수 있도록 조건식을 만들어 해결할 수 있다.

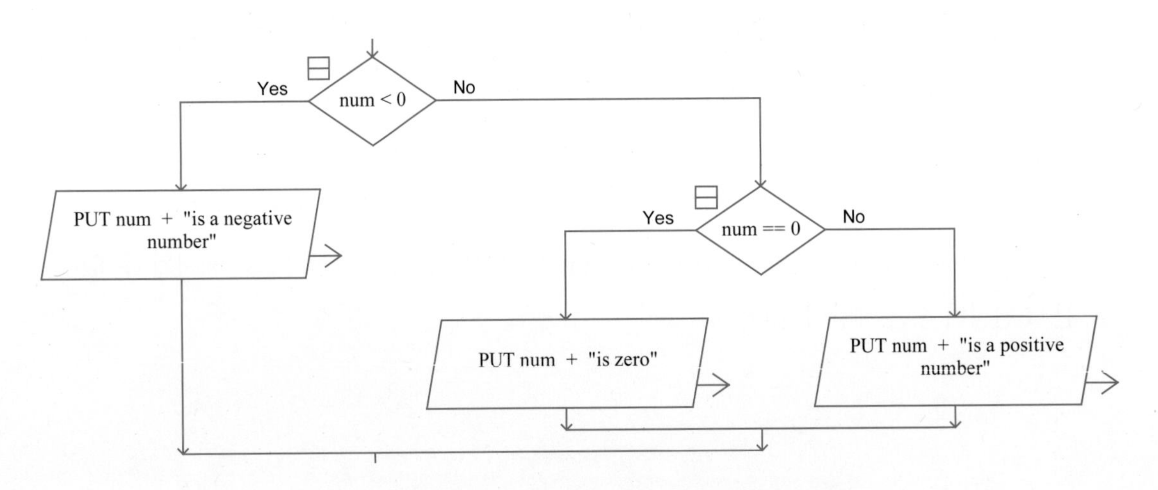

그림 3-5 다중 선택문을 이용한 실습 예제[3-4]의 논리적 오류 해결

Coding Practice

예제 3-8

사용자로부터 임의의 수 2개를 입력받아서 비교하여 큰 수를 찾아 화면에 출력하는 프로그램을 작성하시오. (단, 같은 수이면 "두 수가 같다"고 출력)

실행 결과 예시

첫 번째 수 입력 : 59
두 번째 수 입력 : 59
같은 수가 입력되었습니다.

조건식 만들기

① 사용자로부터 임의의 수 2개를 입력받아서 비교하여 큰 수를 찾아 화면에 출력
② 만약 **첫 번째 입력된 수(num1)가 두 번째 입력된 수(num2) 보다 크면**, num1이 큰 수이고, 그렇지 않고 만약 **num1이 num2보다 작으면**, num2가 큰 수이고, 둘 다 아니면 같은 수가 입력되었다.
③ **if** num1 > num2 **then** num1이 큰 수 **else if** num1 < num2 **then** num2가 큰 수 **else** num1==num2

랩터로 설계하기 (예제 3-8)

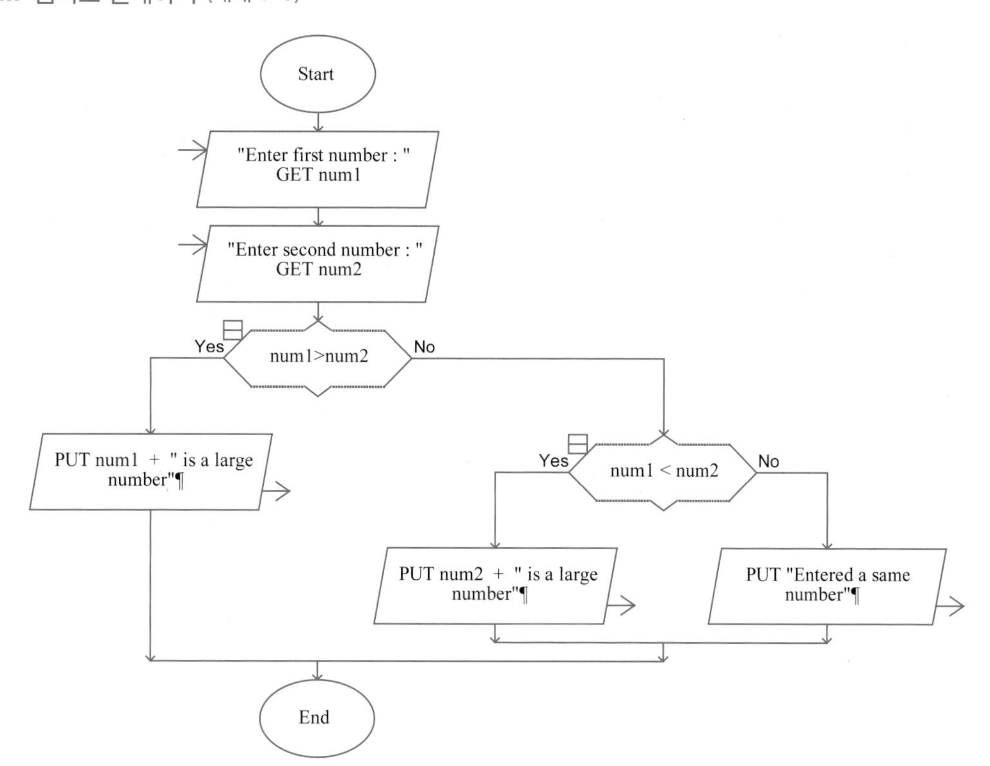

∷ 파이썬으로 구현하기 (예제 3-8)

```
num1 = int(input("첫 번째 수 입력: "))
num2 = int(input("두 번째 수 입력: "))

if num1 > num2 :
    print("{0}(이)가 더 큰 수 입니다.".format(num1))

elif num1 < num2 :
    print("{0}(이)가 더 큰 수 입니다.".format(num2))

else :
    print("같은 수가 입력되었습니다.")
```

```
첫 번째 수 입력: 59
두 번째 수 입력: 59
같은 수가 입력되었습니다.
```

Coding Practice

예제 3-9

컴퓨터 과목의 점수를 입력받아 학점을 부여하는 프로그램을 작성하시오.
(A학점: 90~100, B학점: 80~89, C학점: 70~79, D학점: 60~69, F학점: 60미만)

실행 결과 예시

컴퓨터 점수 입력 : 85
B학점 입니다.

▶ 조건식 만들기

① 컴퓨터 과목의 점수를 입력받아 학점을 부여
② 만약 **컴퓨터 점수(score)가 90 이상**이면 A학점, 그렇지 않고 만약 **80 이상**이면 B학점, 그렇지 않고 만약 **70 이상**이면 C학점, 그렇지 않고 만약 **60 이상**이면 D학점, 모두 아니면 F학점
③ **if** score>=90 then A학점, **else if** score>=80 then B학점, **else if** score>=70 then C학점, **else if** score>=60 then D학점, **else** F학점

랩터로 설계하기 (예제 3-9)

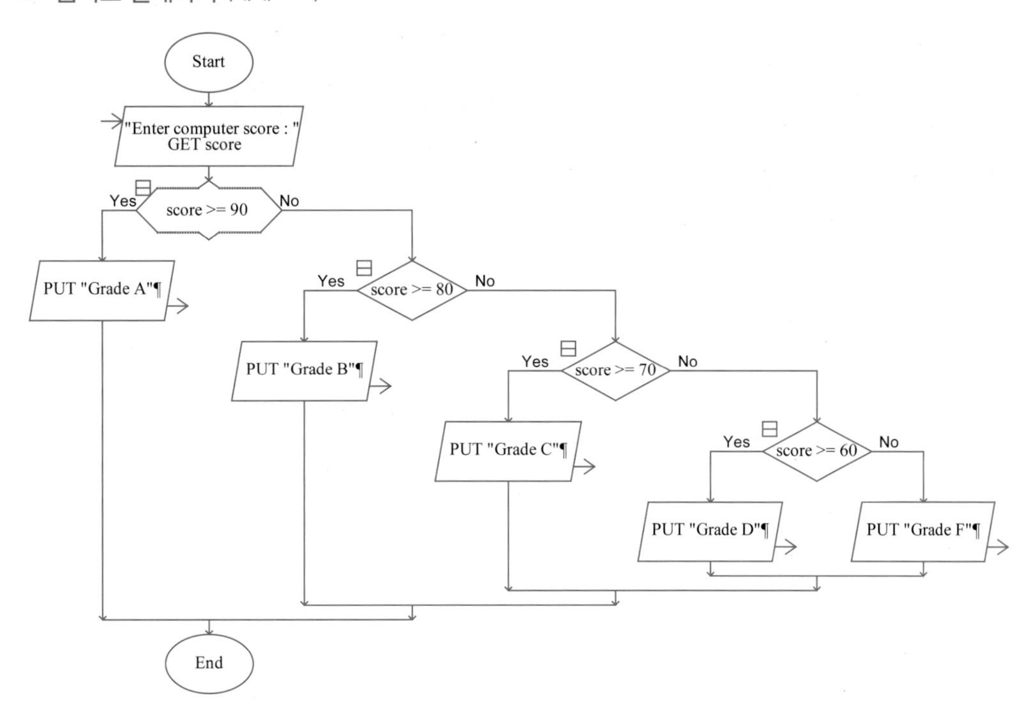

파이썬으로 구현하기 (예제 3-9)

```
score = int(input("컴퓨터 점수 입력: "))

if score >= 90 :
    print("A학점 입니다.")

elif score >= 80 :
    print("B학점 입니다.")

elif score >= 70 :
    print("C학점 입니다.")

elif score >= 60 :
    print("D학점 입니다.")

else :
    print("F학점 입니다.")
```

```
컴퓨터 점수 입력: 85
B학점 입니다.
```

다중 선택문은 하나의 선택문 안에 다른 선택문이 내포되어 있는 형태이기 때문에 중첩된 선택문이라고도 한다. 다중 선택문의 조건이 여러 개일 경우는 실습 예제[3-9]와 같이 동일한 수준의 조건들인 경우도 있지만, 조건 속의 조건인 하위 수준의 조건을 다중 선택문으로 구성해야 하는 경우도 있다.

Coding Practice

예제 3-10

사용자로부터 필기점수(0~100)와 실기점수(0~100)를 각각 입력받아 필기점수와 실기점수가 각각 60점 이상이고 평균이 60점 이상인 경우 "합격"을 그렇지 않으면 "불합격"을 출력하는 프로그램을 작성하시오.

실행 결과 예시

필기점수 입력 : 85
실기점수 입력 : 55
불합격 입니다

조건식 만들기

① 필기점수(0~100)와 실기점수(0~100)를 각각 입력받아 필기 점수와 실기 점수가 각각 60점 이상이고 평균이 60점 이상인 경우"합격"을 그렇지 않으면 "불합격"을 출력

② 만약 **필기점수가 60 이상**이고 **실기점수도 60** 이상이면서 **평균이 60 이상**이면, "합격" 그렇지 않으면 "불합격"

③ if 필기점수>=60 then if 실기점수>=60 then if 평균>=60 then "합격"
else (otherwise) "불합격"

::: 랩터로 설계하기 (예제 3-10)

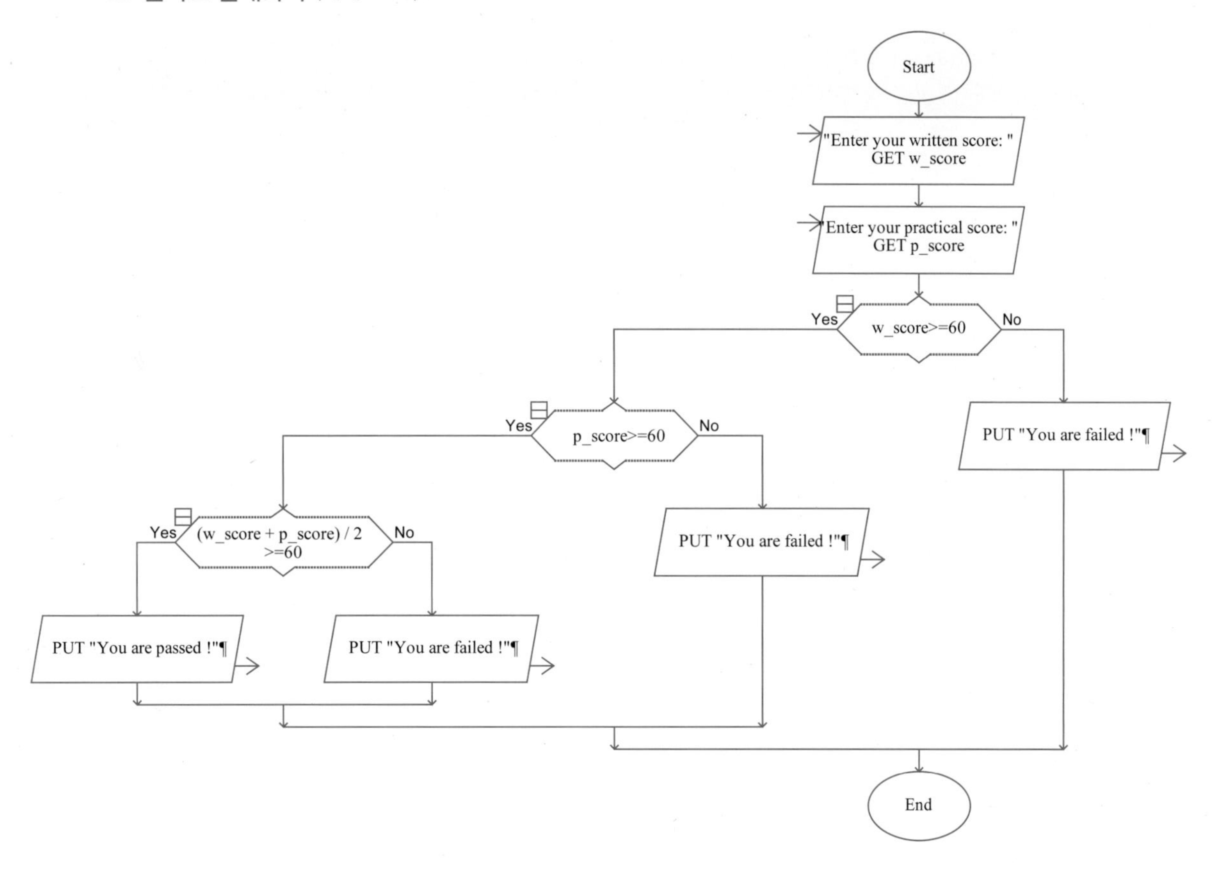

::: 파이썬으로 구현하기 (예제 3-10)

```
w_score = int(input("실기점수 입력: "))
p_score = int(input("필기점수 입력: "))

if w_score >= 60 :

    if p_score >= 60 :

        if (w_score+p_score)/2 >= 60 :
            print("합격 입니다.")

        else :
            print("불합격 입니다.")

    else :
        print("불합격 입니다.")

else :
    print("불합격 입니다.")
```

```
실기점수 입력 : 85
필기점수 입력 : 55
불합격 입니다.
```

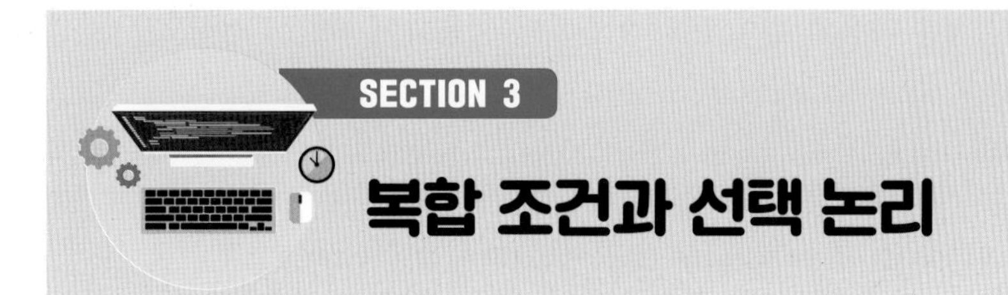

3.1 복합 조건과 논리 연산자

일반적으로 선택문의 조건식에는 다양한 형태의 수식과 관계 연산, 논리 연산이 혼합되어 사용된다. 실습 예제 [3-10]과 같은 경우 단순 조건식으로 나열하여 세 개의 선택문이 중첩되는 결과로 나타났다. 이 예제의 조건을 다시 분석해보자.

> 만약 필기점수가 60 이상이고 실기점수도 60 이상이고 평균이 60 이상이면, "합격" 그렇지 않으면 "불합격"

위의 분해 과정에서 분석한 문장은 모두 하나로 연결되어 있다. 위와 같이 여러 개의 조건이 합쳐진 경우를 복합 조건이라고 한다. 복합 조건은 관계 연산만으로 표현하기는 어렵다. 이때 사용하는 것이 각 관계 연산을 연결할 수 있는 논리 연산이다. 다음은 랩터와 파이썬에서 지원하는 논리 연산자이다.

연산자	사용 방법	설명
and	조건 1 and 조건 2	조건 1과 조건 2 중 모두가 참인 경우 참
	(score >60) and (score < 80)	
or	조건 1 or 조건 2	조건 1과 조건 2 중 하나라도 참인 경우 참
	(score < 60) or (score > 80)	
not	not 조건	조건의 부정
	not(score < 60)	
xor	조건 1 xor 조건 2	조건 1과 조건 2 중 하나만 참인 경우 참
	(score >60) xor (score < 80)	

실습 예제 [3-10]의 조건식은 다음과 같이 논리 연산자를 이용하여 복합 조건식으로 완성할 수 있다.

If (필기점수>=60) and (실기점수>=60) and (평균>=60) then "합격" else "불합격"

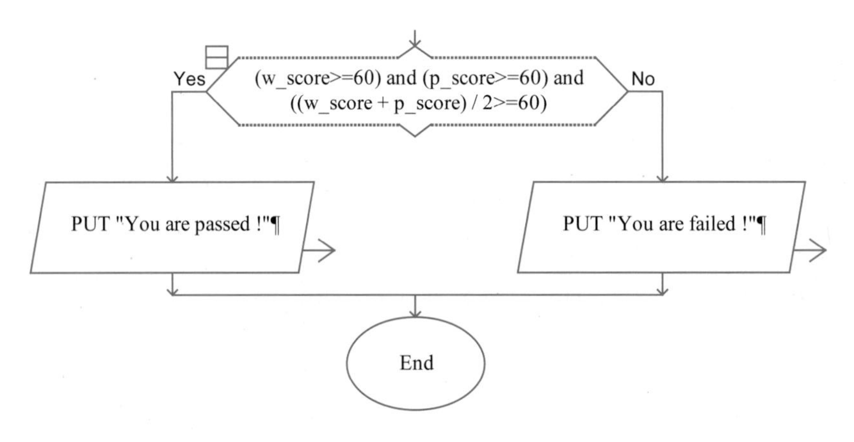

그림 3-6 논리 연산자를 이용한 복합 조건식 사용

Coding Practice

예제 3-11

사용자가 입력한 세 과목의 점수가 모두 90점 이상인지 판별하는 조건식을 만드시오.

문제를 분석해보면 "과목1 90 이상", "과목2 90 이상", "과목 3 90 이상"이라는 세 개의 조건이 분해된다. 또한, 세 개의 조건을 모두 만족(참)해야 하므로 and 연산자로 연결되어야 한다.

조건식 만들기

① 입력한 세 과목의 점수가 모두 90점 이상

② 만약 **과목1이 90 이상**이고 **과목2도 90 이상**이면서 **과목3도 90 이상** 인가?

③ if (과목1>=90) and (과목1>=90) and (과목1>=90) then ...

Coding Practice

예제 3-12

나이가 20세 이상이거나 대학생인 사람을 판별하는 조건식을 만드시오.

문제를 분석해보면 "나이가 20 이상", "신분이 대학생"이라는 2개의 조건이 분해된다. 또한 조건들 중 하나만 만족(참)해도 되므로 or 연산자로 연결되어야 한다.

▶ 조건식 만들기

① 나이가 20세 이상이거나 대학생인 사람
② 만약 **나이가 20 이상**이거나 **신분이 대학생** 인가?
③ if **(나이 >= 20)** or **(신분 == 대학생)** then ...

Coding Practice

예제 3-13

사용자로부터 입력받은 숫자가 음수가 아닌 경우만 판별하는 조건식을 만드시오.

문제를 분석해보면 "숫자가 음수가 아닌 경우"를 조건으로 만들어야 한다. 따라서 "숫자가 0 보다 작다(음수)"라는 조건의 부정(not)을 이용하면 된다.

▶ 조건식 만들기

① 입력받은 숫자가 음수가 아닌 경우
② 만약 **입력받은 수가 0 보다 작은 것이** 아닌가?
③ if not **(입력받은 수 < 0)** then ...

Coding Practice

예제 3-14

사용자로부터 임의의 수를 입력받아 짝수이면서 음수인 수를 판별하는 프로그램을 작성하시오.

실행 결과 예시

숫자 입력 : -20
-20은 참입니다.

∷ 랩터로 설계하기 (예제 3-14)

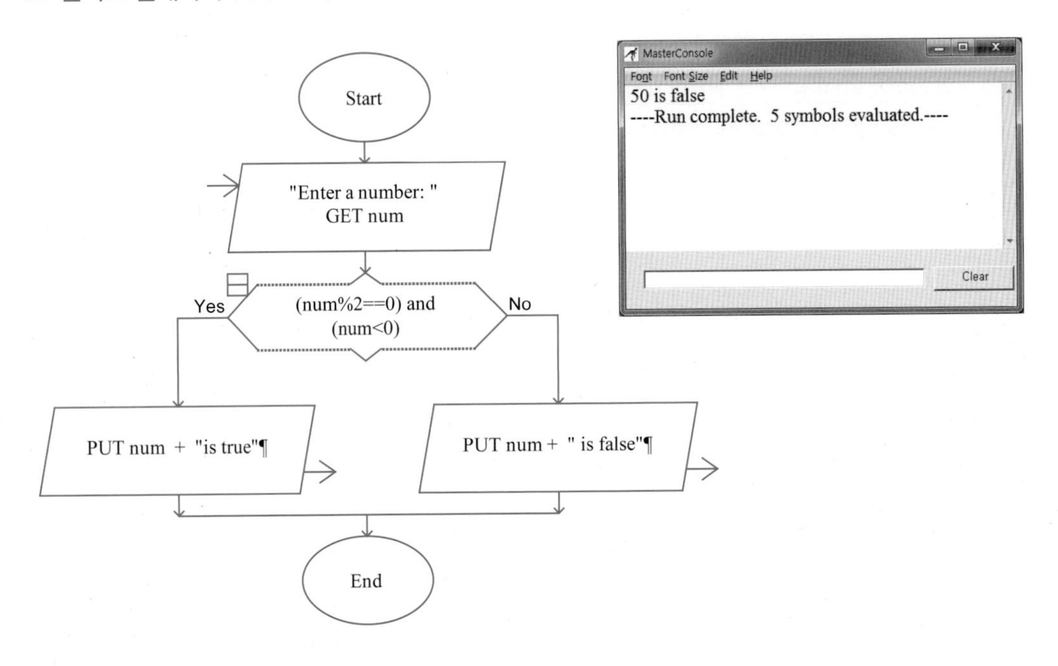

∷ 파이썬으로 구현하기 (예제 3-14)

```
num=int(input("숫자 입력 : "))

if (num < 0) and (num % 2) == 0 :
    print("{0}은 음수 입니다.".format(num))

else :
    print("{0}은 음수가 아닙니다.".format(num))
```

```
숫자 입력 : -20
-20은 음수입니다.
```

Coding Practice

예제 3-15

사용자로부터 토익점수(0 ~ 990)와 영어성적(0 ~ 100)을 입력받아 토익점수가800점 이상이거나 영어성적이 90점 이상이면, “해외 어학연수 합격”을 출력하는 프로그램을 작성하시오.

실행 결과 예시

```
토익점수 : 710
영어성적 : 95
해외 어학연수 합격!!
```

∷ 랩터로 설계하기 (예제 3-15)

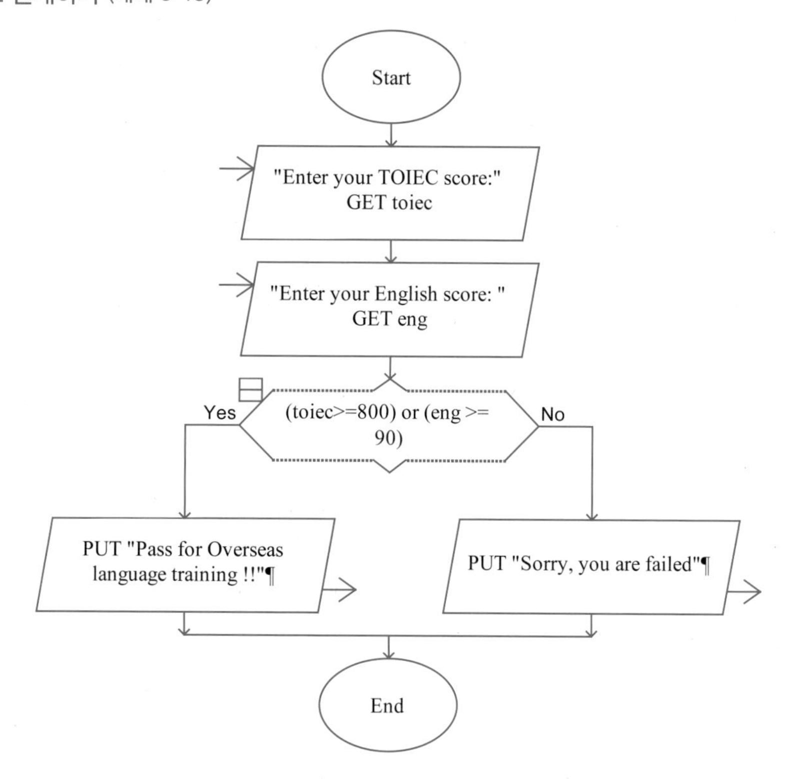

∷ 파이썬으로 구현하기 (예제 3-15)

```
toiec = int(input("토익점수 : "))
eng = int(input("영어성적 : "))

if (toiec >= 800) or (eng >= 90) :
    print("해외 어학연수 합격!!")

else :
    print("유감입니다. 어학연수에 참가할 수 없습니다.")
```

```
토익점수  : 710
영어성적 : 95
해외 어학연수 합격!!
```

Coding Practice

예제 3-16

사용자로부터 현재 월을 입력받아 해당되는 학기를 출력하는 프로그램을 작성하시오. 입력된 숫자는 1~12사이 정수로 한정하고 이외의 숫자가 입력되었을 때는 "잘못된 입력입니다"를 출력한다. (학기 구분 : 3~6월-1학기, 9~11월-2학기, 7~8/12~2월-방학)

실행 결과 예시

현재 월 입력 : 5	현재 월 입력 : 13
1학기입니다.	잘못된 입력입니다

▶ 조건식 만들기 힌트

입력된 숫자가 1~12사이에 값인지 판별한 후 학기별 기간 조사

- 1~12사이 값 조사 : (입력된 숫자 >= 1) and (입력된 숫자 <= 12)
  (입력된 숫자 < 1) or (입력된 숫자 > 12)

⠿ 랩터로 설계하기 (예제 3-16)

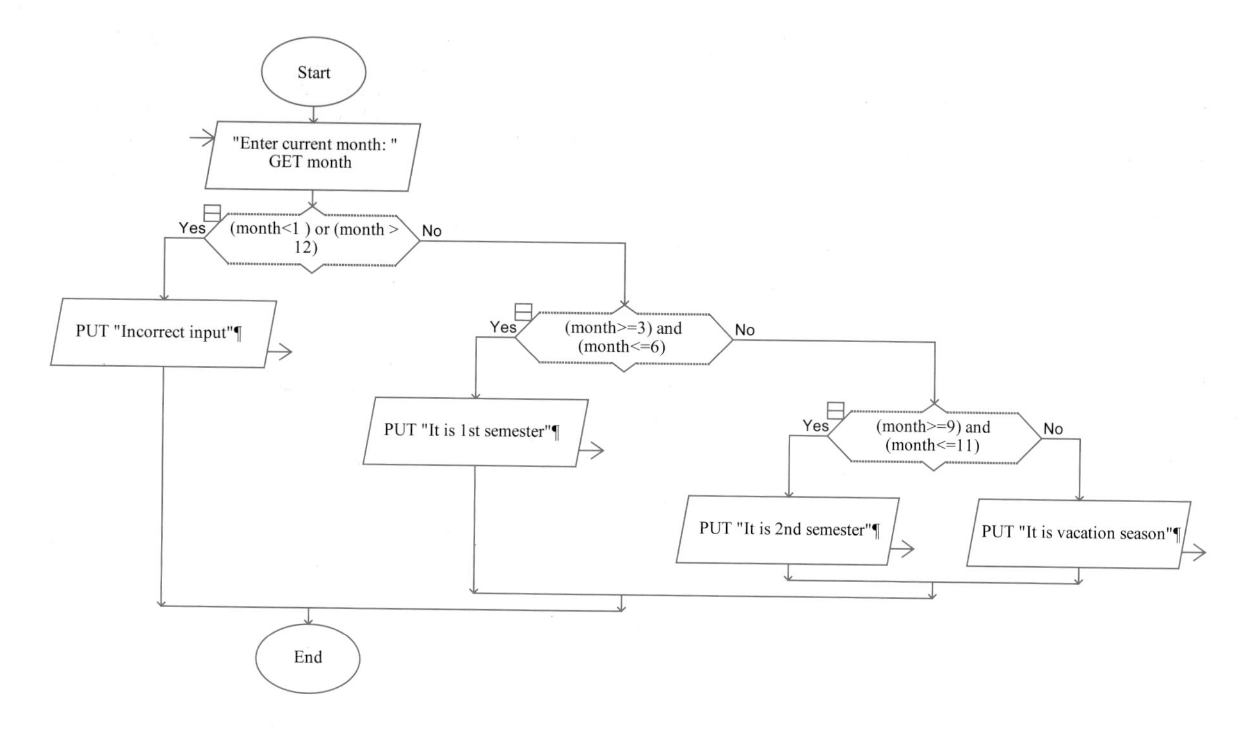

⠿ 파이썬으로 구현하기 (예제 3-16)

```
month = int(input("현재 월 입력: "))

if (month < 1) or (month > 12) :
    print("잘못된 입력입니다.")

elif (month >= 3) and (month < 7) :
    print("1학기입니다.")

elif (month >= 9) and (month < 12) :
    print("2학기입니다.")

else :
    print("방학 기간입니다.")
```

```
현재 월 입력: 5
1학기입니다.
```

EXERCISE

1. 유권자 수와 투표자 수를 입력받아 투표율이 50% 이상인 경우 "유효 투표입니다"를 출력하는 프로그램을 랩터와 파이썬으로 각각 설계하고 구현하시오. (단, 투표율 = 투표자 수 / 유권자 수 * 100)

▶ 조건식

2. 한 사람당 7500원의 관람료를 받는 영화관에서 10명 이상인 경우 10%, 20명 이상인 경우 20%를 할인해주고 있다. 사람 수를 입력받아 지불해야 하는 총 비용을 출력하는 프로그램을 설계하고 구현하시오. (10명 입력에 대한 실행결과 예시 -> 총비용(10%할인 적용) : 75000원)

▶ 조건식

3. 2개의 정수 값을 입력받아 값을 큰 순서대로 출력하는 프로그램을 설계하고 구현하시오.

▶ 조건식

4. 두 수를 입력받아 두 수의 곱이 짝수인지 홀수인지 구분하여 출력하는 프로그램을 작성하시오.

▶ 조건식

EXERCISE

5. 상품의 개수와 단가를 입력받아 총 금액을 계산하여 출력하는 프로그램을 작성하시오. 단, 상품의 개수가 100~199개 사이면 8%, 200~299개 사이면 15%, 300개 이상이면 20%의 할인 금액을 적용하며, 100개 미만이면 할인하지 않는다.

▶ 조건식

6. 두 과목의 점수를 입력받아 두 과목 모두 90점 이상일 경우 "A 학점 취득"을 화면에 출력하는 프로그램을 설계하고 구현하시오.

▶ 조건식

7. 두 개의 숫자를 입력받고 두 숫자 모두 양수이거나 모두 음수일 경우 "두 수의 부호가 같습니다."를 출력하는 프로그램을 설계하고 구현하시오.

▶ 조건식

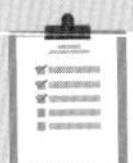

EXERCISE

8. 나이와 성적을 입력받아 나이가 30세 미만이고, 성적이 3.5 이상이면, "면접 추천 대상입니다"를 출력하고, 그렇지 않으며, "면접 추천 대상이 아닙니다"를 출력하는 프로그램을 설계하고 구현하시오.

▶ 조건식

9. 첫 번째로 숫자를, 두 번째로 연산자(+, -, *, /)를, 세 번째로 숫자를 입력받아 두 번째로 지정된 연산을 수행하고 그 결과가 0보다 크면 "수식의 결과는 양수입니다", 0이면 "수식의 결과가 0입니다", 0보다 작으면 "수식의 결과가 음수입니다"를 출력하는 프로그램을 설계하고 구현하시오.

▶ 조건식

10. 2차 방정식($ax^2 + bx + c = 0$)을 위한 계수(a, b, c)를 차례대로 입력받고 2차 방정식을 풀어서 그 해를 출력하는 프로그램을 작성하시오. 단, 판별식 $D = b^2 - 4ac$를 이용하여 선택적으로 해를 구하는 프로그램을 설계하고 구현하시오. (프로그램 시 sqrt( ) 사용)

▶ 조건식

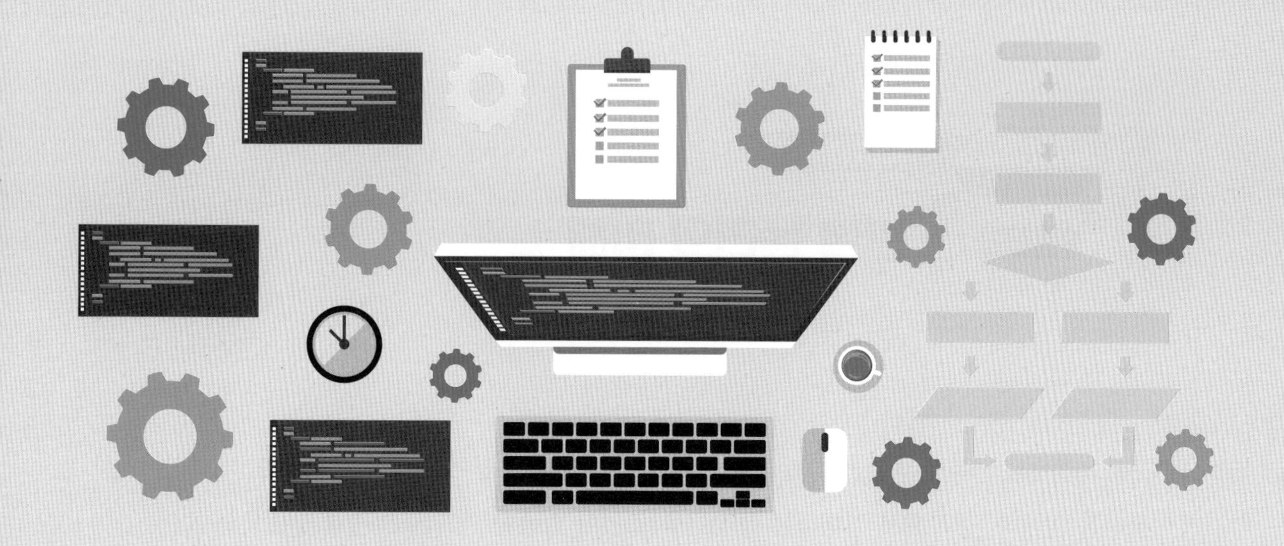

CHAPTER 4

반복 논리와 알고리즘

SECTION 1

반복 논리의 이해

프로그램에서 반복 논리는 실행할 하나 이상의 명령들을 조건이 만족하는 경우 여러 번 반복하는 것이다. 중복해서 실행하는 문장들을 조건이 만족할 때까지 반복하게 만드는 것이 반복 논리로, 반복 논리도 선택 논리와 마찬가지로 반복을 수행할 수 있는 조건이 중요하며, 반복되는 명령들을 하나의 집합으로 묶어주는 것도 필요하다. 이러한 반복 논리를 이용하면 프로그램을 간단하게 표현할 수 있다.

반복 논리는 반복해야 하는 횟수가 정해지는 경우와 횟수와는 상관없이 반복의 조건이 참인 동안 만 반복하는 조건 중심의 반복으로 나누어진다. 예를 들어 '팔 굽혀 펴기를 100번 실시하라.'와 같은 횟수가 정해진 반복이 있고, '힘들어서 못할 때까지 팔 굽혀 펴기를 실시하라'와 같은 조건이 만족(참 또는 거짓)될 때까지 하는 반복도 있다. 여기서 팔 굽혀 펴기 운동을 하는 것이 반복이다.

그림 4-1 **횟수 중심의 반복과 조건 중심의 반복**

1.1 반복문

반복 논리에는 반복을 종료시킬 수 있는 조건이 포함되어 있고, 조건이 영원히 만족되지 않거나 조건 자체가 없으면 끝나지 않는 반복, 즉 무한반복(Infinite loop)이라고 하며, 프로그램의 실행 중에 이 무한반복을 만난다면 그 프로그램은 영원히 끝나지 않게 된다. 일반적인 프로그래밍 언어에서는 다양한 반복문을 제공하고 있으나 랩터는 하나의 반복문을 지원하고 있다. 먼저 랩터를 기준으로 기초적인 반복문을 설명한다.

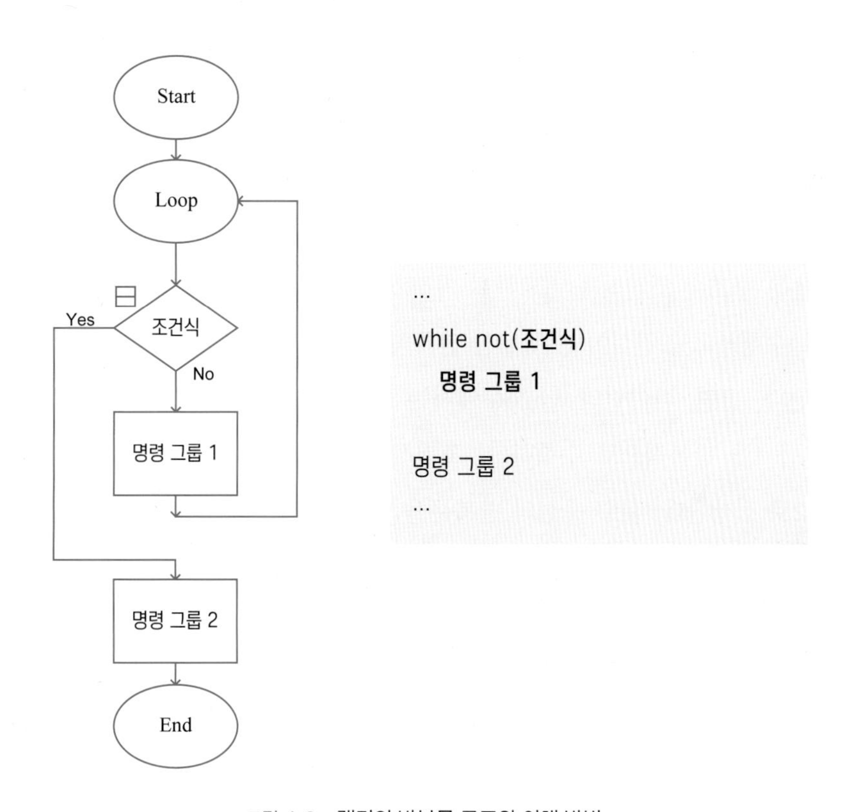

그림 4-2 랩터의 반복문 구조와 이해 방법

선택문의 조건식과 마찬가지로 반복문의 조건식도 참과 거짓 둘 중의 하나의 상태를 표현할 수 있어야 한다. 특히 랩터 반복문의 조건식은 반복 구간을 종료시킬 수 있는 조건으로 조건식을 만족하지 못하는 동안 명령 그룹 1을 반복하게 되고, 조건을 만족하면 반복을 종료하여 명령 그룹 2의 명령을 차례대로 수행하게 된다. 이와 유사하게 파이썬의 반복문에는 while 문이 대표적이며 다음과 같은 구조를 갖는다.

```
...
while 조건식 :
↔ 명령 그룹 1        조건식이 참인 동안
들여쓰기              명령 그룹 1 반복 실행

else :               조건식이 거짓이면
↔ 명령 그룹 2        명령 그룹 2를 1회 실행하고
들여쓰기              명령 그룹 3을 실행
명령 그룹 3           (else : 구문 생략 가능)
...
```

그림 4-3 반복을 위한 파이썬의 while문 구조와 이해 방법

1.2 횟수 중심의 반복문

랩터의 반복문 구조는 조건식을 비교하여 거짓(No)을 만족하는 동안(while) 명령 그룹 1을 반복적으로 수행하고 조건식이 참(Yes)을 만족하는 순간 반복문을 빠져나와 명령 그룹 2로 진행하게 된다. 반면, 파이썬의 while문에서는 조건식을 비교하여 참(Yes)을 만족하는 동안 명령 그룹 1을 반복적으로 수행하고, 조건식이 거짓(No)을 만족하면 반복을 종료하여 명령 그룹 2로 진행한다. 횟수 중심의 반복문을 만들 때에는 명령 그룹 1에 횟수를 증가 또는 감소시킬 수 있는 명령이 반드시 포함되어야 한다.

Coding Practice

예제 4-1

"Software-driven World!"를 화면에 10번 출력하는 프로그램을 작성하시오.

실행 결과 예시

```
Software-driven World!
Software-driven World!
Software-driven World!
```

⁝⁝⁝ 랩터로 설계하기 (예제 4-1)

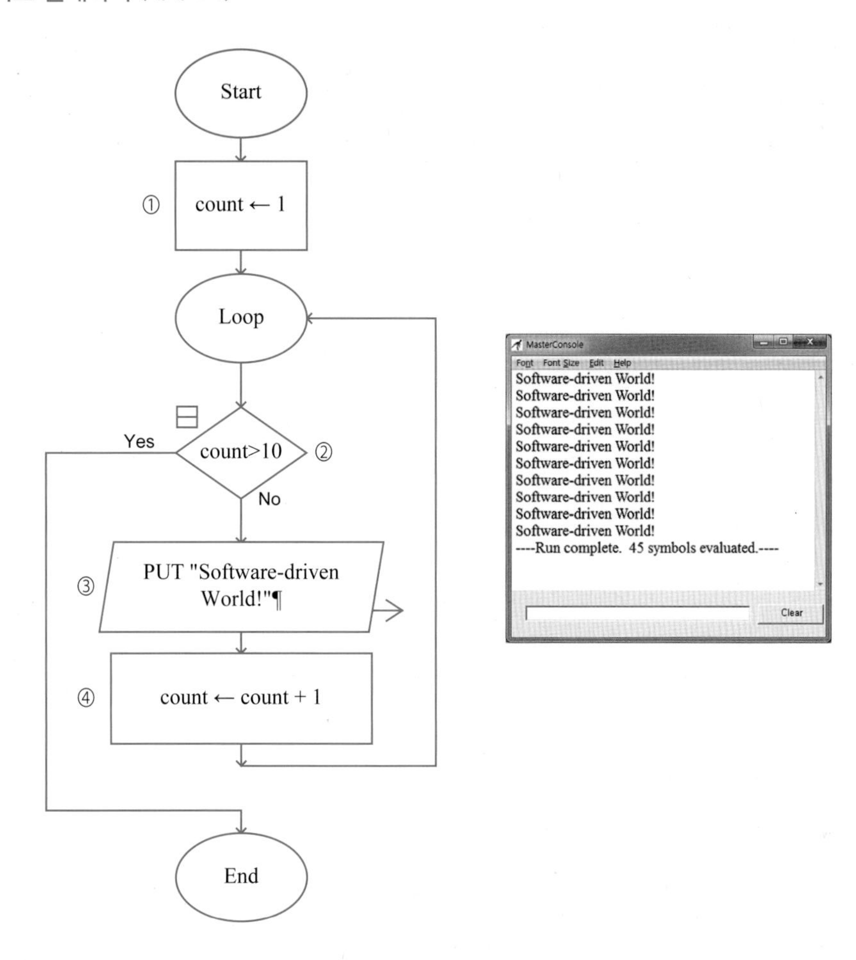

⁝⁝⁝ 파이썬으로 구현하기 (예제 4-1 while문 사용)

```
count = 1

while count <= 10 :
    print("Software-driven World!")
    count += 1
```

```
Software-driven World!
Software-driven World!
Software-driven World!
Software-driven World!
```

```
Software-driven World!
Software-driven World!
Software-driven World!
Software-driven World!
Software-driven World!
Software-driven World!
```

"Software–driven World!"라는 문장을 정해진 횟수 10번을 만족하여 화면에 출력하는 프로그램이다. 이 프로그램에서 반복 출력의 핵심은 다음과 같다.

① 반복 횟수를 세기 위한 변수(count)를 만들고 시작하는 값으로 1을 배정

② 반복 횟수가 10번이 넘어가는지 식별하는 조건식(랩터 : count 〉10, 파이썬 : count 〈= 10)

③ 반복하여 동작해야 하는 화면 출력(output) 명령

④ 반복 횟수를 세기 위한 변수 값 증가(count+1)

파이썬에서는 이러한 횟수 중심의 반복을 위해 간편한 for문을 사용할 수 있다.

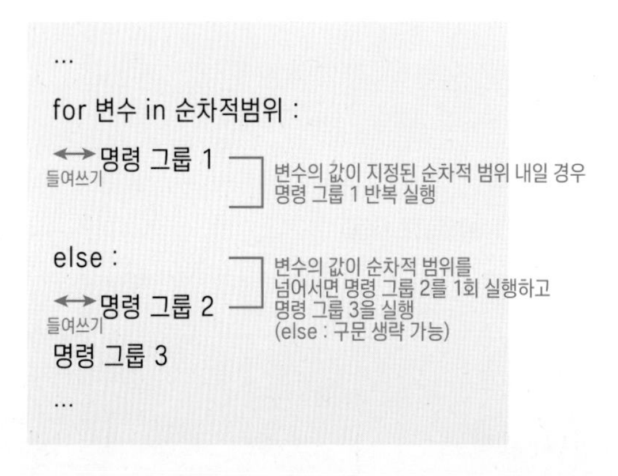

그림 4-4 반복을 위한 파이썬의 for문 구조와 이해 방법

⠿ 파이썬으로 구현하기 (예제 4-1 for문 사용)

```
for i in range(0, 10, 1) :
    print("Software-driven World!")
```

```
Software-driven World!
Software-driven World!
Software-driven World!
Software-driven World!
Software-driven World!
Software-driven World!
Software-driven World!
Software-driven World!
Software-driven World!
Software-driven World!
```

for문에서 range 함수는 지정된 변수를 위해 초깃값, 종료값, 증가(또는 감소) 값을 입력할 수 있으며, 이때 초깃값이 0이거나 증감크기가 +1일 경우 두 가지는 생략할 수 있다.

```
[사용 예]
for x in range(0, 10, 1):
for x in range(10):  → 초깃값 '0'과 증감크기 '+1' 생략된 것으로 간주
```

자세히 보면 랩터 반복문의 조건식과 파이썬 반복문의 조건식이 다른 것을 볼 수 있다.

랩터 조건식	while문 조건식	for문 조건식
count ← 1 … Yes count>10 ② No … count ← count+1	count = 1 … while count <= 10 : … count += 1	for count in range(1,11,1) :

랩터의 반복문은 조건식이 참인 경우 반복문을 빠져나가지만, 파이썬의 반복문은 조건식이 참인 경우 반복을 계속하기 때문이다. 랩터의 조건식이 count의 수가 10보다 커지는 순간 반복문을 탈출하겠다는 말이라면, while문에서는 count가 10과 같거나 작은 경우에만 반복하겠다는 이야기이다. 결국은 10을 넘기면 탈출하므로 같은 말이다.

1.3 조건 중심의 반복문

조건 중심의 반복문은 횟수와 관계 없이 특정 조건이 만족됐을 때 반복을 종료하는 반복문으로 한 번만 수행될 수도 있고 조건이 만족되지 않을 때에는 무한정 반복될 수도 있다. 무한 반복을 만들지 않기 위해서는 반복문을 종료시킬 조건식을 잘 만들어야 하는 것은 당연한 일이다.

Coding Practice

예제 4-2

비밀번호를 입력받아 입력한 비밀번호가 맞을 때까지 다시 입력하도록 하는 프로그램을 작성하시오.

실행 결과 예시

```
Enter password : 1234
Invalid Password!
Enter password :
```

::: 랩터로 설계하기 (예제 4-2)

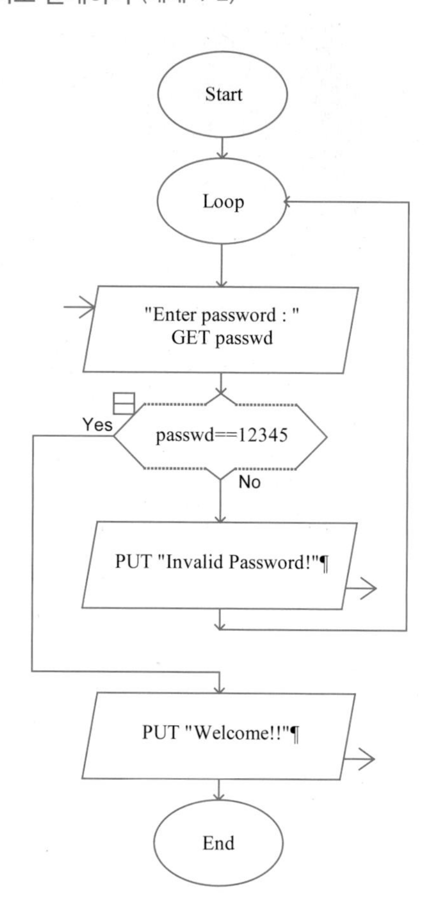

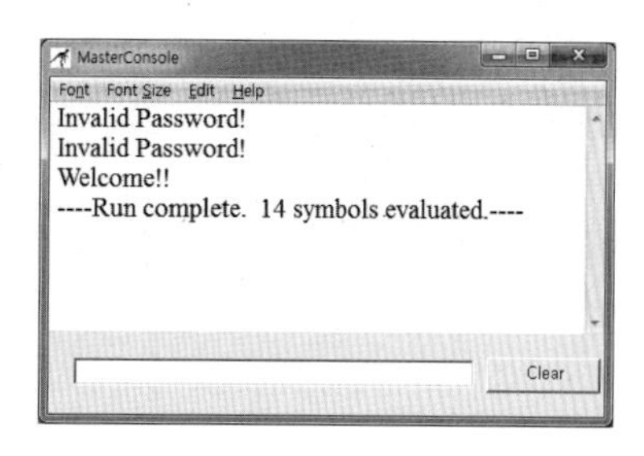

::: 파이썬으로 구현하기 (예제 4-2)

```
passwd = int(input("비밀번호 입력: "))

while passwd != 12345 :
   print("잘못된 비밀번호 !")
   passwd=int(input("비밀번호 입력: "))

print("환영합니다!")
```

```
비밀번호 입력: 1234
잘못된 비밀번호 !비밀번호 입력: 1255
잘못된 비밀번호 !
비밀번호 입력: 12345
환영합니다!
```

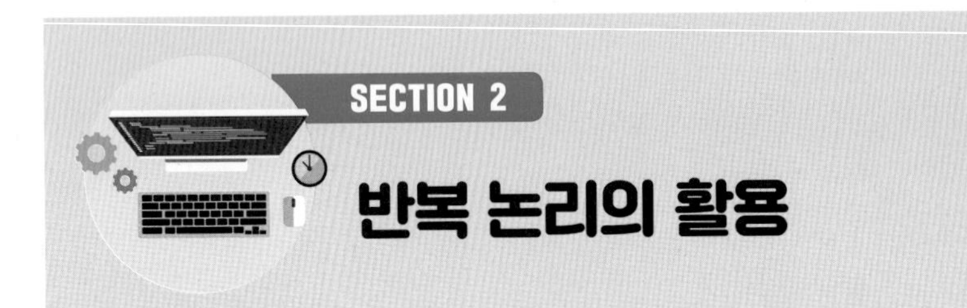

SECTION 2

반복 논리의 활용

중복해서 실행하는 문장들을 조건이 만족할 때까지 반복하게 만드는 것이 반복 논리이며, 반복을 수행할 수 있는 조건식과 반복되어지는 명령 그룹의 실행을 염두해 두고 알고리즘을 작성해야 한다. 반복에 따른 간략화는 다양한 예제를 중심으로 익힐 수 있도록 하자.

Coding Practice

예제 4-3

사용자로부터 임의의 양의 정수 하나를 입력받아 1부터 시작하여 입력받은 수까지의 합을 구하는 프로그램을 작성하시오.

실행 결과 예시

숫자 입력 : 300
1~300의 합 : 45150

알고리즘 만들기 힌트

① 1부터 시작하여 입력된 n까지 횟수가 정해진 반복이다.
② 반복문을 종료시킬 수 있는 조건은 카운트 변수가 n보다 크질 때이다.
③ 반복 횟수를 카운트하기 위한 변수와 카운트 변수의 증감식이 들어가 있는지 잘 따져보라.
④ 누적 합을 구하기 위해서는 1부터 n까지의 숫자가 반복 횟수에 맞추어 변화되어야 한다. 변화되는 숫자는 어떤 변수가 담당하는지 확인하라.
⑤ 누적 합을 구하는 식은 $a = a + x$와 같이 표현된다.

⁝⁝⁝ 랩터로 설계하기 (예제 4-3)

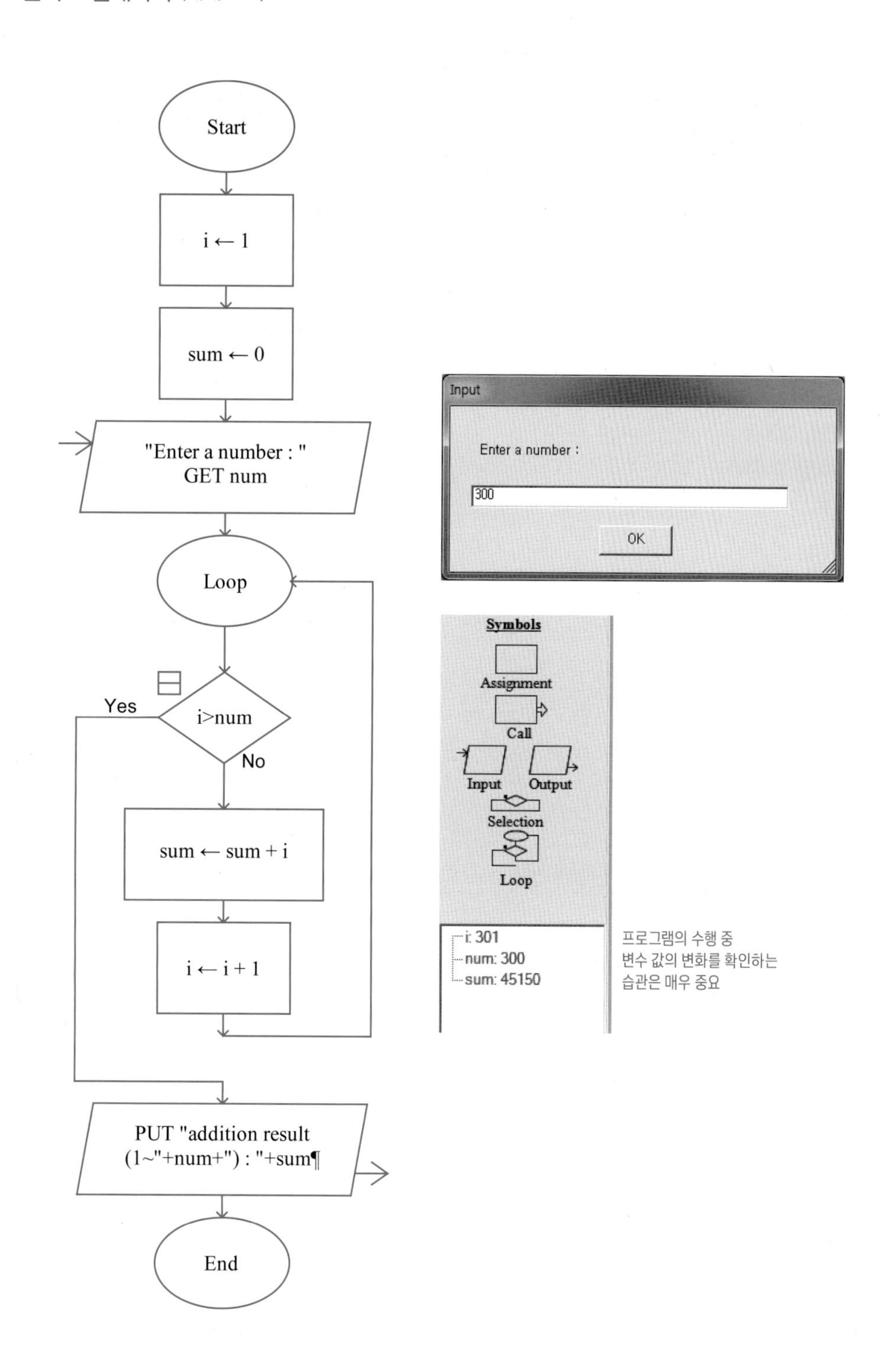

::: 파이썬으로 구현하기 (예제 4-3 while문 사용)

```
i = 1
sum = 0

num = int(input("숫자 입력: "))

while i <= num :
    sum += i
    i += 1

print("1~{0}의 합: {1}".format(num, sum))
```

```
숫자 입력: 300
1~300 합: 45150
```

::: 파이썬으로 구현하기 (예제 4-3 for문 사용)

```
sum = 0
num = int(input("숫자 입력: "))

for i in range(1, num+1, 1) :
    sum += i

print("1~{0}의 합: {1}".format(num,sum))
```

Coding Practice

예제 4-4

사용자로부터 임의의 정수 2개를 입력받아 두 수 사이의 정수를 모두 더하는 프로그램을 작성하시오.(단, 첫 번째 수 < 두 번째 수)

실행 결과 예시

첫 번째 수 : 20
두 번째 수 : 80
합계 결과 : 3050

⁝⁝⁝ 랩터로 설계하기 (예제 4-4)

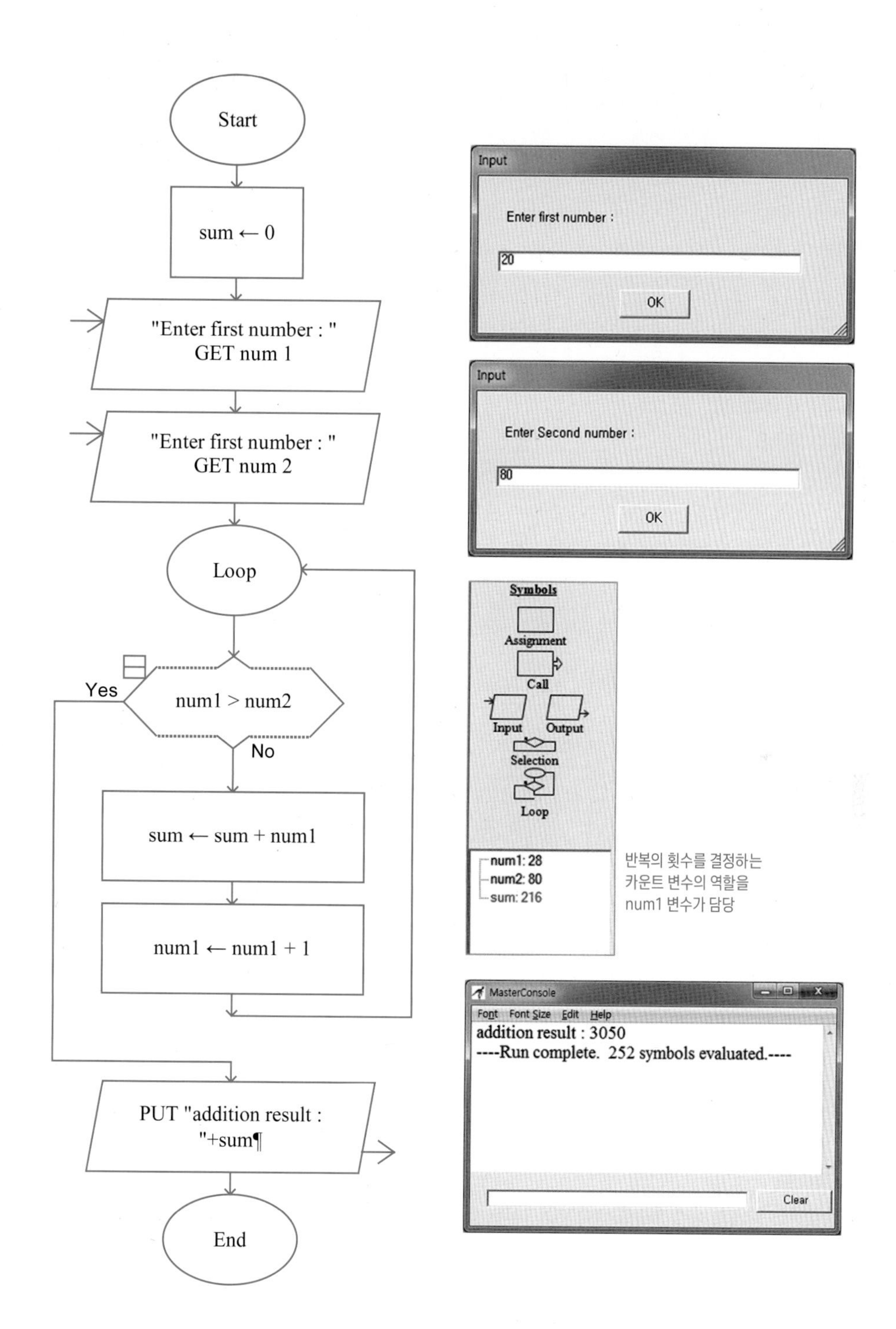

파이썬으로 구현하기 (예제 4-4 while문 사용)

```
sum = 0
num1 = int(input("첫 번째 숫자 입력: "))
num2 = int(input("두 번째 숫자 입력: "))

while num1 <= num2 :    # 조건식 not(num1 > num2)과 동일
    sum += num1
    num1 += 1

print("합계결과: {0}".format(sum))
```

```
첫 번째 숫자 입력: 20
두 번째 숫자 입력: 80
합계결과: 3050
```

파이썬으로 구현하기 (예제 4-4 for문 사용)

```
sum = 0
num1 = int(input("첫 번째 숫자 입력: "))
num2 = int(input("두 번째 숫자 입력: "))

for i in range(num1, num2+1) :  # range(num1, num2+1, 1)과 동일
    sum += i

print("합계결과: {0}".format(sum))
```

```
첫 번째 숫자 입력: 20
두 번째 숫자 입력: 80
합계결과: 3050
```

Coding Practice

예제 4-5

사용자로부터 임의의 정수 1개를 입력받아 1부터 입력된 수 사이에 있는 홀수의 합을 구하는 프로그램을 작성하시오. (입력받는 수 > 1)

실행 결과 예시

숫자 입력 : 100
1~100 사이 홀수의 합 : 2500

∷ 랩터로 설계하기 (예제 4-5)

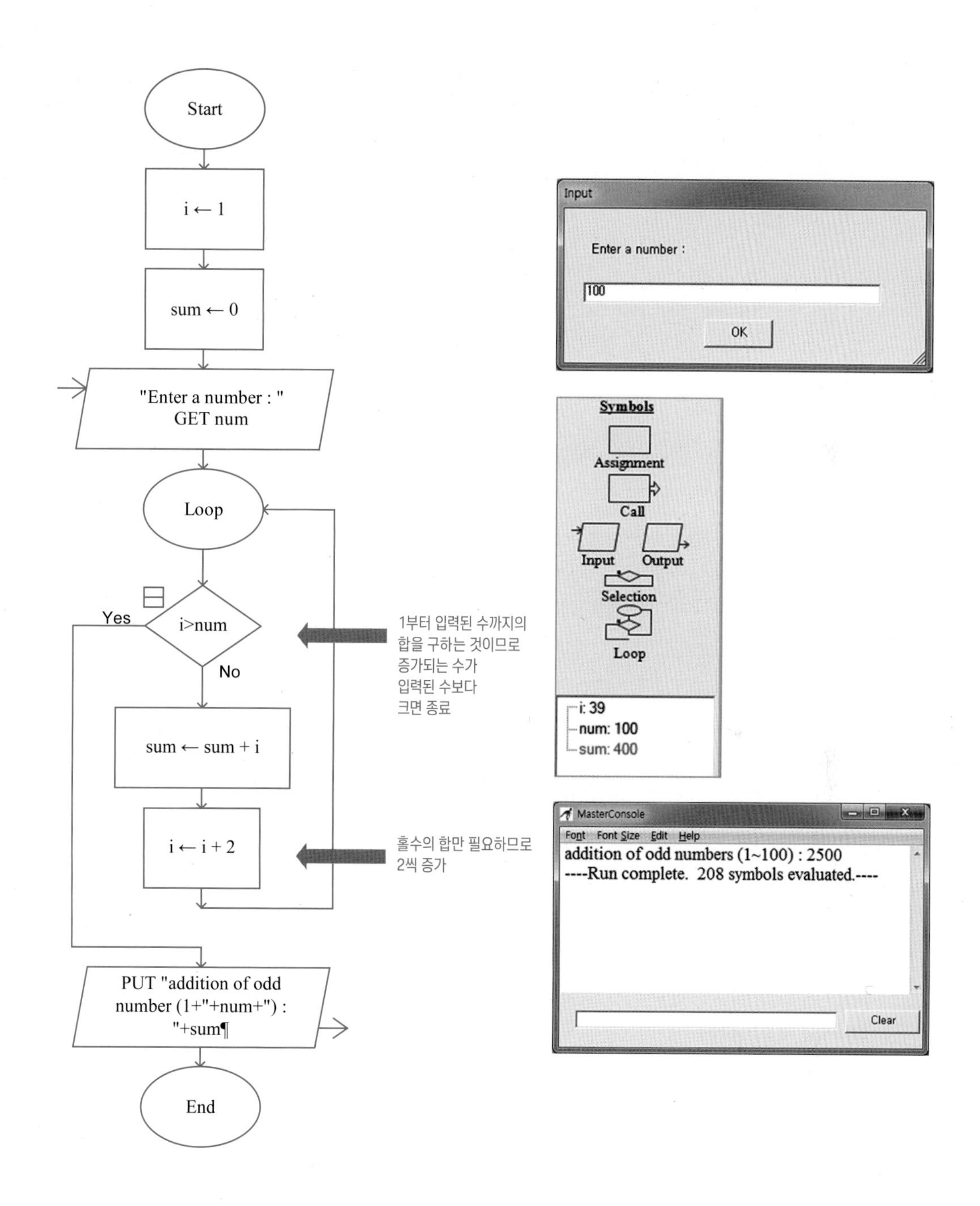

파이썬으로 구현하기 (예제 4-5 while문 사용)

```
i = 1
sum = 0
num = int(input("정수 입력: "))

while i <= num :
    sum += i
    i += 2

print("1~{0} 사이 홀수의 합: {1}".format(num,sum))
```

```
정수 입력: 100
1~100 사이 홀수의 합: 2500
```

파이썬으로 구현하기 (예제 4-5 for문 사용)

```
sum = 0
num = int(input("정수 입력: "))

for i in range(1,num+1, 2) :
    sum += i

print("1~{0} 사이 홀수의 합: {1}".format(num,sum))
```

```
정수 입력: 200
1~200 사이 홀수의 합: 10000
```

Coding Practice

예제 4-6

사용자로부터 임의의 정수 1개를 입력받아 1부터 2000사이의 수 중에서 입력된 수의 배수만을 더하는 프로그램을 작성하시오. (입력받는 수 > 1)

실행 결과 예시

숫자 입력 : 5
5의 배수의 합(1~2000) : 401000

∷ 랩터로 설계하기 (예제 4-6)

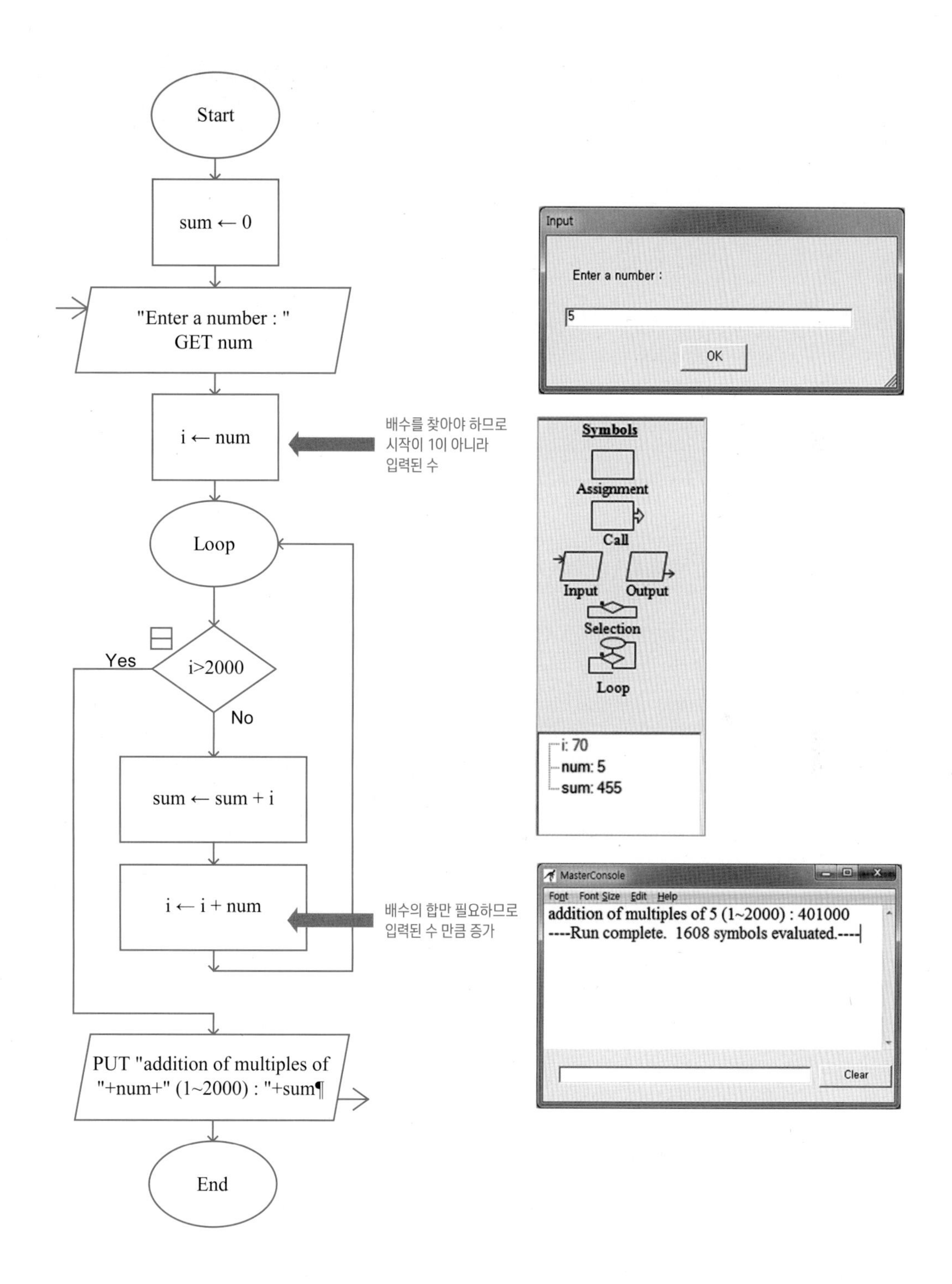

파이썬으로 구현하기 (예제 4-6 while문 사용)

```
sum = 0
num = int(input("정수 입력: "))
i = num

while i <= 2000 :
    sum += i
    i += num

print("{0}의 배수의 합(1~2000): {1}".format(num,sum))
```

```
정수 입력: 5
5의 배수의 합(1~2000): 401000
```

파이썬으로 구현하기 (예제 4-6 for문 사용)

```
sum = 0
num = int(input("정수 입력: "))

for i in range(num,2001,num) :
    sum += i

print("{0}의 배수의 합(1~2000): {1}".format(num,sum))
```

```
정수 입력: 3
3의 배수의 합(1~2000): 666333
```

Coding Practice

예제 4-7

사용자로부터 1부터 9사이의 숫자를 입력받아 해당하는 수의 구구단을 출력하는 프로그램을 작성하시오.

실행 결과 예시

숫자 입력(1~9) : 3
3*1=3
3*2=6
3*3=9

랩터로 설계하기 (예제 4-7)

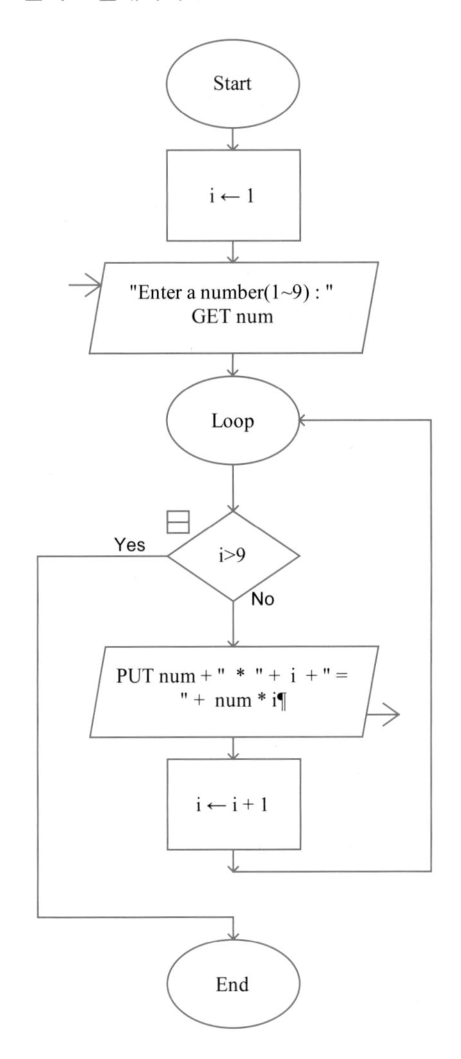

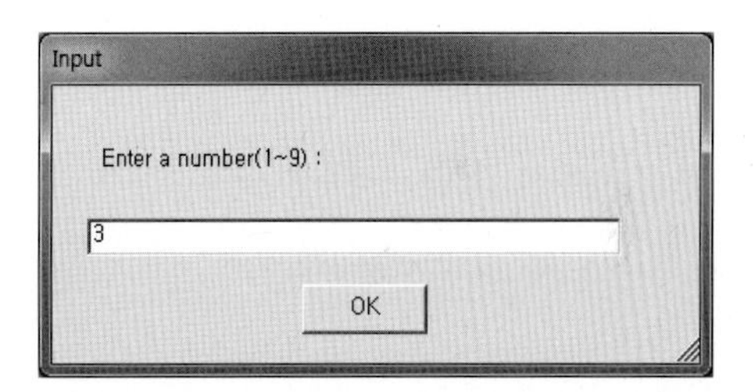

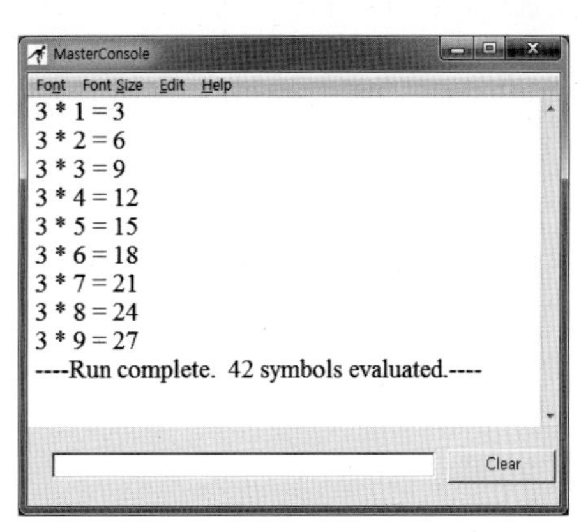

⁝⁝ 파이썬으로 구현하기 (예제 4-7 while문 사용)

```
i = 1
num = int(input("정수 입력(1~9): "))

while i <= 9 :        # while not(i > 9)와 동일
    print("{0} * {1} = {2}".format(num,i,num*i))
    i += 1
```

```
정수 입력(1~9): 3
3 * 1 = 3
3 * 2 = 6
3 * 3 = 9
3 * 4 = 12
3 * 5 = 15
3 * 6 = 18
3 * 7 = 21
3 * 8 = 24
3 * 9 = 27
```

⁝⁝ 파이썬으로 구현하기 (예제 4-7 for문 사용)

```
num = int(input("정수 입력(1~9): "))

for i in range(1, 10, 1) :
    print("{0} * {1} = {2}".format(num,i,num*i))
```

```
정수 입력(1~9): 7
7 * 1 = 7
7 * 2 = 14
7 * 3 = 21
7 * 4 = 28
7 * 5 = 35
7 * 6 = 42
7 * 7 = 49
7 * 8 = 56
7 * 9 = 63
```

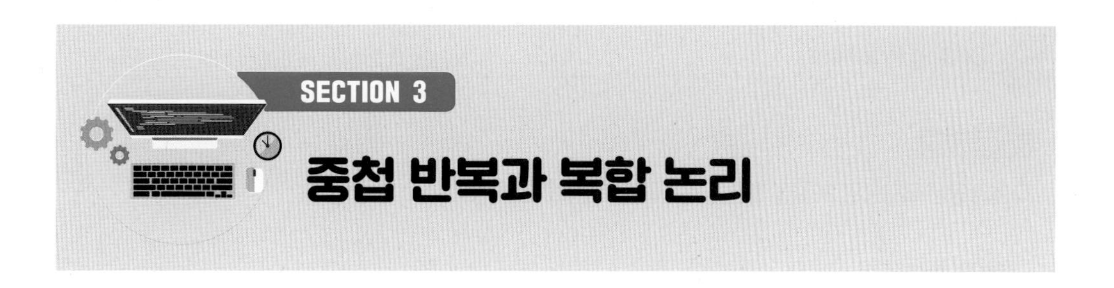

중첩 반복과 복합 논리

3.1 중첩 반복문

선택문과 같이 반복문도 역시 하나의 반복문 안에 다수의 반복문이 중첩될 수 있다. 횟수 중심의 반복인 경우 2단으로 중첩된 반복문의 횟수는 $N \times M$으로 계산된다. 여기서 N은 상위 반복문의 반복 횟수이고 M은 내포된 안쪽 반복문의 반복 횟수이다. 따라서 명령 그룹 1과 3은 N번 반복하게 되고, 가장 안쪽에 있는 명령 그룹 2는 $N \times M$번 반복 수행되는 구간이다.

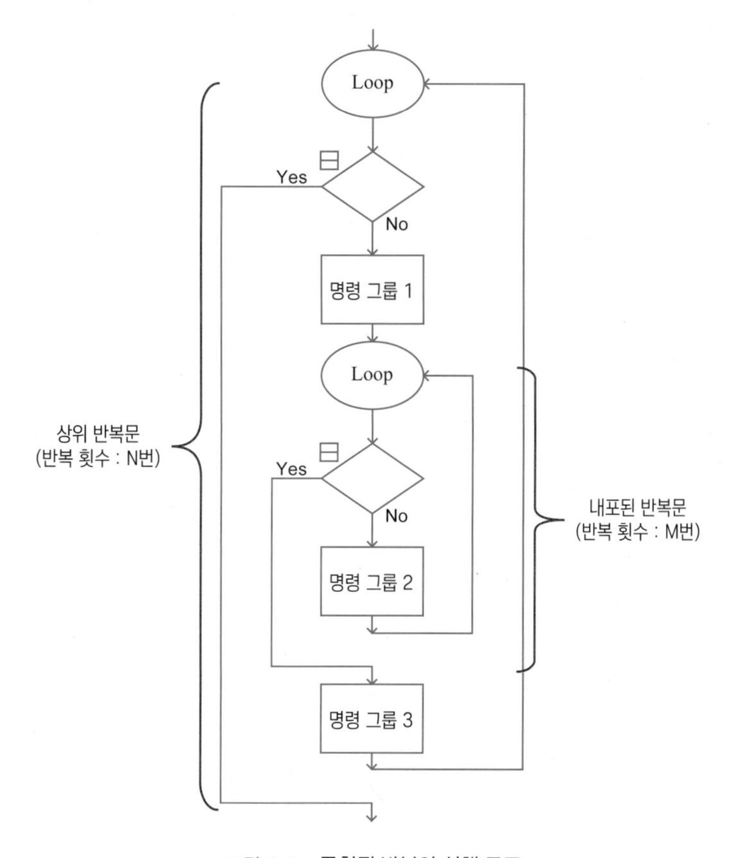

그림 4-5 중첩된 반복의 실행 구조

Coding Practice

예제 4-8

다음과 같은 패턴으로 20줄을 화면에 출력하는 프로그램을 작성하시오.

실행 결과 예시

```
*
**
***
****
*****
```

알고리즘 만들기 힌트

① 실행 결과의 패턴 분석
- 첫 번째 줄에 한 개의 "*"를 출력
- 두 번째 줄에 두 개의 "*"를 출력
- n 번째 줄에 n 개의 "*"를 출력

② 패턴 분석 결과
- 줄의 변화에 따라 가로로 "*"의 수를 변화 시키며 화면에 출력
- 줄(세로)의 변화를 담당하는 변수 필요
- "*"수(가로)의 변화를 담당하는 변수 필요

③ 줄의 변화와 "*"의 출력 횟수를 담당하도록 각각을 중첩된 반복문으로 구성

④ 두 가지 반복문 중에서 어떤 반복문을 기준으로 구현하는 것이 타당한지 판단하여 상위 반복문과 내포된 반복문으로 구성

랩터 출력(output)에는 화면에 출력 후 줄 바꿈 실시 여부를 선택적으로 제공한다. 출력 입력창에서 "End current line" 기능에 체크가 되어 있으면 줄 바꿈을 사용하는 것이고, 체크를 해제하면 줄 바꿈 없이 화면에 출력한다.

파이썬에서는 출력 시 줄 바꿈을 하지 않으려면 print문 끝에 end=' '를 추가해야 한다.

랩터로 설계하기 (예제 4-8)

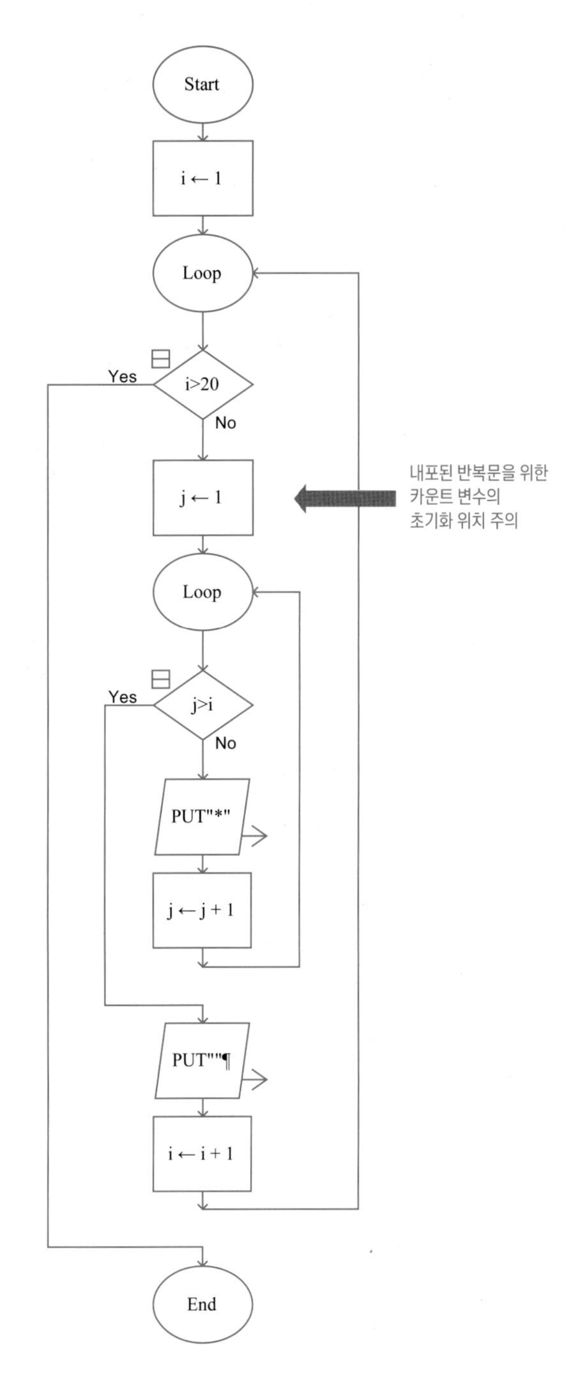

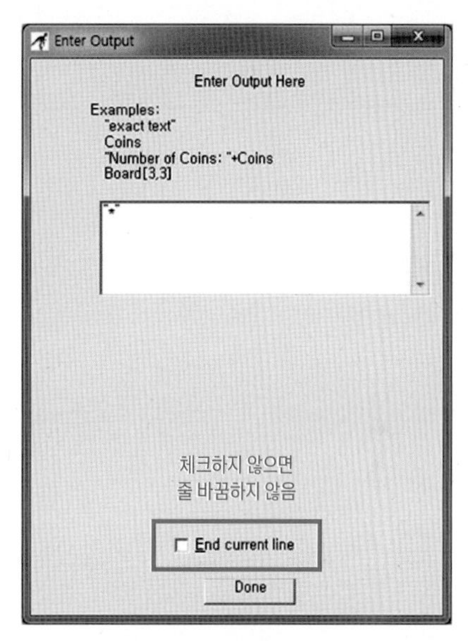

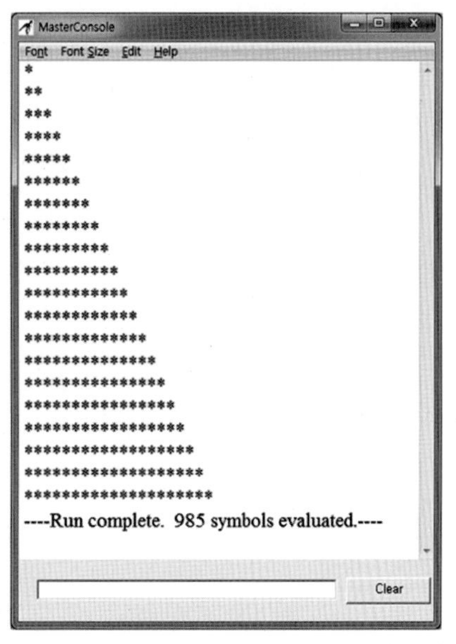

⁝⁝⁝ 파이썬으로 구현하기 (예제 4-8 while문 사용)

```
i=1

while i <= 20 :
  j = 1

  while j <= i :
    print("*", end=' ')
    j += 1

  print("")
  i += 1
```

```
*
* *
* * *
* * * *
* * * * *
* * * * * *
* * * * * * *
* * * * * * * *
* * * * * * * * *
* * * * * * * * * *
* * * * * * * * * * *
* * * * * * * * * * * *
* * * * * * * * * * * * *
* * * * * * * * * * * * * *
* * * * * * * * * * * * * * *
* * * * * * * * * * * * * * * *
* * * * * * * * * * * * * * * * *
* * * * * * * * * * * * * * * * * *
* * * * * * * * * * * * * * * * * * *
* * * * * * * * * * * * * * * * * * * *
```

파이썬으로 구현하기 (예제 4-8 for문 사용)

```
for i in range(1, 21) :

    for j in range(1, i+1) :
        print("*", end=' ')

    print("")
```

Coding Practice

예제 4-9

중첩된 반복문을 이용하여 구구단 1단에서부터 9단까지 출력하는 프로그램을 작성하시오.

실행 결과 예시

```
2*1= 2    3*1= 3    4*1= 4    5*1= 5    6*1= 6   ...   9*1= 9
2*2= 4    3*2= 6    4*2= 8    5*2=10    6*2=12   ...   9*2=18
2*3= 6    3*3= 9    4*3=12    5*3=15    6*3=18   ...   9*3=27
```

::: 랩터로 설계하기 (예제 4-9)

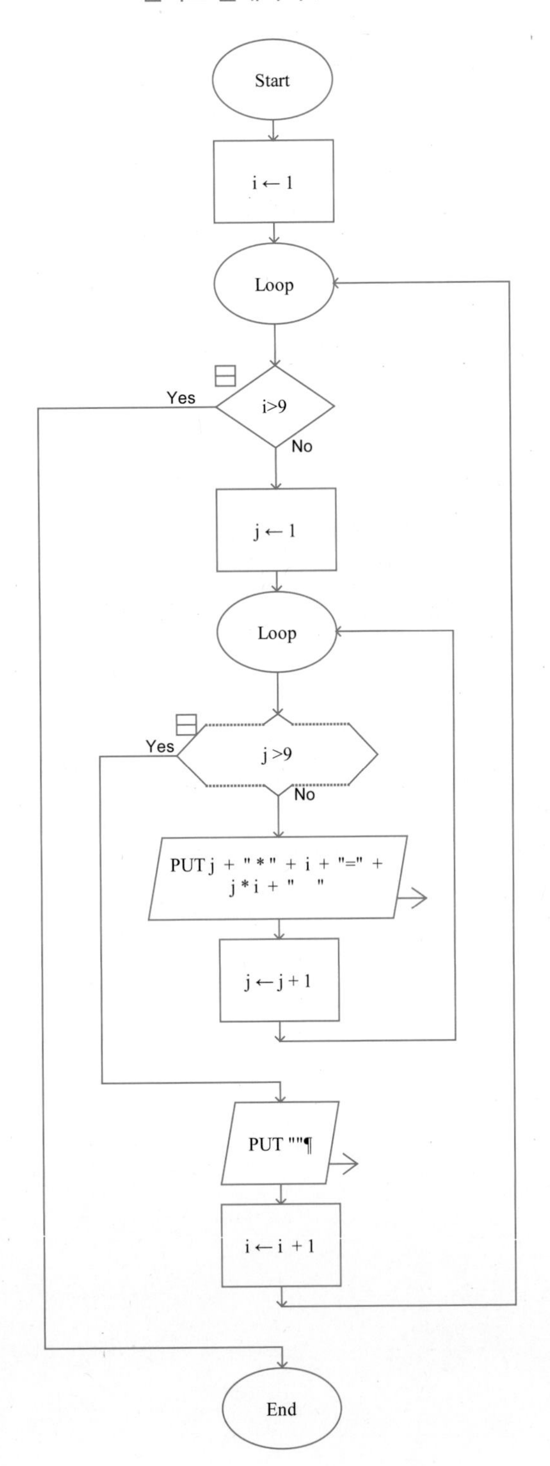

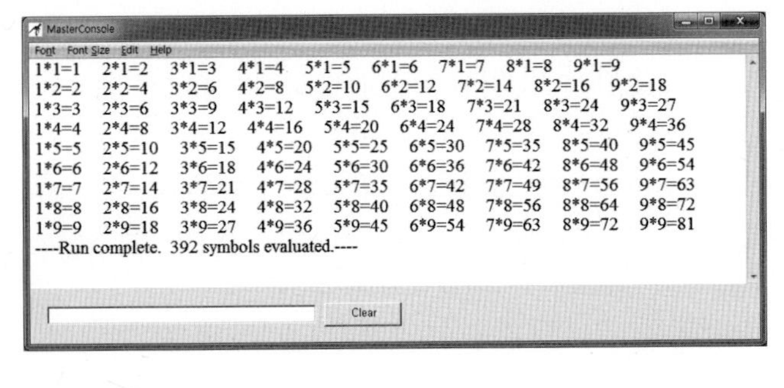

파이썬으로 구현하기 (예제 4-9 while문 사용)

```
i = 1

while i <= 9 :
  j = 1

  while j <= 9 :
    print("{0}*{1}={2}  ".format(j, i, j*i), end=' ')
    j += 1

  print("")
  i += 1
```

파이썬으로 구현하기 (예제 4-9 for문 사용)

```
for i in range(1,10) :

  for j in range(1,10) :
    print("{0}*{1}={2}  ".format(j, i, j*i), end=' ')

  print("")
```

실행 결과

```
1*1=1 2*1=2 3*1=3 4*1=4 5*1=5 6*1=6 7*1=7 8*1=8 9*1=9
1*2=2 2*2=4 3*2=6 4*2=8 5*2=10 6*2=12 7*2=14 8*2=16 9*2=18
1*3=3 2*3=6 3*3=9 4*3=12 5*3=15 6*3=18 7*3=21 8*3=24 9*3=27
1*4=4 2*4=8 3*4=12 4*4=16 5*4=20 6*4=24 7*4=28 8*4=32 9*4=36
1*5=5 2*5=10 3*5=15 4*5=20 5*5=25 6*5=30 7*5=35 8*5=40 9*5=45
1*6=6 2*6=12 3*6=18 4*6=24 5*6=30 6*6=36 7*6=42 8*6=48 9*6=54
1*7=7 2*7=14 3*7=21 4*7=28 5*7=35 6*7=42 7*7=49 8*7=56 9*7=63
1*8=8 2*8=16 3*8=24 4*8=32 5*8=40 6*8=48 7*8=56 8*8=64 9*8=72
1*9=9 2*9=18 3*9=27 4*9=36 5*9=45 6*9=54 7*9=63 8*9=72 9*9=81
```

Coding Practice

예제 4-10

다음 출력 예시와 같이 화면에 출력하는 프로그램을 작성하시오.

실행 결과 예시

```
11 13 15 17 19
21 23 25 27 29
31 33 35 37 39
41 43 45 47 49
51 53 55 57 59
```

알고리즘 만들기 힌트

① 실행 결과의 패턴 분석- 총 다섯줄의 숫자 그룹 출력- 한 줄에 다섯 개의 숫자 출력
- 첫 번째 줄은 11부터 20사이의 홀수 5개 출력
- 두 번째 줄은 21부터 30사이의 홀수 5개 출력
- i 번째 줄은 (i*10+1)부터 (i*10+10)사이의 홀수 5개 출력

② 패턴 분석 결과- 줄의 변화(1~5)에 따라 가로로 정의된 구간{(i*10+1)~(i*10+10)} 사이의 홀수를 화면에 출력- j를 홀수라 하면, i번째 줄의 홀수는 (i*10+j)로 정의- 홀수 j의 값은 초기 값을 1로 하고, 변화되는 구간이 j<=10일 때까지 j=j+2로 홀수 값을 할당

③ 줄의 변화와 구간별 홀수 출력 횟수를 담당하도록 각각을 중첩된 반복문으로 구성

④ 두 가지 반복문 중에서 어떤 반복문을 기준으로 구현하는 것이 타당한지 판단하여 상위 반복문과 내포된 반복문으로 구성

::: 랩터로 설계하기 (예제 4-10)

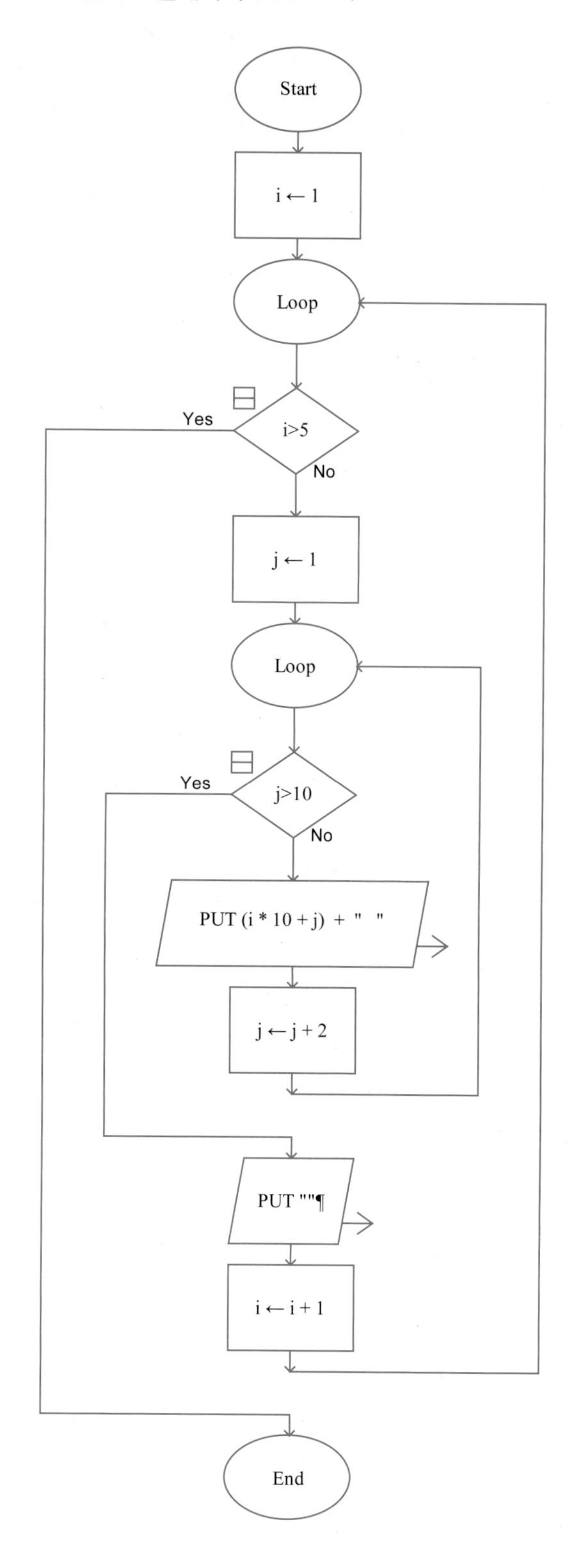

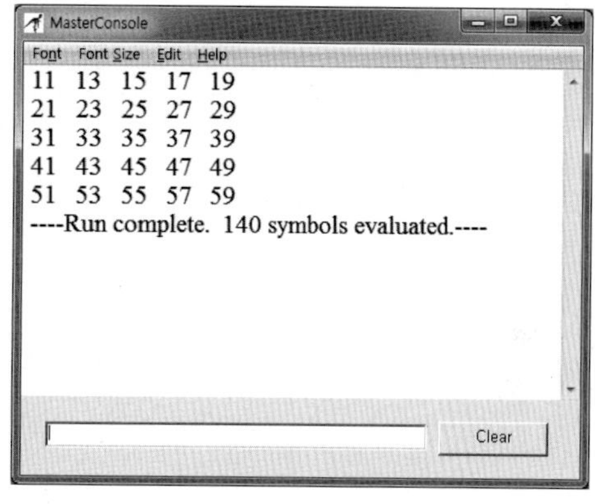

파이썬으로 구현하기 (예제 4-10 while문 사용)

```
i = 1

while i <= 5 :

    j = 1

    while j <= 10 :
        print("{0}  ".format(i*10+j), end=' ')
        j += 2

    print("")
    i += 1
```

```
11 13 15 17 19
21 23 25 27 29
31 33 35 37 39
41 43 45 47 49
51 53 55 57 59
```

파이썬으로 구현하기 (예제 4-10 for문 사용)

```
for i in range(1, 6):

    for j in range(1, 11, 2):
        print("{0}  ".format(i*10+j), end=' ')

    print("")
```

```
11 13 15 17 19
21 23 25 27 29
31 33 35 37 39
41 43 45 47 49
51 53 55 57 59
```

Coding Practice

예제 4-11

사용자로부터 숫자를 횟수에 상관없이 정수 값을 입력 받고, 입력을 종료하면 그때까지 입력된 숫자의 개수, 합계, 평균을 각각 구하여 출력하는 프로그램을 작성하시오. 입력의 지속 여부 (y: 지속, n: 중지) 확인 시 지정된 값 이외의 문자가 입력되면 "잘못된 입력"을 화면에 출력하고 다시 입력을 받도록 하시오.

실행 결과 예시

```
숫자 입력 : 50
계속 입력(y/n) : y
숫자 입력 : 1050
계속 입력(y/n) : k
잘못된 입력
계속 입력(y/n) : n
입력 개수 : 10
합계 : 000000
평균 : 0000.0000
```

알고리즘 만들기 힌트

① 필요한 조건 추출
- 입력 종료 조건 : (con=="n")
- 정상적인 입력인지 확인 : (con=="y") or (con=="n")

② 논리 구조 결정
- 입력 종료 조건을 만족하기 전까지 숫자를 입력 받고 입력 횟수, 합계, 평균을 반복적으로 구하는 구조
- 입력을 지속할 것인지에 대한 입력 값이 "y" 또는 "n"이 아닌 경우 다시 입력 받기 위한 반복 구조

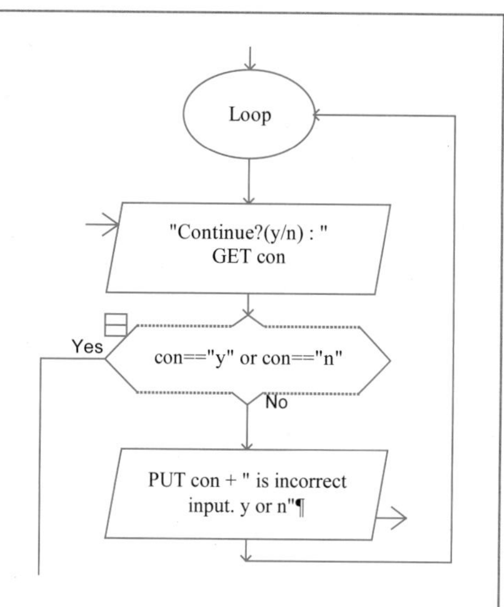

[입력 지속을 위한 반복 구조]

∷ 랩터로 설계하기 (예제 4-11)

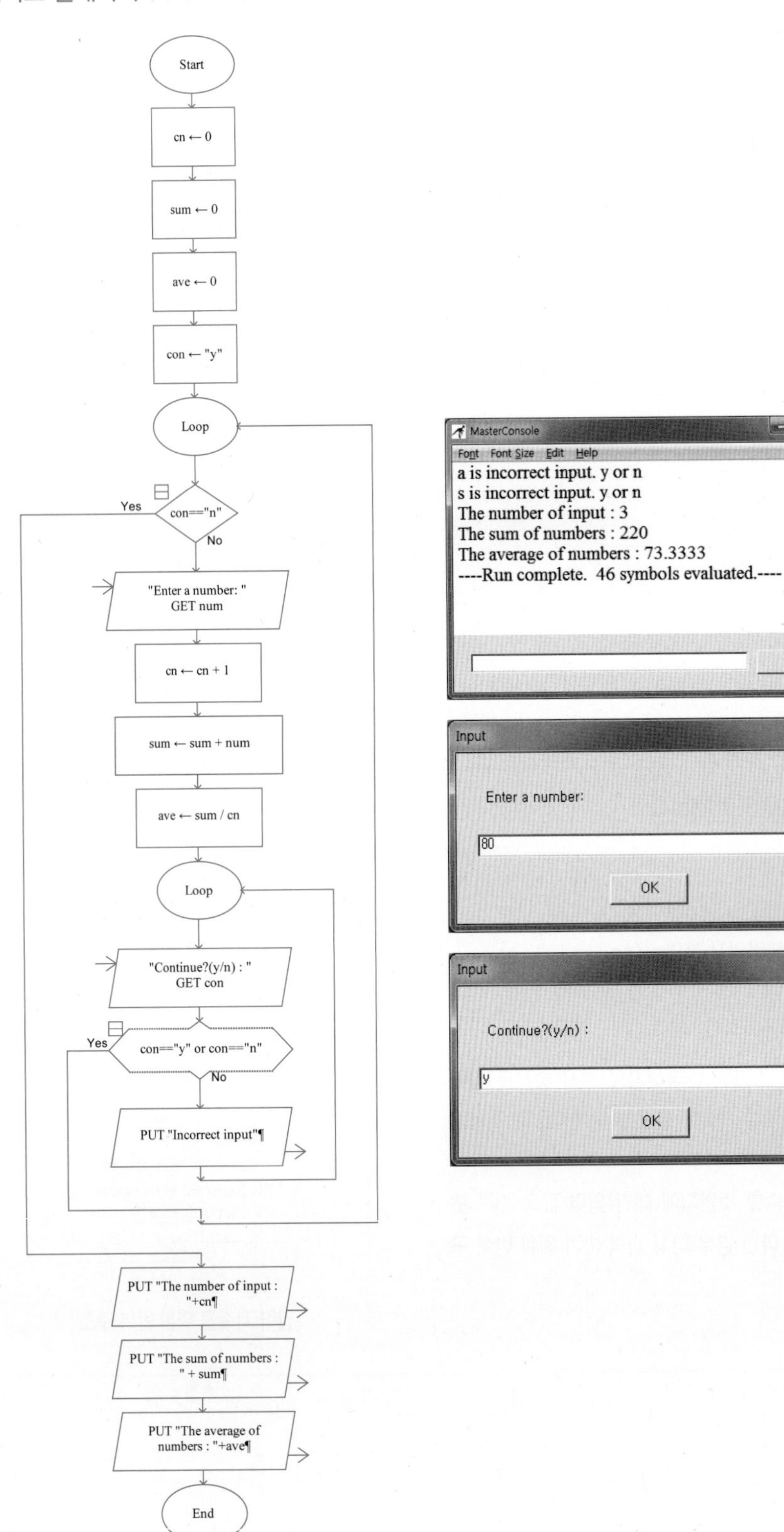

⠿ 파이썬으로 구현하기 (예제 4-11)

```
cn = 0
sum = 0
con = "y"

while con != "n" :     # 조건식 con == "y" 와 동일
    num = int(input("숫자 입력: "))
    cn += 1
    sum += num
    ave = sum/cn

    con=input("계속 입력(y/n): ")
    while not(con=="y" or con=="n") :
        print("잘못된 입력")
        con=input("계속 입력(y/n): ")

print("입력된 숫자 개수: ", cn)
print("입력된 숫자의 합: ", sum)
print("입력된 숫자의 평균: ", ave)
```

```
숫자 입력: 50
계속 입력(y/n): y
숫자 입력: 1050
계속 입력(y/n): k
잘못된 입력
계속 입력(y/n): n
입력된 숫자 개수: 2
입력된 숫자의 합: 1100
입력된 숫자의 평균: 550.0
```

3.2 복합 논리

컴퓨팅 사고를 통해 해결하는 문제는 지금까지 학습해온 순서 논리, 선택 논리, 반복 논리를 다양한 방법으로 결합하여야 가능한 것이 대부분이다. 이러한 문제들은 반복 논리 내에 선택 논리가 포함되어야하기도 하고, 반대로 선택 논리 내에 반복 논리가 있어야 해결되기도 한다. 랩터를 비롯한 파이썬은 선택문과 반복문이 서로 결합 및 내포가 가능한 구조를 허용하고 있다.

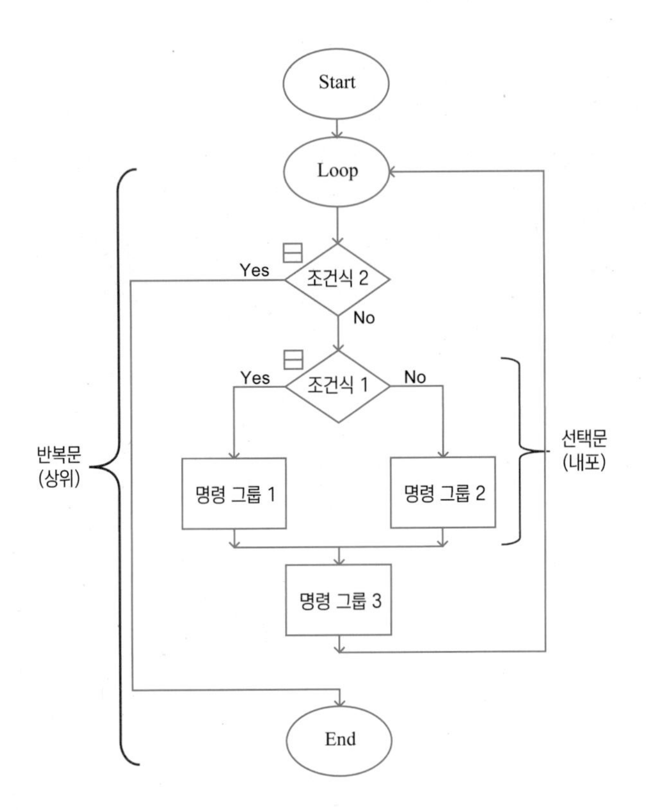

그림 4-6 **반복문과 선택문의 내포된 구조의 예**

[그림 4-6]은 반복문에 선택문이 내포된 구조를 나타내고 있다. 선택문이 조건식 2를 만족할 때까지 조건식 1을 비교하여 참과 거짓의 판단에 따라 명령 그룹 1과 명령 그룹 2를 선택적 수행을 반복하게 된다. 반복문 내의 명령 그룹 3은 선택문이 종료될 때마다 수행되는 것으로 조건식 1에 따라 (명령 그룹 1, 명령 그룹 3) 또는 (명령 그룹 2, 명령 그룹 3)의 쌍으로 반복하게 되는 구조이다.

Coding Practice

예제 4-12

1부터 1000사이의 정수 중에서 홀수의 합과 짝수의 합을 각각 구하여 출력하는 프로그램을 복합 논리를 적용하여 작성하시오.

실행 결과 예시

홀수의 합(1~1000) : 250000
짝수의 합(1~1000) : 250500

알고리즘 만들기 힌트

① 필요한 조건 추출
- 1부터 1000사이의 값인지 확인하는 조건 : num <= 1000
- 홀수인지 확인하는 조건 : (num % 2) != 0 또는 (num % 2) == 1
- 짝수인지 확인하는 조건 : (num % 2) == 0 또는 (num % 2) != 1

② 논리 구조 결정
- 1부터 1000사이의 값을 증가시키면서 홀수의 합계와 짝수의 합계를 구하는 반복 구조
- 현재의 숫자가 홀수인지 짝수인지에 따라 선택적으로 합계를 구하는 선택 구조
- 따라서 반복 구조 속에서 선택적으로 누적 합계를 구하는 구조

③ 홀수의 합계와 짝수의 합계를 별도로 저장해야함

::: 랩터로 설계하기 (예제 4-12)

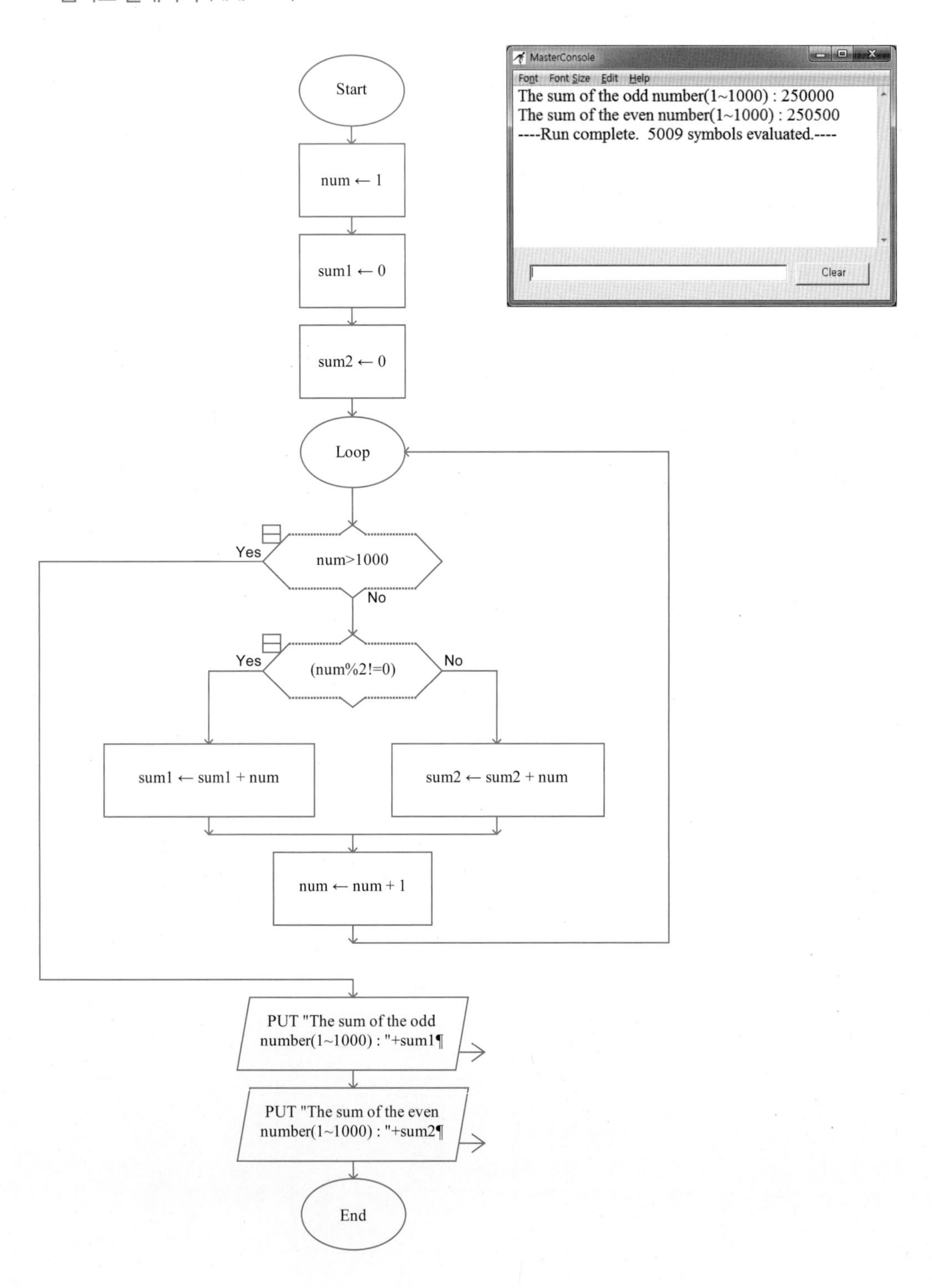

∷ 파이썬으로 구현하기 (예제 4-12 while문 사용)

```
num = 1
sum1 = 0    # 홀수의 합 계산용 변수
sum2 = 0    # 짝수의 합 계산용 변수

while num <= 1000 :
    if (num % 2) != 0 :  # 홀수 판별 (num%2 == 1)과 동일
        sum1 += num

    else:
        sum2 += num

    num += 1

print("홀수의 합(1~1000): ", sum1)
print("짝수의 합(1~1000): ", sum2)
```

```
홀수의 합(1~1000): 250000
짝수의 합(1~1000): 250500
```

∷ 파이썬으로 구현하기 (예제 4-12 for문 사용)

```
sum1 = 0    # 홀수의 합 계산용 변수
sum2 = 0    # 짝수의 합 계산용 변수

for num in range(1, 1001, 1) :

    if (num % 2) != 0 :  # 홀수 판별 (num%2 == 1)과 동일
        sum1 += num

    else :
        sum2 += num

print("홀수의 합(1~1000): ", sum1)
print("짝수의 합(1~1000): ", sum2)
```

```
홀수의 합(1~1000): 250000
짝수의 합(1~1000): 250500
```

Coding Practice

예제 4-13

사용자로부터 양의 정수 하나를 입력받고 그 수가 소수(prime number)인지 판별하는 프로그램을 작성하시오.

실행 결과 예시

숫자 입력 : 1002
소수가 아닙니다.
숫자 입력 : 5
소수입니다.

알고리즘 만들기 힌트

① 소수 : 1과 자신의 숫자 외의 숫자로 나누어지지 않는 수

② 어떤 수 n이 소수인지 판별하는 방법 : n을 2부터 n-1가지 하나씩 나누어 떨어지는 수가 존재하지 않으면 n은 소수

③ 소수의 특징 : 2를 제외한 모든 소수는 홀수, n이 짝수이면 소수가 아니다.

④ 필요한 조건 추출

- 입력 받은 수까지의 나눗셈 반복 횟수 조건 : (2 <= i) and (i <= n-1)
- n으로 나누어 나누어떨어지는 수인지 확인 조건 : (num%i == 0)
- 소수인지 판별하는 조건 : prime==True

⑤ 논리 구조 결정

- 나누어 떨어지는 수를 찾기 위한 반복 구조
- 나누어 떨어지는 수인지 확인하는 선택 구조
- 최종적으로 소수인지 확인하는 선택 구조여야 함

::: 랩터로 설계하기 (예제 4-13)

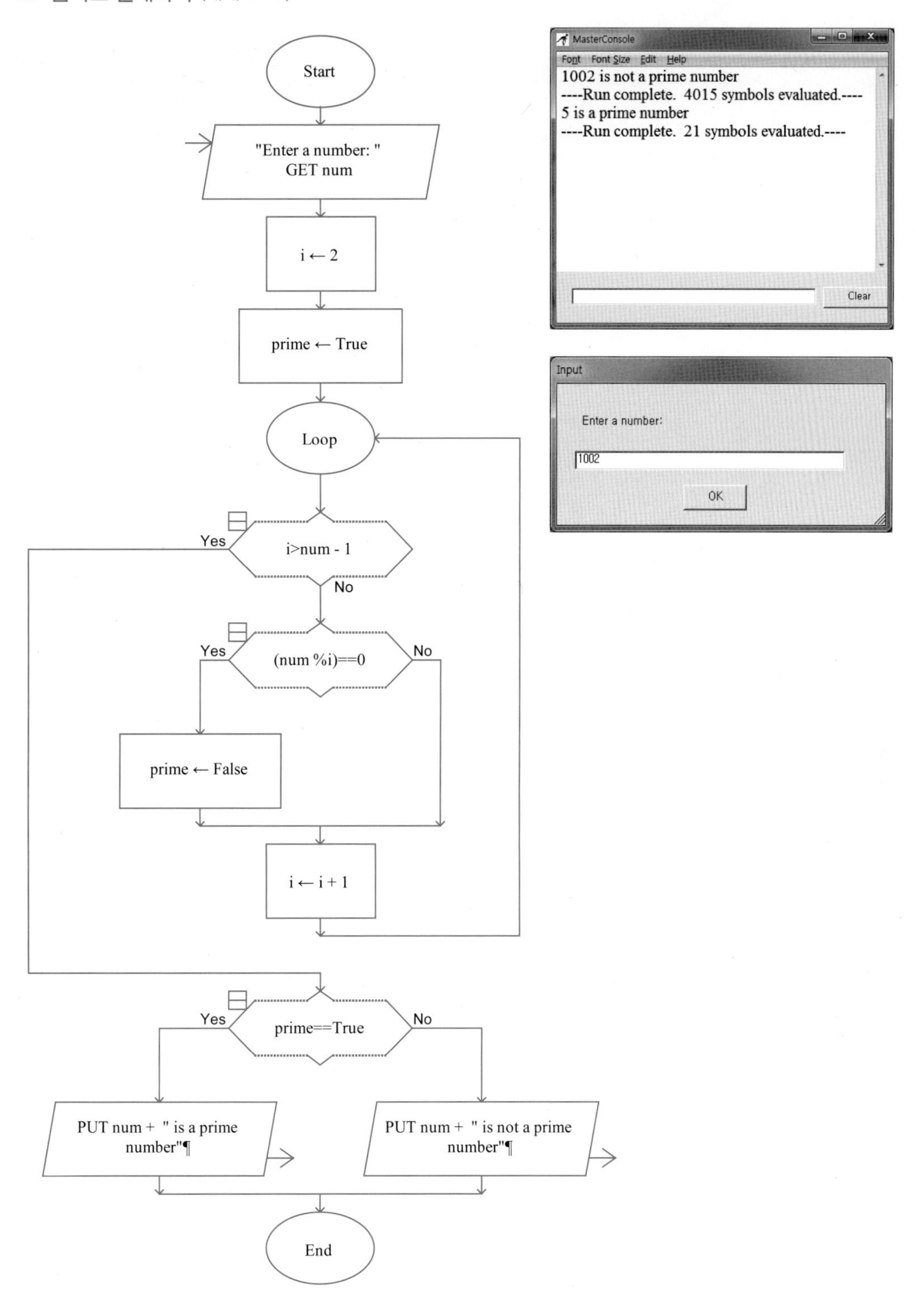

::: 파이썬으로 구현하기 (예제 4-13)

```
i = 2
prime = True        # 소수인지 판별 위한 flag 변수
num = int(input("숫자 입력: "))


while i <= num-1 :

    if num % i == 0 :
        prime = False   # 나누어 떨어지면 소수 아님

    i += 1

if prime == True :   #한 번이라도 나누어 떨어지지 않은 경우
    print("{0}은(는) 소수입니다.".format(num))

else :
    print("{0}은(는) 소수가 아닙니다.".format(num))
```

```
숫자 입력: 5
5은(는) 소수입니다.
```

EXERCISE

1. 임의의 두 정수를 입력받아 두 수 사이의 홀수 값을 모두 더하여 출력하는 프로그램을 작성하시오.

2. 하나의 정수(양수)를 입력 받아 1부터 입력받은 수 사이의 소수를 구하여 모두 출력하는 프로그램을 작성하시오.

3. 5과목(국어, 영어, 수학, 과학, 도덕)의 성적을 입력 받아 총점과 평균을 구하여 출력하는 프로그램을 작성하시오. 단, 입력된 각 과목의 성적이 0~100 사이의 점수가 아닌 경우 "유효한 성적이 아닙니다."를 출력하고 다시 입력받을 수 있게 조치해야 함.

4. 두 개의 정수를 입력 받아 두 정수의 최대공약수를 계산하여 출력하는 프로그램을 작성하시오. 단, 최대공약수를 구하는 방법인 "소인수 분해법"과 "유클리드 호제법"중 선택하여 완성하시오.

5. 정수 1에서 6까지 숫자를 가지고 있는 주사위 한 개를 굴렸을 때 나올 수 있는 숫자를 임의로 만들어 출력하는 프로그램을 작성하시오. 단, 주사위를 굴리는 회수는 무제한으로 하며, 주사위를 굴린 결과를 출력한 후 다시 굴릴 것인지 확인하여 반복할 수 있도록 하라.

실행 결과 예시

```
주사위를 굴리는 중....
주사위 숫자 : 5
주사위를 다시 굴릴 까요?(y/n) y
```

6. 5개의 실수를 입력받은 후 합계, 평균, 분산, 표준편차를 차례대로 구하여 출력하는 프로그램을 작성하시오. 단 표준편차는 내장함수 sqrt( )를 사용하고, 아래의 수식을 참고하라.

$$\text{평균}(\overline{x}) = \frac{\sum_{i=1}^{n} x_i}{n} \qquad \text{분산}(\delta^2) = \frac{\sum_{i=1}^{n} (x_i - \overline{x})^2}{n} \qquad \text{표준편차}(\delta) = \sqrt{\delta^2}$$

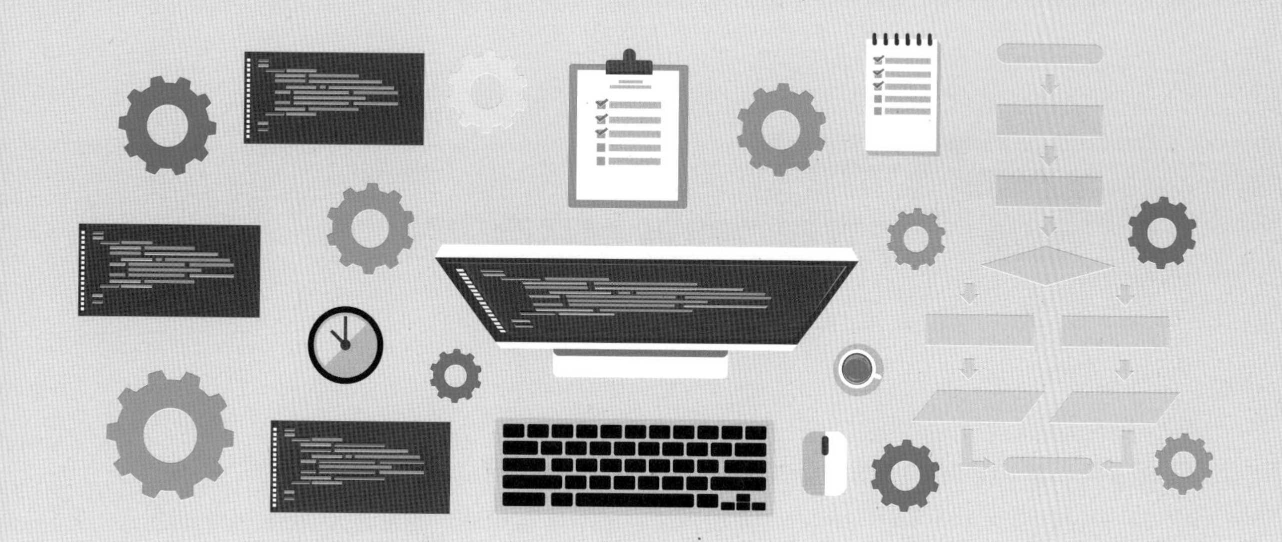

CHAPTER 5

함수와 알고리즘

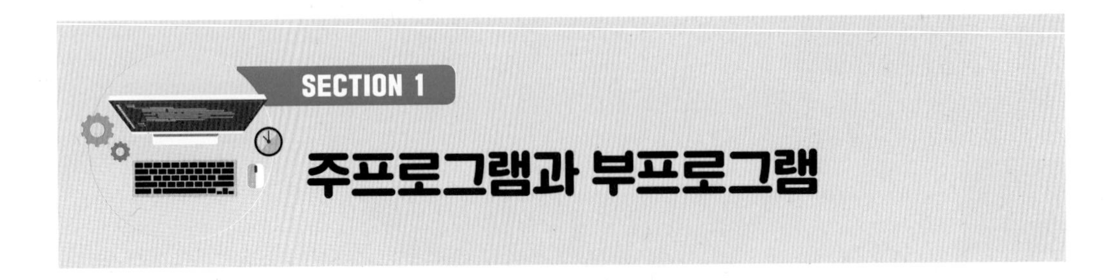

주프로그램과 부프로그램

컴퓨터 프로그래밍에서 함수(Function)란 특정 기능을 담당하는 명령어들의 집합으로 이름이 부여되는 특징이 있다. 수학에서의 방정식을 함수로 표현하는 것도 변수 값을 입력으로 제공하면 방정식에 의해 결과가 만들어지기 때문이다. 어떤 함수 $f(x)$를 다음과 같이 정의하였다고 가정하자.

$$f(x) = x^3 - x^2 - 2x$$

입력 값으로 -1을 $f(x)$에 제공하면, 함수 내부적으로 방정식을 적용하여 출력으로 0을 얻을 수 있게 된다.

컴퓨터 프로그램에서는 함수에게 입력 값을 전달하면 함수 내부에 작성된 명령어들을 작동시켜 출력을 도출하고 이를 되돌려주게 된다. 이때 함수 내부 명령어들의 구성을 모른다 하더라도 함수의 사용은 가능하다. 즉 함수에 입력을 전달하면 내부적으로 어떻게 동작하는지는 신경 쓰지 않아도 출력을 받을 수 있다는 의미이다. 이러한 함수의 특징으로 인해 처

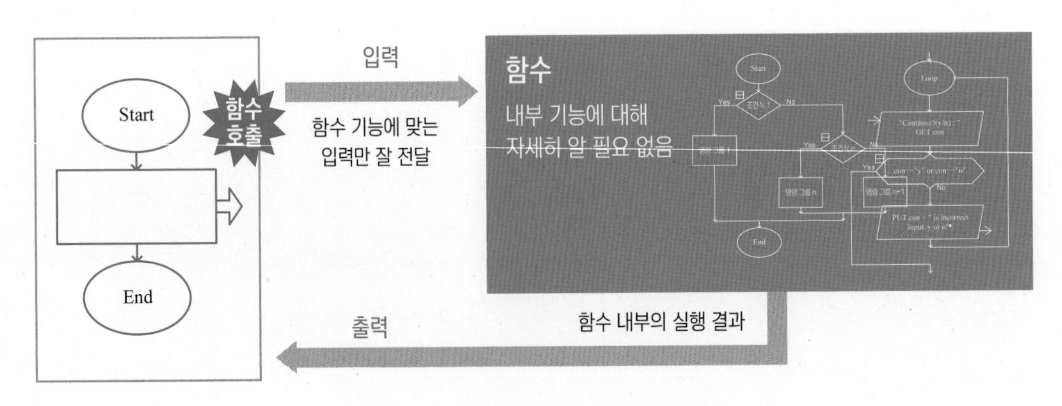

그림 5-1 프로그램에서의 함수 호출 관계

리 과정은 보이지 않는다는 의미로 블랙박스(Black box) 모델이라고도 한다. 또한 프로그램에서는 함수로부터 출력 결과를 얻기 위해서 함수 이름을 부르는 행위를 하게 되는데 이를 "함수 호출(call)"이라고 한다.

1.1 함수의 필요성

지금까지 우리는 비교적 간단한 하나의 프로그램만 작성하였다. 그러나 문제의 복잡성이 올라가면 프로그램 논리 역시 복잡해지고, 하나의 알고리즘으로 해결하기에는 다소 어려움이 있게 된다. 즉 큰 문제를 작은 문제로 분해하여 해결하는 것과 같이 대규모 프로그램은 모듈화(Modulation)된 작은 기능으로 나누어 알고리즘을 기술하고 이들을 모아서 복잡한 문제해결이 가능하도록 만드는 것이 필요하다. 작은 기능으로 나누어진 프로그램을 함수라고 부르며, 프로시저(Procedure)라고도 한다. 그리고 여러 개의 조각으로 나누어진 프로그램들에는 이들을 통합하고 연결해주는 역할을 담당하는 것이 필요한데, 이를 주 프로그램(Main Program)이라고 하며, 이 주 프로그램에 의해 연결되는 부분 프로그램, 즉 함수를 부 프로그램(Sub program)이라고도 한다.

프로그램을 작성하는 작업 중에는 같은 일 또는 비슷한 일을 하는 명령어 집합의 부분이 여러 번 등장할 수 있다. 단순히 필요한 부분을 반복적으로 생성하는 것이 간단한 방법일 수 있으나, 프로그램이 불필요하게 길어지고 알아보기 어렵게 된다. 더불어 반복되어 생성된 부분에서 일부분 수정이 필요하다면, 찾아서 수정하는데 많은 시간과 노력이 필요할 뿐만 아니라 일부를 놓치게 되는 경우가 많다.

함수를 사용하게 되었을 때의 이점은 다음과 같다.

- 중복의 최소화 : 프로그램에서 중복되는 부분이 최소화되어 간결해지고 이해하기 쉽다.
- 모듈화 증가 : 기능을 중심으로 생성하여 부품처럼 사용할 수 있다.
- 재사용성 향상 : 한 번 생성한 함수를 프로그램의 다른 곳에 사용하는 재사용성이 높다.
- 유지보수 용이 : 기능의 개선 등에서 함수에서 한 번에 수정이 가능하여 유지보수가 쉽다.

1.2 함수의 종류

현재 세계적으로 많이 활용되고 있는 C/C++, Java, 파이썬과 같은 컴퓨터 프로그래밍 언어는 함수형 언어들이다. 즉 함수를 기반으로 프로그램을 작성한다. 이런 관점에서 랩터 역시 함수를 기반으로 프로그램을 작성하는 도구이다. 함수형 프로그램에서 사용할 수 있는 함수의 종류에는 진입점 함수(Entry point function), 라이브러리 함수(Library function), 사용자 정의 함수(User-defined function)가 있다.

■ 진입점 함수(Entry point function)

진입점 함수는 프로그램의 시작과 끝을 책임지는 함수로 다른 함수를 호출하는 주 함수(Main function) 또는 주 프로그램(Main program)이다. 진입점 함수는 작성하고자 하는 프로그램을 위한 명령의 조합과 함수 호출의 조합으로 구성된다. 지금까지 여러분들이 랩터와 파이썬으로 작성한 프로그램은 주 함수(랩터 → 프로시저)인 이 진입점 함수를 작성한 것이다.

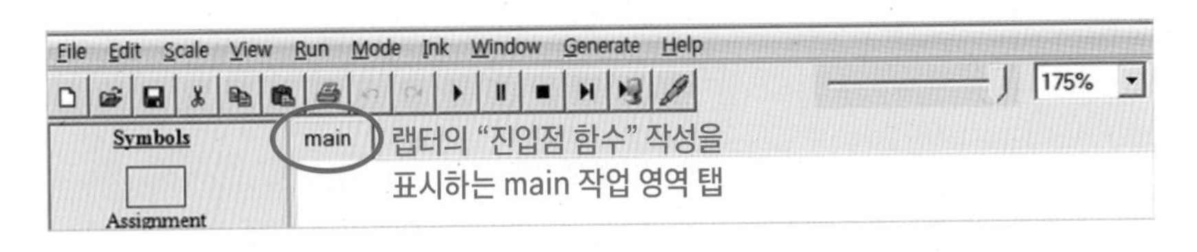

그림 5-2 랩터의 진입점 함수 작성 영역

■ 라이브러리 함수(Library function)

프로그램에서 자주 사용되는 기능을 미리 함수로 만들어 제공하는 함수로 프로그래밍 언어마다 라이브러리 함수를 제공하고 있다. 라이브러리 함수는 대부분 다른 사람이 미리 만들어 둔 것이므로 사용하기 위해서는 함수의 기능과 입력을 위해 필요한 요소들을 알고 사용법에 맞게 사용해야한다. 랩터와 파이썬도 수학 계산, 문자 처리, 그래픽 처리, 마우스/키보드 입력 등을 위한 다양한 함수를 제공하고 있다.

■ 사용자 정의 함수(User-defined Function)

프로그램에서 자주 사용되는 기능을 사용자가 직접 작성하고 생성하는 함수이다. 기존의 라이브러리 함수를 활용하는 것은 기본으로 자신이 필요로 하는 기능을 직접 만들어 프로그램을 풍부하게 만들 수 있다.

표 5.1 **함수의 종류와 특징**

종류	특징	랩터
진입점 함수	• 프로그램의 시작 및 종료가 이루어지는 함수 • 다른 함수가 호출하지 못함	main 함수 또는 main 프로시저
라이브러리 함수	• 특정 목적에 맞는 동작을 수행하며 입출력이 설계되어 있음 • 이미 만들어져 있어 주 함수를 비롯한 다른 함수에서 호출하여 사용	sqrt(x), sin(x), Random, Length_of(v) 등
사용자 정의 함수	• 사용자(프로그래머)가 직접 작성 • 사용자의 특수성에 맞는 다양한 함수 생성 가능	생성은 "Add procedure"

■ 파이썬의 함수(Function)

파이썬도 진입점 함수, 라이브러리 함수의 개념을 사용하고 있고 사용자 정의 함수는 다음과 같은 형태로 함수를 정의하여 사용할 수 있다.

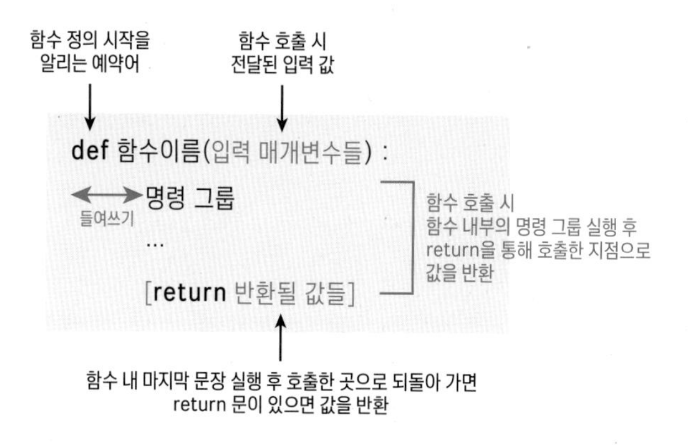

그림 5-3 파이썬 함수 정의 구조

SECTION 2

함수의 값 전달과 활용

랩터는 다른 프로그래밍 언어의 함수에 해당하는 것을 프로시저라고 부른다. 실제로 함수는 기능의 수행을 통해 목적 달성을 위한 결과를 도출하는 것이 목표이나, 프로시저는 어떤 기능을 위해 절차를 수행하는 것 그 자체가 목표이다. 그러나 랩터의 프로시저는 함수의 기능을 포함하고 있기 때문에 함수와 같은 개념으로 생각해도 큰 지장은 없다. 파이썬은 랩터의 프로시저를 함수로 선언하여 사용한다.

Coding Practice

예제 5-1

사용자로부터 세 개의 서로 다른 수를 입력받아 입력된 세 수의 크기를 작은 수에서 큰 수의 순서로 표현하는 프로그램을 작성하시오. 세 수의 크기를 비교하는 부분은 함수(Ordered)를 생성하고, 그 기능을 구현하여 사용하시오.

실행 결과 예시

숫자1 입력 : 10
숫자2 입력 : -1.210
숫자3 입력 : 0
세 수의 크기 비교 : -1.210 < 0 < 10

랩터로 설계 따라하기

랩터에서 프로시저를 추가하거나 call 심볼을 이용해 프로시저를 호출하기 위해서는 사용 모드(Mode) 변경을 해야 한다.

① 랩터 주 메뉴에서 Mode를 선택하고 나타나는 서브 메뉴에서 "Intermediate"를 선택한다.

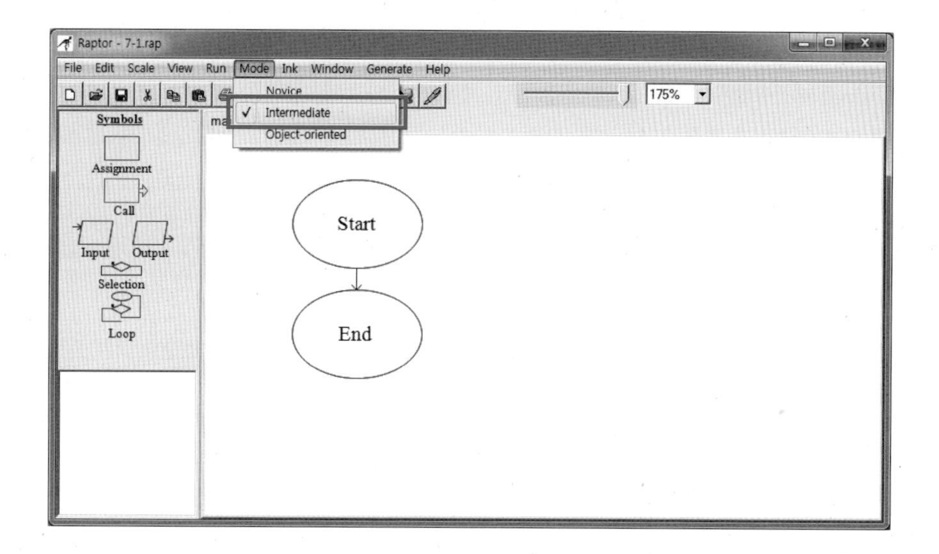

② 그림과 같이 main 탭에서 마우스 오른쪽 버튼 클릭으로 나타나는 팝업 메뉴에서 "add procedure"를 선택한다.

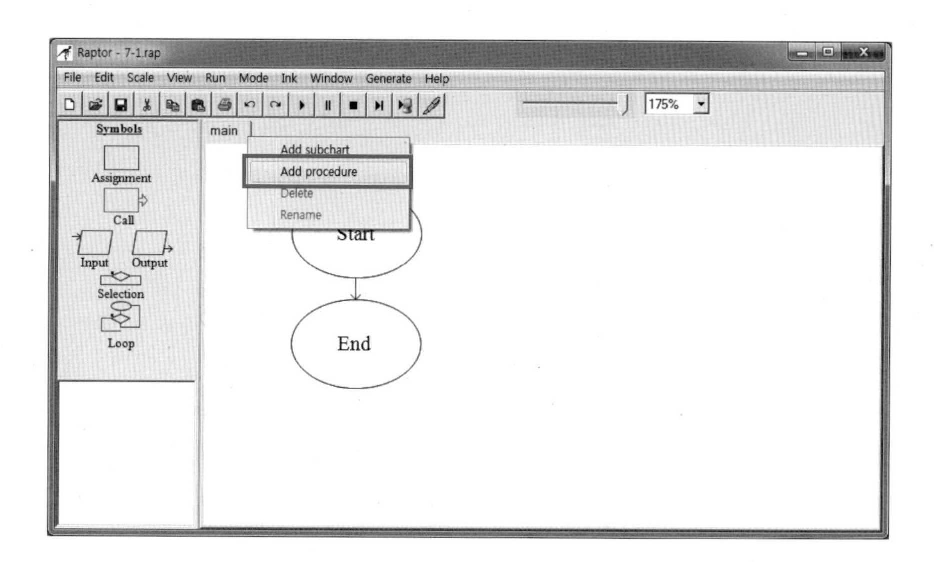

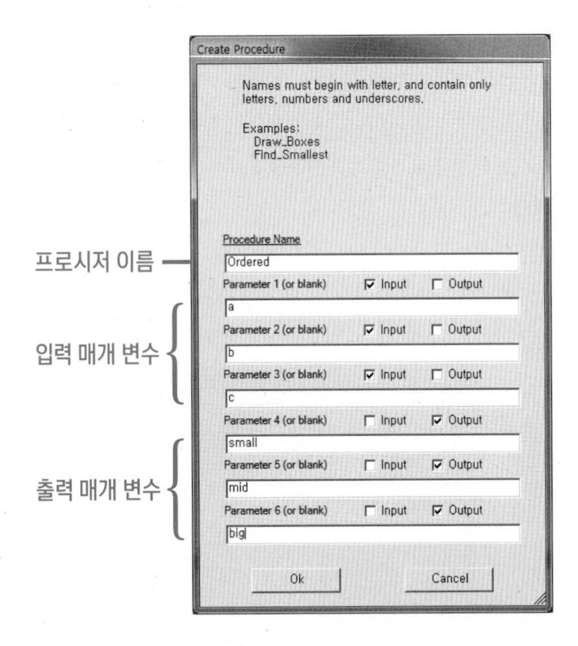

③ "add procedure"를 클릭하여 나타나는 프로시저 생성(Create Procedure) 윈도우를 통해 생성하고자 하는 프로시저의 정보를 입력한다. 생성 윈도우에 입력하는 정보는 프로시저 이름(Procedure Name)과 파라미터(Parameter) 두 가지 종류가 있다.

- Procedure Name : 프로시저 이름 설정(호출에 사용할 이름으로 실습 7-1에서는 "Ordered" 입력)
- Parameter : 매개변수라고도 하며, 프로시저의 입력(Input)과 출력(Output)을 담당하는 변수를 의미한다.
- Input : 입력을 전담하는 파라미터이다. 다른 프로그램에서 이 프로시저를 호출(call)할 때 입력으로 전달하는 값을 저장한다.
- Output : 출력을 전담하는 파라미터이다. 이 프로시저가 내부 수행을 종료하고 호출한 다른 프로그램에게 전달하는 값을 저장한다.

④ 프로시저 생성을 위한 설정 완료 후 "Ok" 버튼을 클릭하면 생성된 프로시저를 위한 작업 영역이 생성된다. 상단의 이름 탭을 이용하여 main 프로시저나 다른 프로시저로 작업 영역 변경이 가능하다.

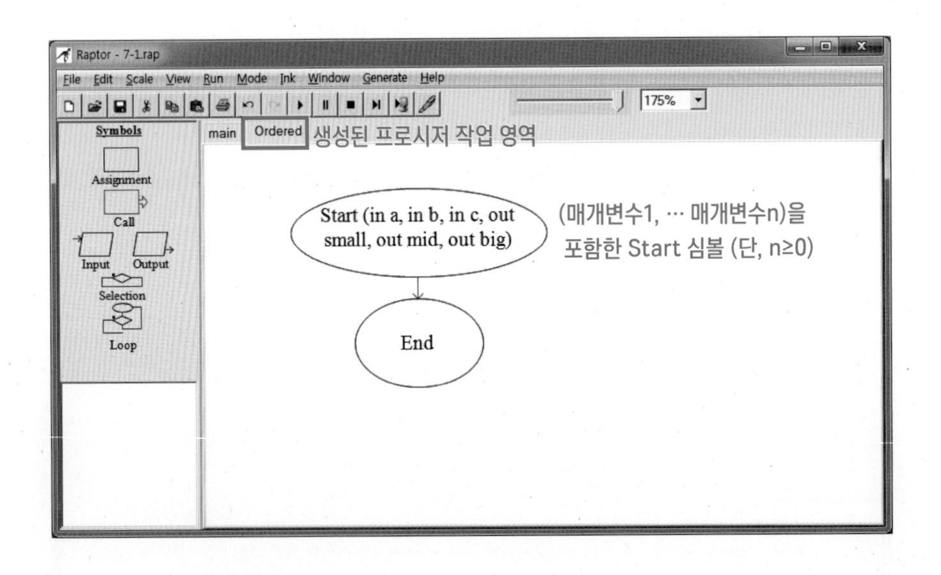

⑤ 생성된 프로시저 작업 영역에 알고리즘 절차를 이용하여 프로시저를 구현한다.

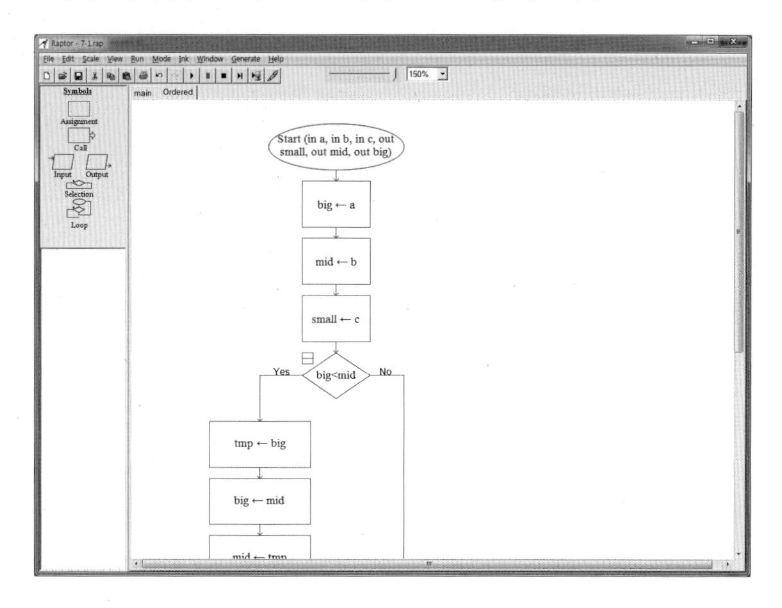

⑥ main 프로시저 작업 영역 이동하여 전체 프로그램을 작성한다. 이때 프로시저로 구현한 부분을 호출을 위해 Call 심볼을 추가하고, 프로시저의 이름과 매개변수의 변수명, 변수의 수는 프로시저 설정에 맞게 정확하게 입력해야 한다.

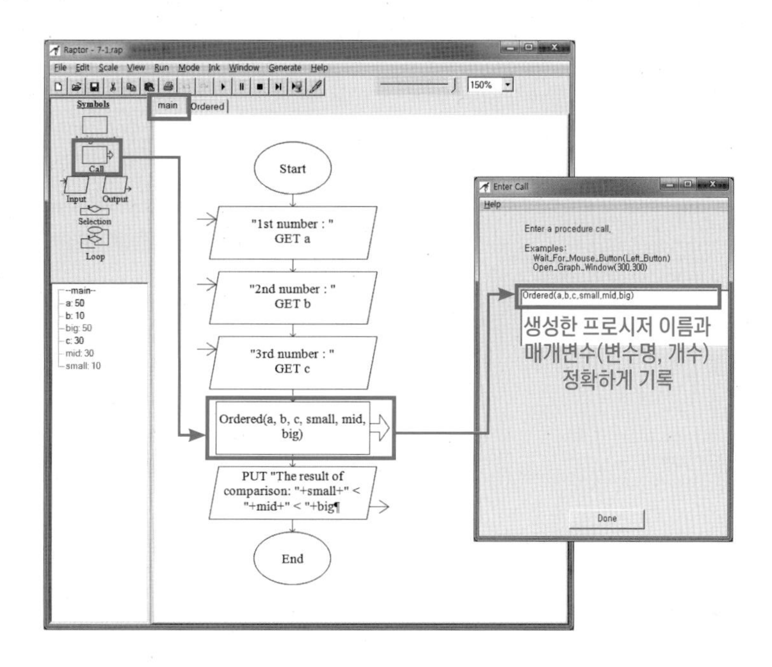

프로시저를 이용하여 기능을 분리하고 이를 호출하여 사용하는 것을 실습해 보았다. 구현된 main 부분의 절차를 보면 알고리즘이 매우 간결해졌음을 알 수 있다. 또한 알고리즘을 이해하는 것도 크게 "숫자 세 개 입력-크기 비교 결과 도출-화면 출력"으로 쉽게 이해할 수 있다.

::: 랩터로 설계하기 (예제 5-1) : Ordered 함수 만들기

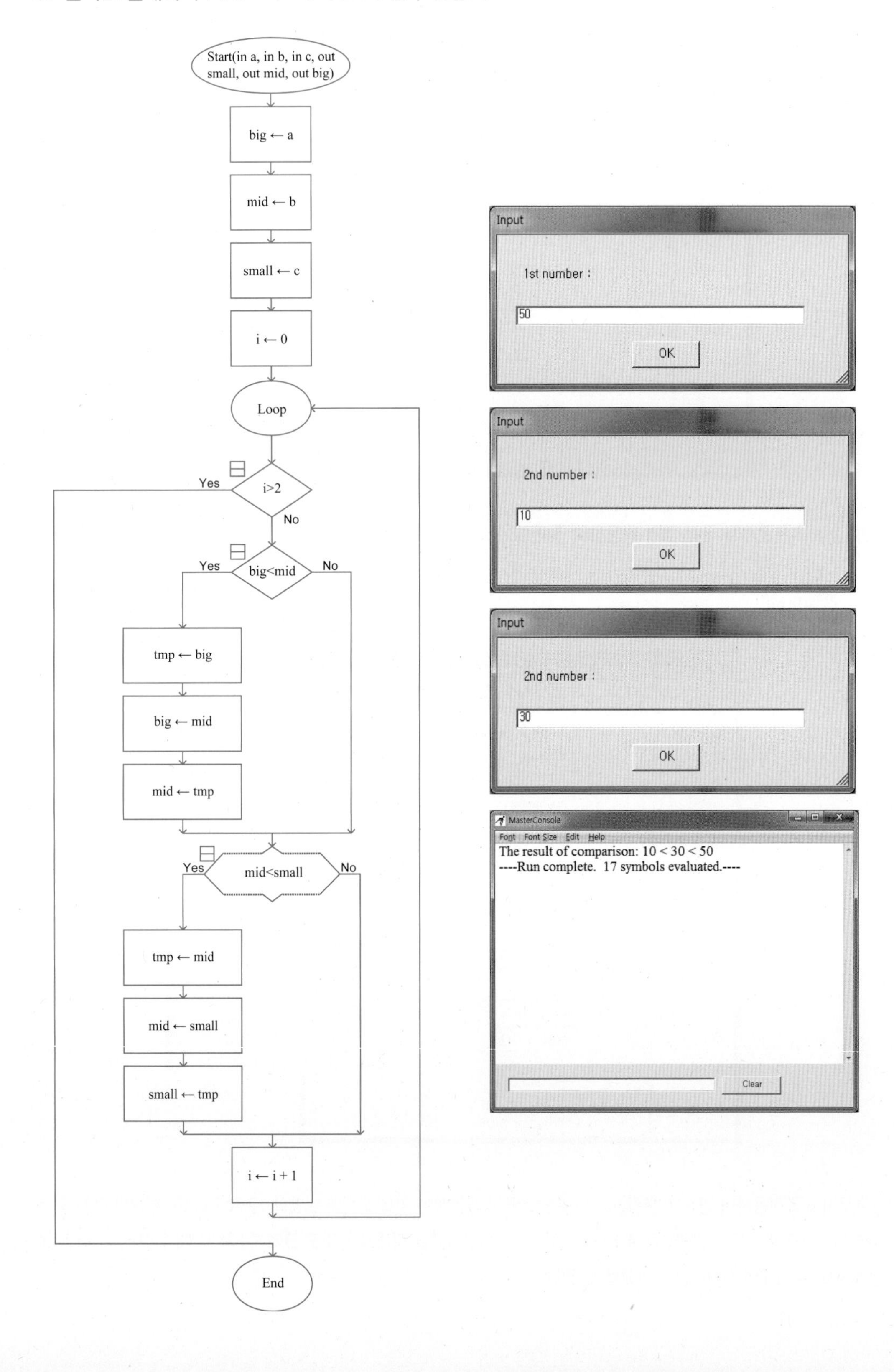

파이썬으로 구현하기 (예제 5-1)

```
## 함수 정의
def Ordered(a,b,c) :
    big = a
    mid = b
    small = c

    for i in range(2) :
        if big < mid :
            tmp = big
            big = mid
            mid = tmp

        if mid < small :
            tmp = mid
            mid = small
            small = tmp

    return big, mid, small

## main

a = int(input("숫자1 입력: "))
b = int(input("숫자2 입력: "))
c = int(input("숫자3 입력: "))

big,mid,small = Ordered(a,b,c)

print("세 수의 크기 비교: ", small, "<",mid, "<",big)
```

```
숫자1 입력: 10
숫자2 입력: -120
숫자3 입력: 0
세 수의 크기 비교: -120 < 0 < 10
```

파이썬에서 사용자 정의 함수를 사용할 경우에는 main 영역에서 함수를 호출하기 전에 호출하는 함수가 정의되어 있어야 한다. 호출 이후에 함수를 정의할 경우 파이썬은 함수가 선언되지 않았다는 에러를 메시지를 보이거나 정상적인 실행이 되지 않는다.

```
## main
a=int(input("숫자1 입력: "))
b=int(input("숫자2 입력: "))
c=int(input("숫자3 입력: "))

big,mid,small=Ordered(a,b,c)

print("세 수의 크기 비교:", small,"<",mid,"<",big)

# 함수 정의
def Ordered(a,b,c)
big = a
mid = b
small = c

for I in range(2) :
   if big < mid :
       tmp = big
    big = mid
    mid = tmp

    if mid < small :
        tmp = mid
     mid = small
     small = tmp

return big, mid, small
```

```
숫자1 입력: 10
숫자2 입력: 50
숫자3 입력: -33
Traceback (most recent call last):
  File "H:₩Chap.5 소스₩예제 5-1(예).py", line 6, in < module>
  big,mid,small=Ordered(a,b,c)
NameError: name 'Ordered' is not defined
```

Coding Practice

예제 5-2

사용자로부터 임의의 두 수를 입력받아 더하기, 빼기, 곱하기, 나누기를 실행하여 그 결과를 화면에 출력하는 프로그램을 작성하시오. 단 숫자 입력, 계산 실행, 화면 출력 기능은 각각 함수 형태로 만들어 호출하게 하시오.

실행 결과 예시

숫자1 입력 : 10
숫자2 입력 : 5
두 수의 합 : 15
두 수의 차 : 5
두 수의 곱 : 50
두 수 나누기 : 2

알고리즘 만들기 힌트

① 이 문제의 핵심은 기능을 분할하여 함수를 생성하는 것
- 숫자 입력 기능을 담당하는 함수 생성 및 구성
- 사칙연산의 수행을 담당하는 함수 생성 및 구성
- 계산 결과의 출력을 담당하는 함수 생성 및 구성

② 주어진 문제를 해결하기 위해 생성된 함수 간의 호출 관계 결정
- 문제해결을 위해 동작하는 기능의 순서 관계를 정리
- 순서가 정해진 함수들이 기능을 제대로 수행하기 위해 필요한 입/출력을 결정하여 매개변수로 반영

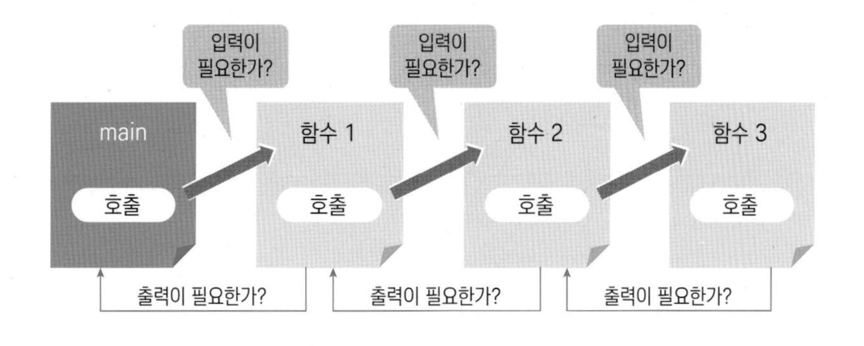

랩터로 설계하기 (예제 5-2)

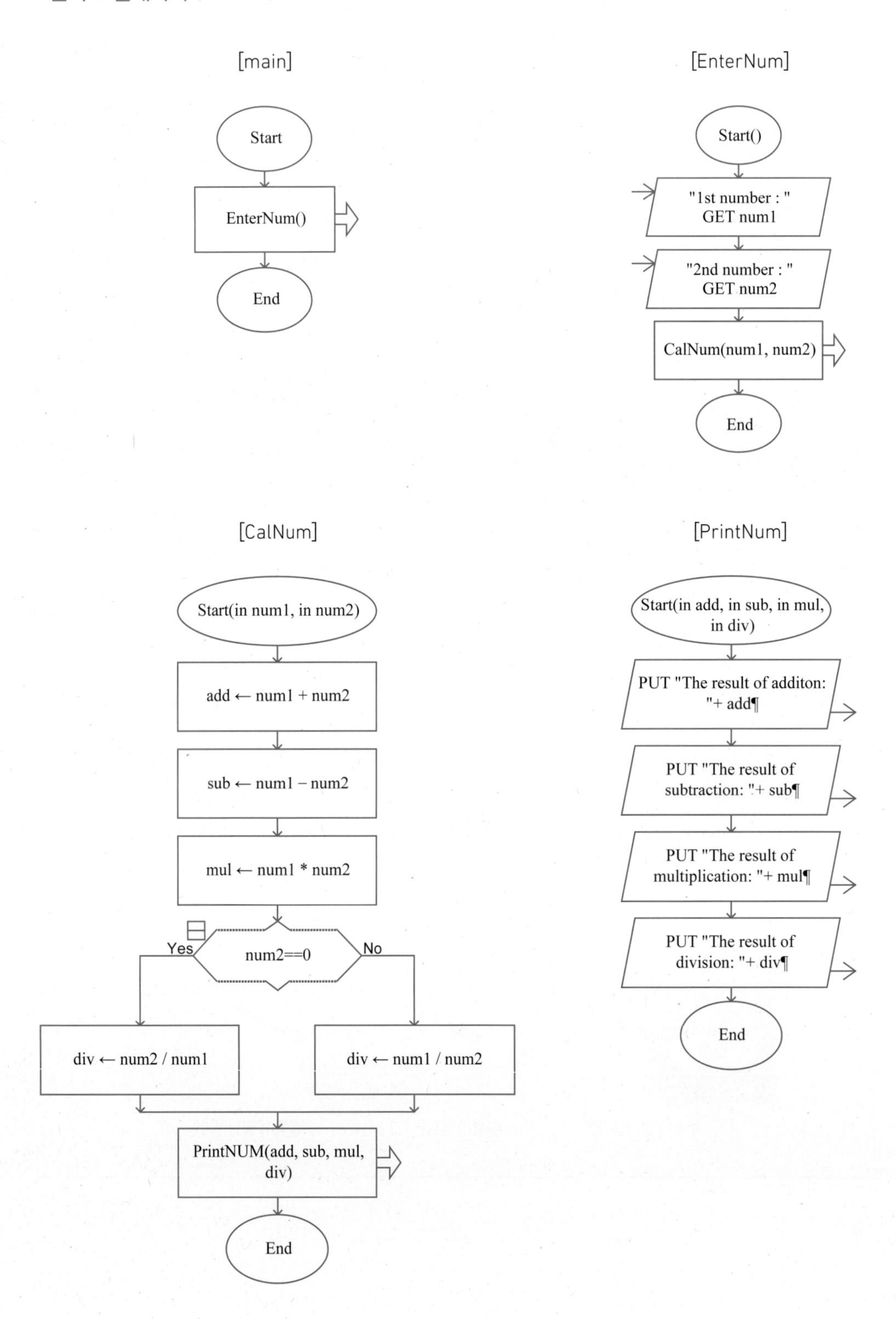

⁝⁝⁝ 파이썬으로 구현하기 (예제 5-2)

```
## 함수 정의
def EnterNum() :
    num1=int(input("숫자1 입력 : "))
    num2=int(input("숫자2 입력 : "))

    CalNum(num1,num2)

def CalNum(num1, num2) :
    add = num1 + num2
    sub = num1 - num2
    mul = num1 * num2

    if num2 == 0 :
        div = num2 / num1
    else :
        div = num1 / num2

    PrintNum(add, sub, mul, div)

def PrintNum(add, sub, mul, div) :
    print("두 수의 합 : ", add)
    print("두 수의 차 : ", sub)
    print("두 수의 곱 : ", mul)
    print("두 수 나누기 : ", div)

## main 영역
EnterNum()
```

```
숫자1 입력: 55
숫자2 입력: 5
두 수의 합 : 60
두 수의 차 : 50
두 수의 곱 : 275
두 수 나누기 : 11.0
```

Coding Practice

예제 5-3

사용자로부터 임의의 두 수와 사칙연산자 중 하나를 입력받아 그 결과를 출력하는 프로그램을 작성하시오. 단, 연산자를 입력 받을 때 "+", "-", "*", "/"만 허용하고 이외의 문자 입력은 "입력 오류"를 출력하고 다시 입력 받도록 처리하고, 기능을 분할하여 적절한 함수를 구성하여 프로그램을 작성하시오.

실행 결과 예시

```
숫자1 입력 : 10
숫자2 입력 : 5
연산자 입력(+, -, *, /) : -
결과 : 10 - 5 = 5

숫자1 입력 : 10
숫자2 입력 : 5
연산자 입력(+, -, *, /) : ?
입력 오류! (+, -, *, /) 중 선택
연산자 입력(+, -, *, /) : *
결과 : 10 * 5 = 50
```

알고리즘 만들기 힌트

① 어떤 기능을 분할하여 함수로 만들지 결정(가능한 함수들)
- 숫자 입력 기능을 담당하는 함수
- 연산자 입력 기능을 담당하는 함수
- 사칙연산의 수행을 담당하는 함수
- 계산결과의 출력을 담당하는 함수

② 주어진 문제를 해결하기 위해 생성된 함수 간의 호출 관계 결정
- 문제 해결을 위해 동작하는 기능의 순서관계를 정리
- 순서가 정해진 함수들이 기능을 제대로 수행하기 위해 필요한 입/출력을 결정하여 매개변수로 반영

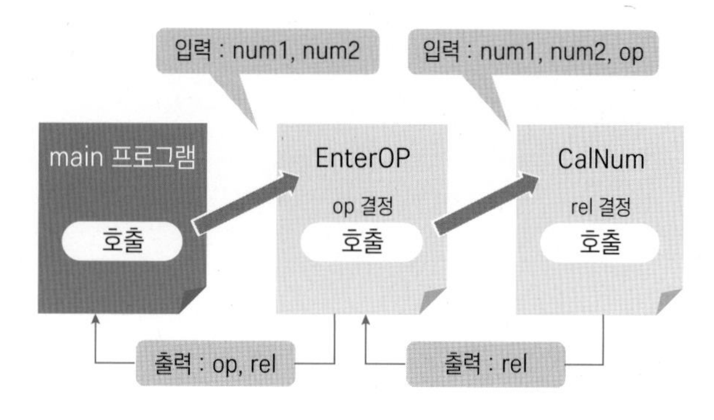

[함수 사용을 위한 프로그램 작성 구상]

- 함수로 분할 : EnterOp(입력 연산자 처리), CalNum(사칙연산 실시)
- 변수 : num1 & num2(입력된 숫자), op(입력된 연산자), rel(사칙연산 중 하나의 결과)

랩터로 설계하기 (예제 5-3)

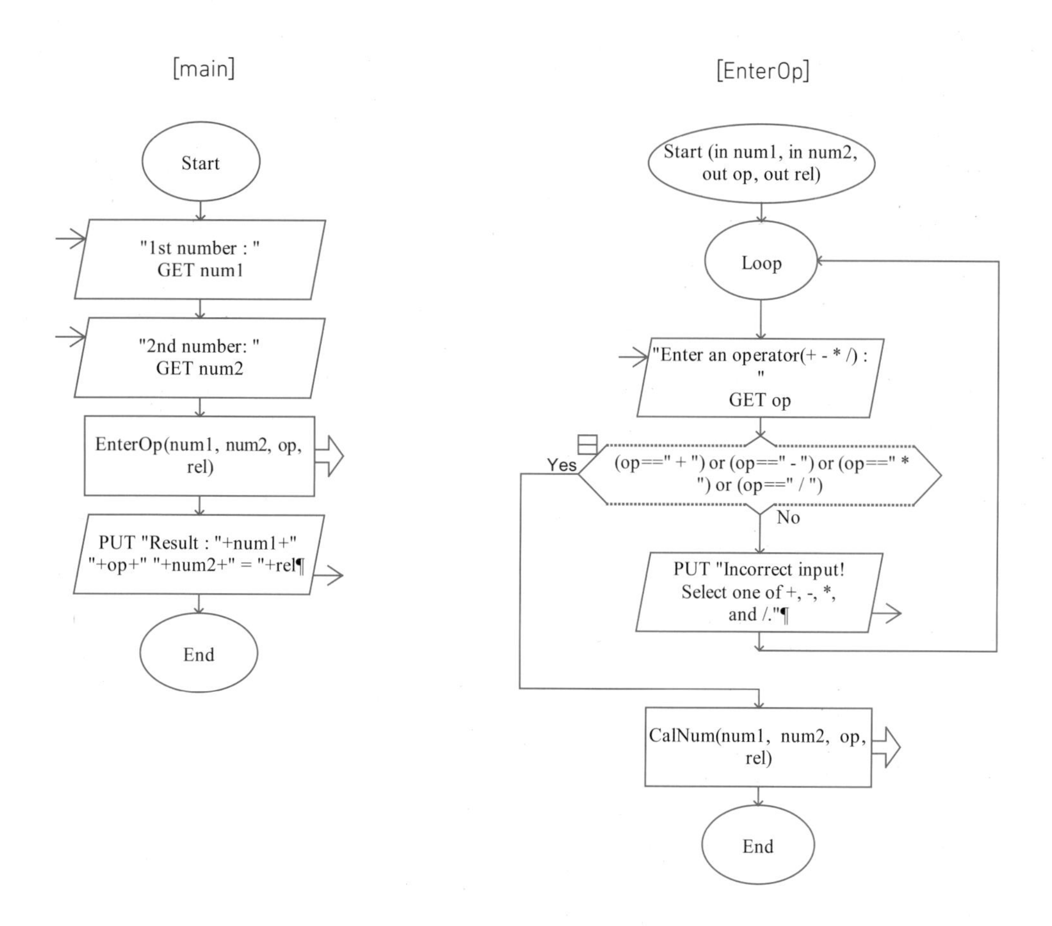

[CalNum]

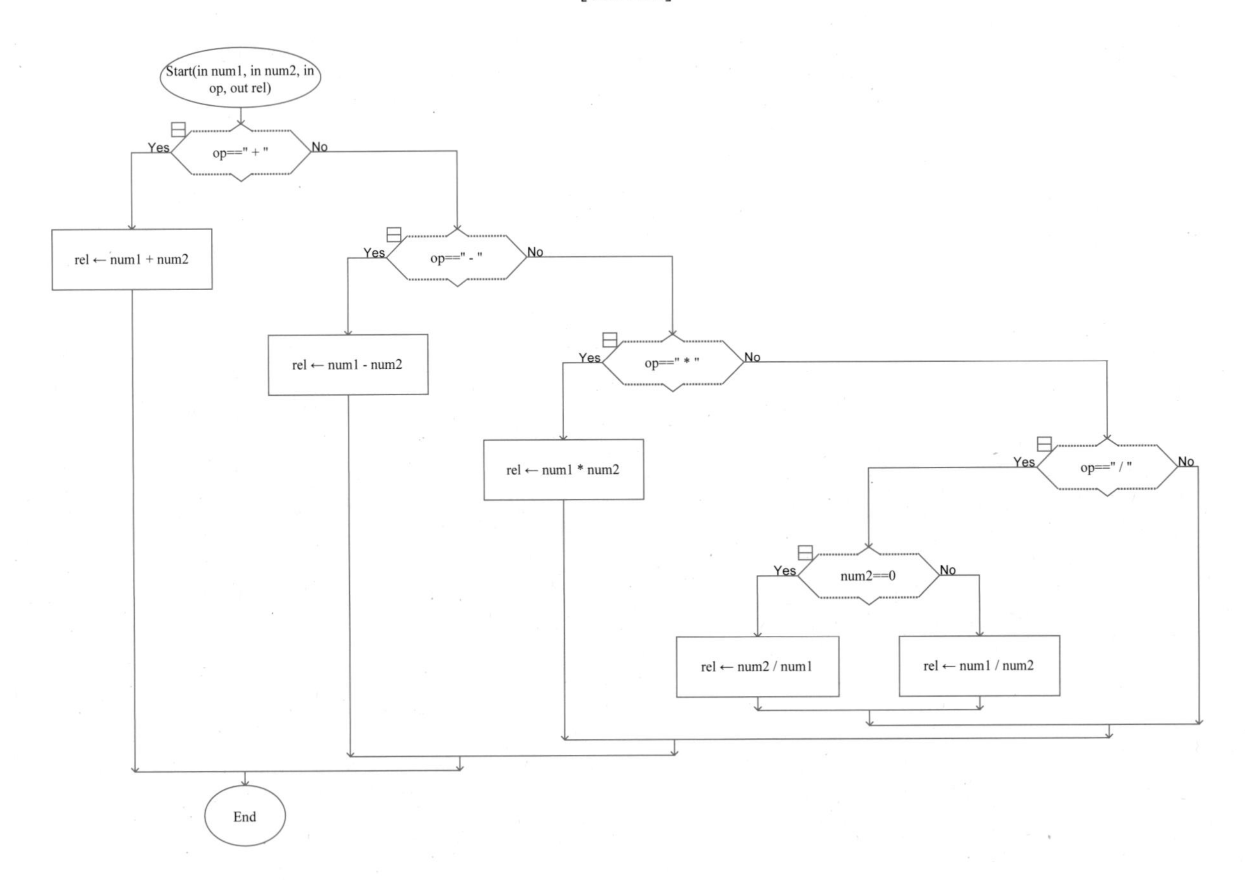
Start(in num1, in num2, in op, out rel)
op==" + "
Yes
No
rel ← num1 + num2
op==" - "
Yes
No
rel ← num1 - num2
op==" * "
Yes
No
rel ← num1 * num2
op==" / "
Yes
No
num2==0
Yes
No
rel ← num2 / num1
rel ← num1 / num2
End

::: 파이썬으로 구현하기 (예제 5-3)

```
## 함수 정의
def EnterOp(num1,num2) :

    op = input("연산자 입력(+, -, *, /) : ")

    while (op != '+') and (op != '-') and (op != '*') and (op != '/') :
        print("연산자 입력 오류! (+, -, *, /) 중 선택")
        op = input("연산자 입력(+, -, *, /) : ")
    rel = Calnum(num1, num2, op)

    return op, rel

def Calnum(num1, num2, op) :
    if op == "+" :
        rel = num1 + num2
    elif op == "-" :
        rel = num1 - num2
    elif op == "*" :
        rel = num1 * num2
    elif op == "/" :
        if num2 == 0 :
            rel = num2 / num1
        else :
            rel = num1 / num2
    return rel

## main 영역
num1=int(input("숫자1 입력 : "))
num2=int(input("숫자2 입력 : "))

op, rel = EnterOp(num1, num2)

print("결과 : {0} {1} {2} = {3}".format(num1, op, num2, rel))
```

```
숫자1 입력: 10
숫자2 입력: 6
연산자 입력(+, -, *, /) : )
연산자 입력 오류! (+, -, *, /) 중 선택
연산자 입력(+, -, *, /) : *
결과 : 10 * 6 = 60
```

라이브러리 함수 사용

랩터와 파이썬은 용이한 프로그래밍을 위해 함수를 라이브러리 형태로 제공한다. 랩터의 라이브러리와 파이썬의 주요 함수를 확인하고 이를 잘 활용하여 세련된 프로그램을 작성하자.

■ 기본 함수

랩터는 기초적인 수학함수와 삼각함수 등을 제공하고 있으며, 종류와 활용법은 다음 표와 같다. 파이썬도 유사한 함수를 제공하며 사용법에서 약간의 차이는 있을 수 있으나, 대부분은 유사하다.

표 5.2 **랩터의 라이브러리 함수**

구분	함수명	설명	사용 예와 결과
기초 수학	sqrt	제곱근을 계산하여 반환	sqrt(4) → 2
	log	로그 값을 계산하여 반환	log(e) → 1
	abs	절대 값을 반환	abs(-9) → 9
	ceiling	무조건 가까운 정수로 올림	ceiling(3.14) → 4
	floor	무조건 가까운 정수로 내림	floor(3.85) → 3
삼각 함수	sin	sin 함수로 sin(x)로 표기	sin(Pi) → 0
	cos	cos 함수로 cos(x)로 표기	cos(2Pi) → 1
	tan	tan 함수로 tan(x)로 표기	tan(Pi/2) → 0
	cot	cot 함수로 cot(x)로 표기	cot(Pi/4) → 1
	arcsin	sin(x)를 분모로 내린 역함수	arcsin(0.5)
	arccos	cos(x)를 분모로 내린 역함수	arccos(0.5)

구분	함수명	설명	사용 예와 결과
	arctan	tan(x)를 분모로 내린 역함수	arctan(3/4)
	arccot	cot(x)를 분모로 내린 역함수	arccot(3/4)
기타	Length_Of	문자열의 길이 값을 반환	Length_Of("a") → 1
	Random	0~1사이의 랜덤 수 생성	Random

Coding Practice

예제 5-4

2차 방정식 $ax^2+bx+c=0$의 계수 a, b, c를 입력받아 판별식 $D=d^2-4ab$를 이용하여 2차 방정식의 해를 구하는 프로그램을 작성하시오.

실행 결과 예시

```
a : 2
b : -6
c : 4
x = 2, 1
```

알고리즘 만들기 힌트

① 계수 a가 0인 경우와 0이 아닌 경우를 먼저 고려
- a가 0이면 $x=-\frac{c}{b}$
- a가 0이 아니면 판별식 D를 이용하여 $D>0$, $D=0$, $D<0$의 조건을 고려
- $D>0$일 때 $\frac{-b\pm\sqrt{D}}{2a}$를 적용
- $D=0$일 때 $-\frac{b}{2a}$를 적용
- $D<0$일 때 허근

② 내장 함수 sqrt(x)를 사용하여 $\sqrt{D}$를 간단히 계산

⁝⁝⁝ 랩터로 설계하기 (예제 5-4)

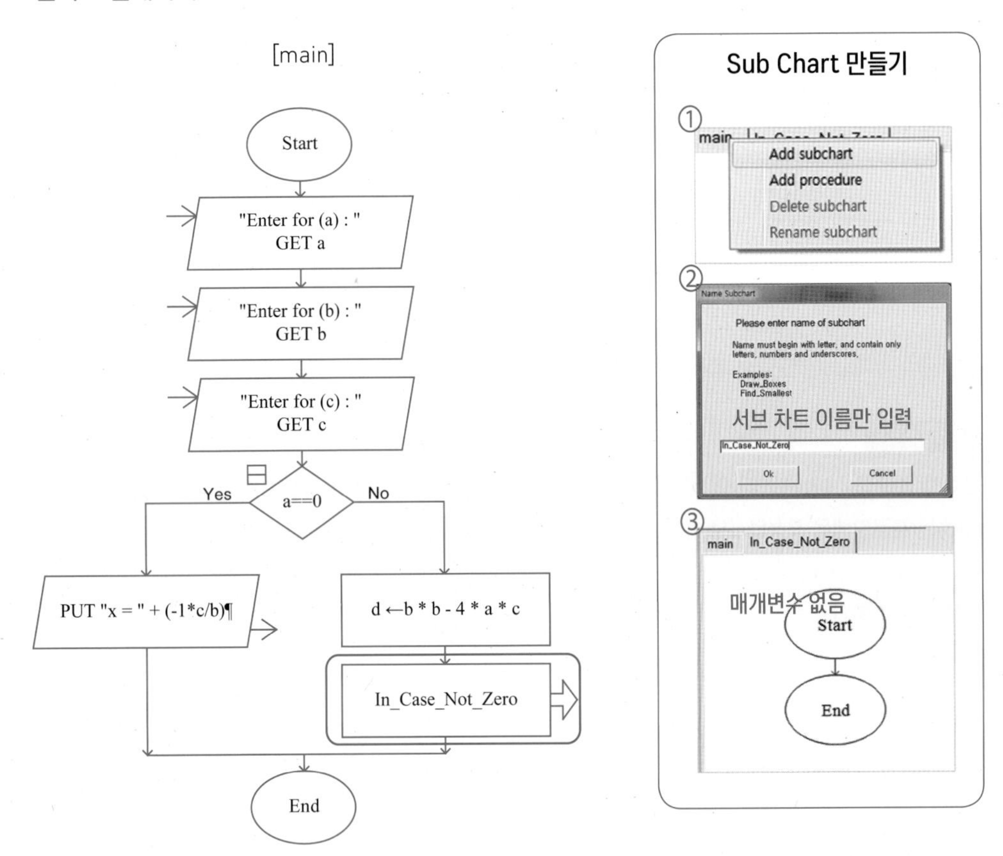

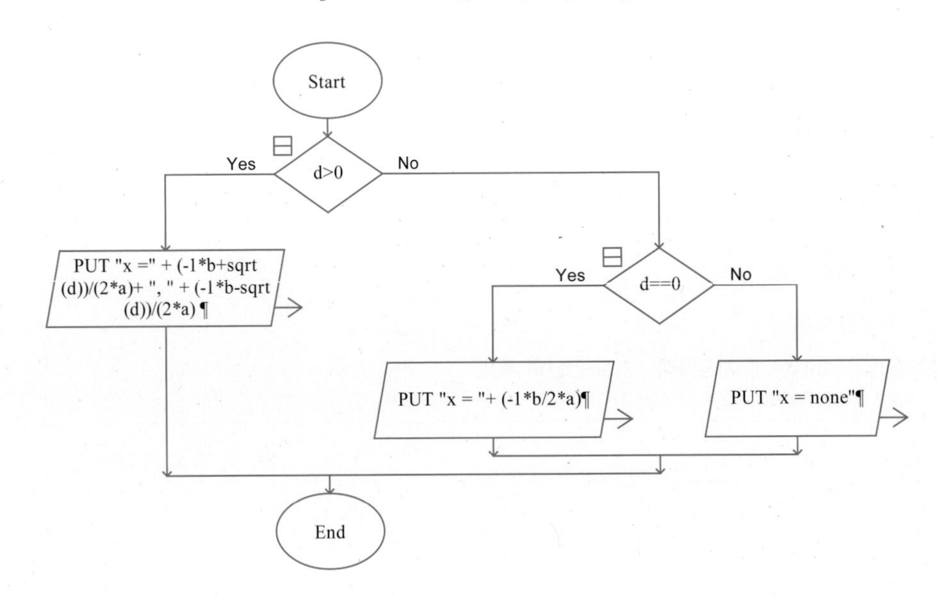

위는 판별식을 위한 x의 해를 구하는 부분만 별도로 분할하여 서브 차트로 만든 것이다. 랩터 프로그램이 복잡하면 이해하기 어렵게 된다는 것은 프로시저를 이용한 프로그래밍을 통해 학습하였다. 프로시저나 함수와 유사하게 처리가 복잡해졌을 때 가독성을 향상시킬 수 있는 방법으로 서브 차트(Sub Chart)가 있다. 서브 차트는 프로시저와 마찬가지로 탭에서의 팝업메뉴를 통해 생성할 수 있고, 나머지 과정은 프로시저와 유사하다. 다만 매개변수가 없기 때문에 호출 시 이름 뒤에 "괄호"와 "매개변수"가 필요 없다. 또한, 파이썬으로 2차 방정식의 해를 구하기 위해서는 수학 관련 기본 라이브러리를 사용한다. 파이썬에서 라이브러리를 사용할 때는 코드에 가장 우선하여 라이브러리가 정의되어 있는 외부 파일을 불러들임을 선언해야 한다. 수학 계산이 필요하므로 math에 정의된 수학 관련 라이브러리를 사용할 수 있게 된다.

```
import math → 라이브러리 파일 불러오기
math.sqrt( ) → math 파일에 정의되어 있는 sqrt 함수 사용
```

파이썬으로 구현하기 (예제 5-4)

```
import math   # sqrt()함수 사용을 위한 모듈 불러오기

a = int(input("계수 a 값 입력 : "))
b = int(input("계수 b 값 입력 : "))
c = int(input("계수 c 값 입력 : "))

D = b * b - 4 * a * c    # 판별식 D=b^2 - 4ac 계산

if a == 0 :
    print("방정식의 해: x = {0}".format(-1 * (c / b)))
else :
    if D > 0:
        print("방정식의 해: x = {0}, {1} ".format((-1*b + math.sqrt(D))/(2*a), ₩
                (-1*b - math.sqrt(D))/(2*a)))
    elif D == 0 :
        print("방정식의 해: x = {0}".format((-1 * b / (2 * a))))
    else :
```

```
    print("방정식의 해: x = none")      # 허근
```

```
계수 a 값 입력 : 2
계수 b 값 입력 : -6
계수 c 값 입력 : 4
방정식의 해: x = 2.0, 1.0
```

Coding Practice

예제 5-5

사용자와 컴퓨터 간에 간단하게 할 수 있는 "가위-바위-보" 게임 프로그램을 작성하시오. 단, 숫자를 이용하여 구분한다. (1-가위, 2-바위, 3-보)

실행 결과 예시

```
게임을 시작합니다. (1-가위, 2-바위, 3-보) 입력 : 2
컴퓨터 : 보
사용자 : 가위
축하합니다. 사용자가 이겼습니다!
```

알고리즘 힌트 만들기

① 컴퓨터의 제시하는 게임 결과는 1~3사이의 정수 값을 랜덤하게 생성
- Random함수는 0보다 크고 1보다 작은 수 생성
- Random*3 → 0.xxx ~ 2.xxxx 사이의 값이 됨
- ceiling(Random*3) → 1, 2, 3 중에 하나 생성

② 게임 승부 경우의 수
- user가 선택한 수와 랜덤으로 생성한 수가 같으면 무승부
- 같지 않은 경우 어느 한 쪽이 승리하는 경우를 선택 조건으로 사용

User 승리		Computer 승리	
User	Computer	User	Computer
1	3	3	1
2	1	1	2
3	2	2	3

::: 랩터로 설계하기 (예제 5-5)

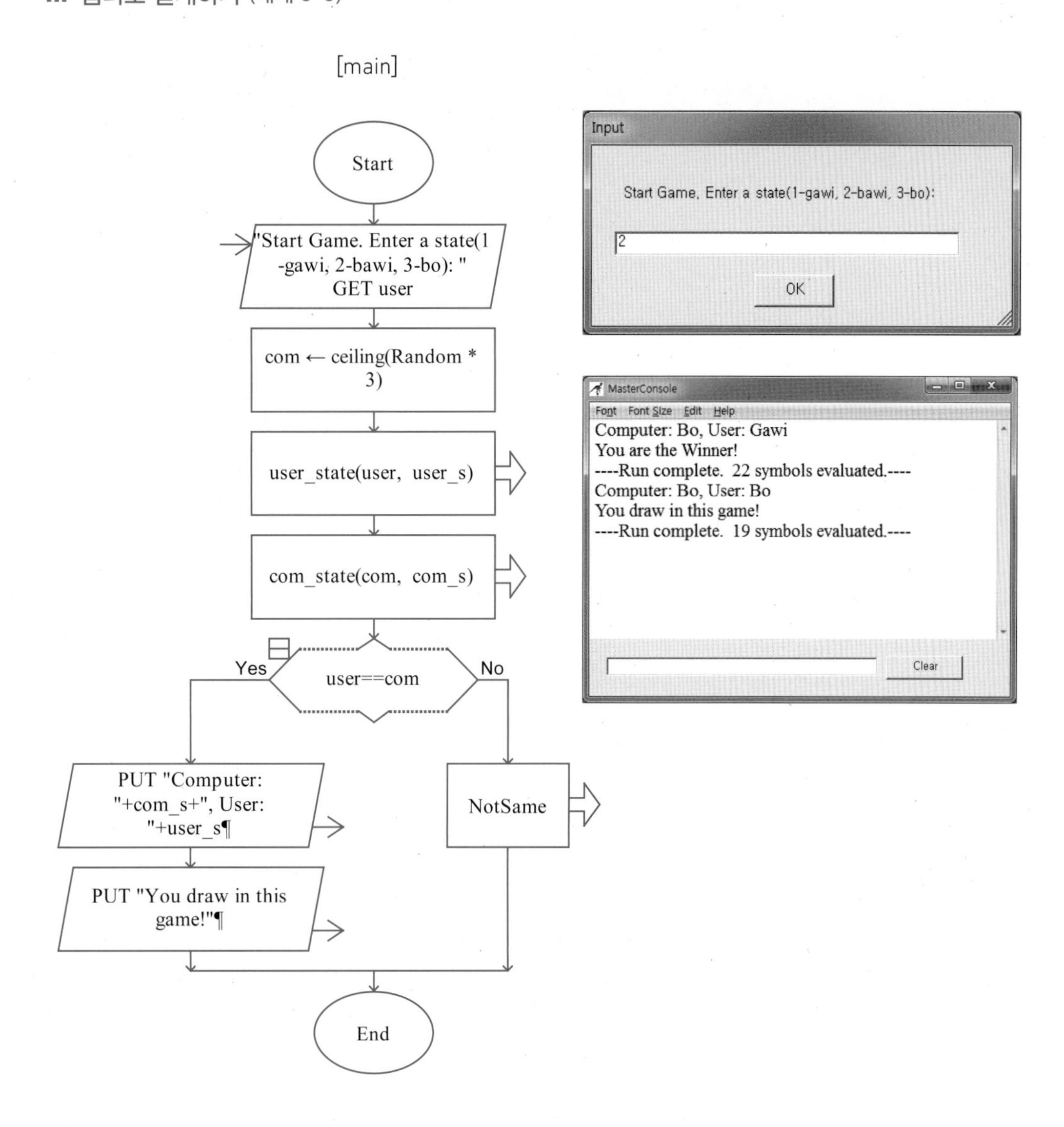

[Procedure : UserState]

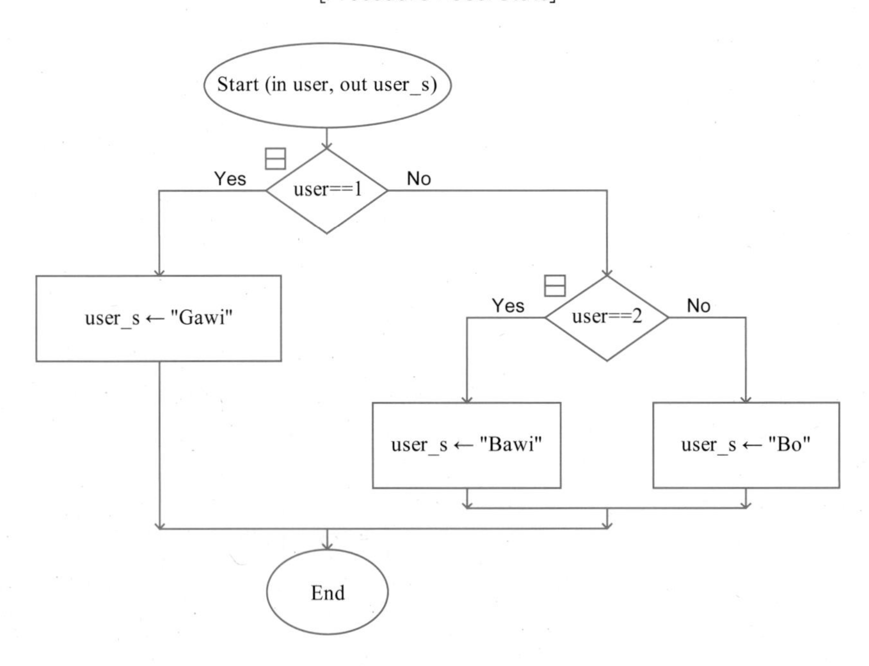

[Sub Chart : NotSame]

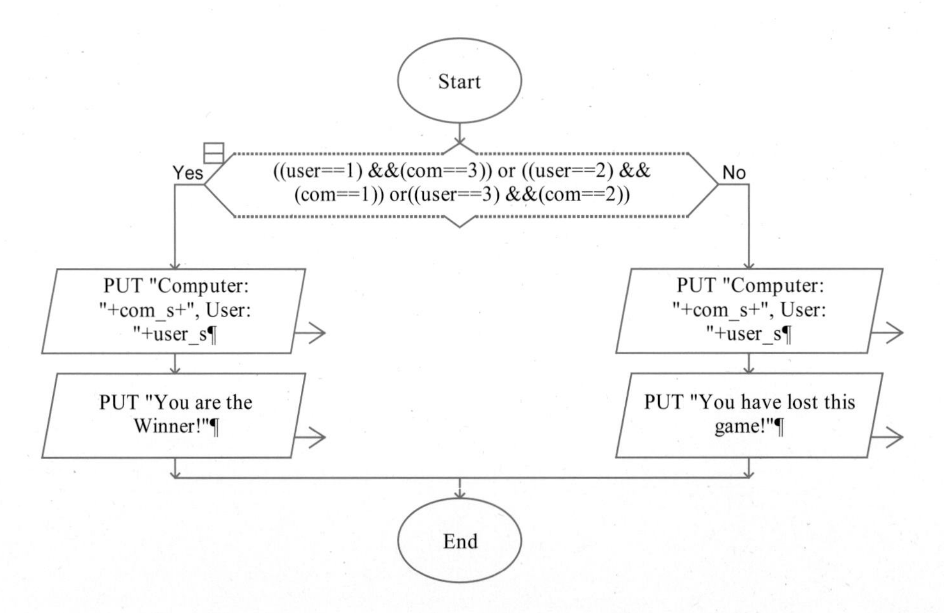

⁝⁝⁝ 파이썬으로 구현하기 (예제 5-5)

```
import random        # randint()함수 사용을 위한 모듈 불러오기

def user_state(user):  # in 인자(user)만 입력 매개변수로 처리
    if user == 1:
        user_s = "가위"
    elif user == 2:
        user_s = "바위"
    else:
        user_s = "보"

    return user_s     # out 인자(user_s)를 출력 매개변수로 return 처리

def com_state(com) :  # in 인자(com)만 입력 매개변수로 처리
    if com == 1:
        com_s = "가위"
    elif com == 2 :
        com_s = "바위"
    else :
        com_s = "보"

    return com_s      # out 인자(com_s)를 출력 매개변수로 return 처리

#main 영역
user = int(input("게임을 시작합니다.(1-가위, 2-바위, 3-보) 입력: "))
com = random.randint(1, 3)   # 파이썬에서 제공하는 randint( )함수 사용

user_s = user_state(user)
com_s = com_state(com)

if user == com :
    print("사용자: {0} / 컴퓨터: {1}".format(user_s, com_s))
    print("서로 비겼습니다.")
elif (user==1)and(com==3) or (user==2)and(com==1) or (user==3)and(com==2) :
    print("사용자: {0} / 컴퓨터: {1}".format(user_s, com_s))
    print("축하합니다. 사용자가 이겼습니다!")
```

```
else :
    print("사용자: {0} / 컴퓨터: {1}".format(user_s, com_s))
    print("안타깝습니다. 사용자가 졌습니다!")
```

```
게임을 시작합니다.(1-가위, 2-바위, 3-보) 입력: 3
사용자: 보/ 컴퓨터: 가위
안타깝습니다. 사용자가 졌습니다!
```

random.randint(1,3)

random하게 정수 값을 생성하는 함수로 프로그램에서는 1에서 3까지의 숫자를 랜덤하게 생성한다.

EXERCISE

1. 키보드로부터 섭씨온도(℃)에 해당하는 실수 값을 입력받아 화씨온도(℉)로 변환하여 화면에 출력하는 프로그램을 작성하시오. 단 섭씨온도를 화씨온도로 변환하는 함수를 만들고 호출하여 사용해야함. [온도단위 변환 공식 : ℉=(℃×1.8)+32]

2. 키보드로부터 하나의 숫자를 입력받아 그 숫자에 해당하는 구구단을 화면에 출력하는 프로그램을 작성하시오. 단 입력된 숫자를 넘겨 받아 구구단을 출력하는 부분은 함수로 구현해야 함.

3. 키보드로부터 한 점의 좌표 값 x, y를 입력받아 (0,0)에서부터 입력된 점까지의 직선거리를 구하는 프로그램을 작성하시오. 단 프로그램에 반드시 사용자 정의 함수 하나 이상은 반드시 포함되어야 함.

4. 키보드로부터 키(cm)와 몸무게(Kg)를 입력받아 BMI지수를 계산하고 그 결과를 출력하는 프로그램을 작성하시오. 단 BMI를 계산하고 비만도 판단 결과를 출력하는 부분은 함수로 작성하여 호출하도록 작성해야함. (BMI < 18.5 - "마른 체형", 18.5<=BMI < 25.0 - "표준 체형", 25.0<= BMI <30.0 - "비만 체형", BMI>=30.0 - "고도 비만 체형")

$$\text{지수 계산 공식 : } BMI = \frac{\text{몸무게}(Kg)}{\text{키}(m) \times \text{키}(m)}$$

EXERCISE

5. 키보드로부터 하나의 숫자를 입력받아 소수인지 판별하는 프로그램을 작성하시오. 단 소수를 판별하는 부분은 함수를 사용하고, 판별 결과는 main에서 출력하도록 해야 함.

6. 1990년부터 2030년 사이의 윤년을 모두 구하여 화면에 출력하는 프로그램을 작성하시오. 단 윤년인지를 확인하는 함수를 구현해야 함.

7. 키보드로부터 임의의 정수를 입력받아 입력된 수의 약수와 약수의 개수를 구하는 프로그램을 작성하시오. 단 키보드에 0이 입력되면 프로그램을 종료해야 하고, 입력된 수의 약수와 약수의 개수를 구하는 함수를 구현해야 함.

8. 그림과 같이 좌표 상에 한 점 P를 위해 사용자로부터 점의 좌표 값를 입력 받아 $\sin(\theta)$와 $\cos(\theta)$의 값을 구하는 프로그램을 작성하시오. 단 랩터의 내부 함수를 사용하지 말고 사용자 정의 함수를 생성해야 함. [ex. MySin( ), MyCos( )]

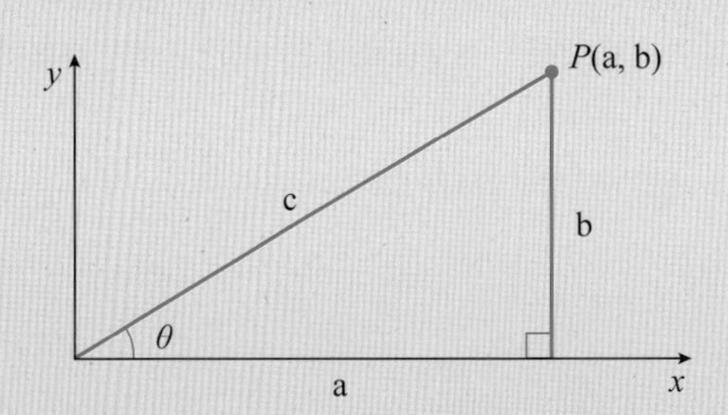

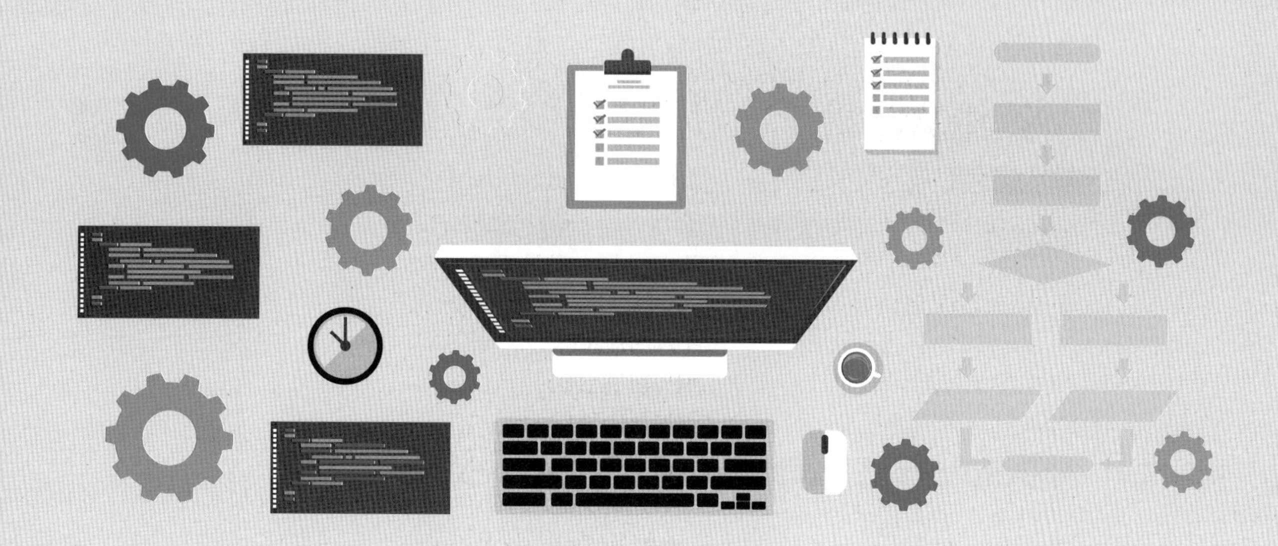

CHAPTER 6

시뮬레이션 설계

SECTION 1 시뮬레이션 준비하기

1.1 시뮬레이션과 그래픽

현실의 복잡한 시스템(System)이나 공정(Process)의 기능을 모델링(Modeling)을 통해 단순화하여 모의 구현함으로써 문제를 파악하거나 해결하고자 하는 일을 시뮬레이션(Simulation)이라고 정의한다. 시뮬레이션에서 중요한 요소 중의 하나가 모델링이며, 컴퓨터 성능의 발전으로 모델링에 실제감을 강화하기 위한 그래픽 기술이 폭 넓게 사용되고 있다.

컴퓨터와 첨단 멀티미디어 기술의 발전으로 인해 시뮬레이션은 실제의 현상과 매우 흡사하게 상황을 모의할 수 있어 실제로 재현하기 어려운 상황을 가상으로 수행하여 결과를 예측하기 때문에 시간과 비용의 절감과 더불어 재난/안전 분야의 적용과 같이 안전에 대한 장점도 얻을 수 있다. 최근에는 3D 그래픽 기술과 증강 및 가상환경 기술의 발전으로 인해 시뮬레이션에 실제적인 상황이나 행위를 반영할 수 있어 데이터의 정밀성이 증가하고 있다.

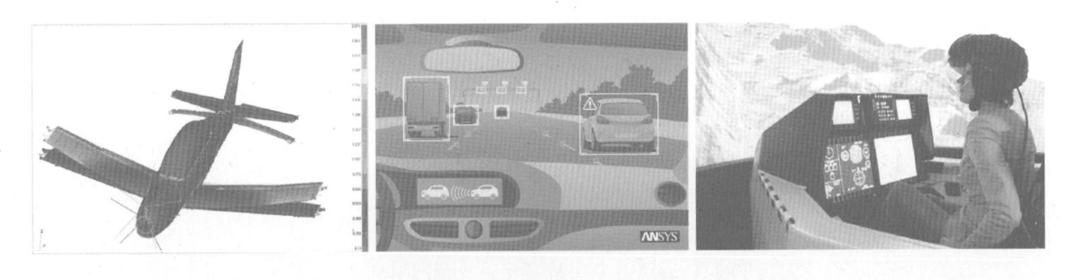

그림 6-1 다양한 분야에서 활용되고 있는 시뮬레이션 기술

이러한 그래픽 처리를 위해 3D 그래픽 전용 프로그래밍 도구가 등장하고 있고, 게임과 같이 각종 프로그래밍 언어에서도 그래픽 처리를 위해 다양한 방법을 제공하고 있다. 랩터와 파이썬도 그래픽 처리를 이해하고 활용할 수 있는 그래픽 프로그램 방법을 지원하고 있으며,

이를 활용하여 그래픽 기반의 간단한 시뮬레이션 프로그램을 학습할 것이다.

1.2 랩터의 그래픽 프로그램

1.2.1 시작하기

5장까지의 프로그램들은 콘솔을 통해 텍스트 형태로 결과를 출력하였다. 우리가 그림을 그리기 위해서 도화지를 준비하는 것과 같이 컴퓨터로 그림을 그리는 작업을 위해서는 전용 윈도우를 준비해야 한다. 그리고 컴퓨터에서 한 지점에서 다른 한 지점까지 직선을 그린다는 것은 두 지점 사이에 모든 픽셀에 점을 찍는 것과 동일한 작업이다. 이를 직접 구현하는 것은 매우 힘든 일이 될 것이다. 랩터는 그래픽 처리를 위해 필요한 프로시저들을 미리 만들어 제공하고 있다.

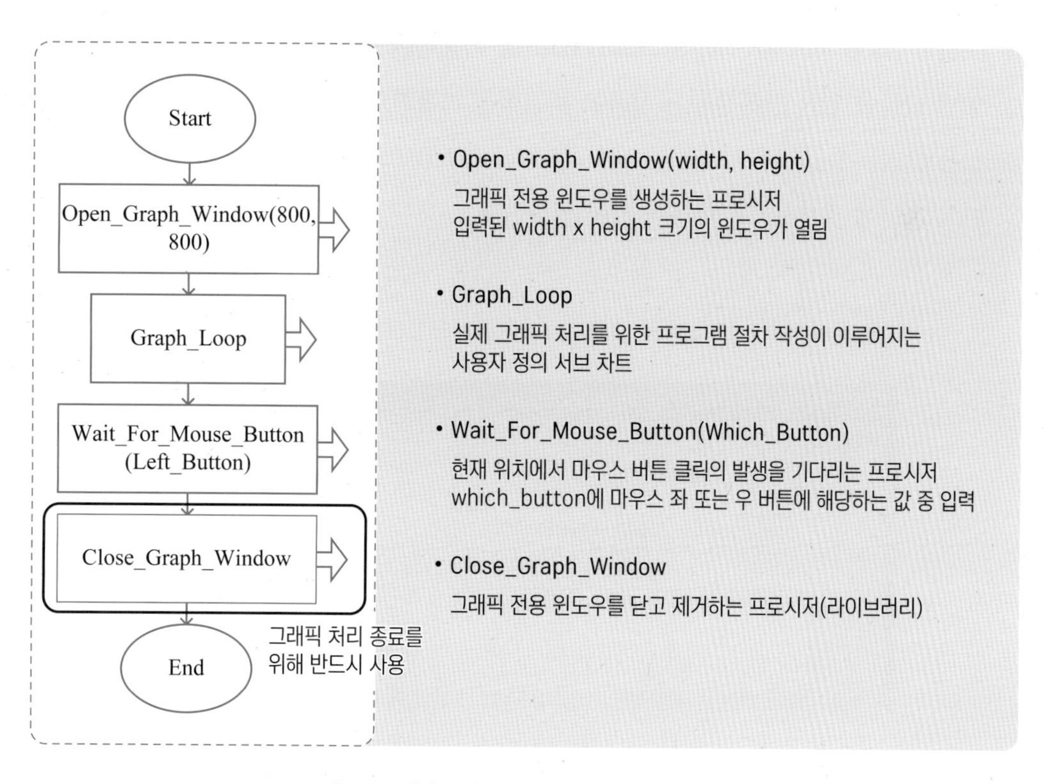

그림 6-2 랩터 그래픽 프로그램의 권장 main 구조

랩터는 그래픽 처리를 위해 다음과 같은 구조를 따라야 한다.

① 그래픽 전용 윈도우 열기
② 그래픽 처리 절차 수립
③ 그래픽 전용 윈도우 닫기

따라하기 6-1

다음은 그래픽 전용화면 상에 임의의 위치에 반지름 50픽셀, 랜덤한 색상의 원을 50개 생성하는 프로그램이다. 자세한 프로시저의 사용법은 이후에 다루기로 한다.

① [그림 6-2]에서 권장한 main을 구성한다.
② Graph_Loop 서브 차트를 "Add subchart"를 이용하여 생성한다.
③ 50번 반복을 위한 반복문을 구성하고 조건식을 기록한다.
④ 원을 그리는 Draw_Circle(x, y, radius, color, filled) 프로시저 호출을 위한 Call 심볼을 반복문 안에 위치시키고 다음과 같이 입력한다.

```
Draw_Circle(floor(Random*750), floor(Random*750), 50, Random_Color, 1)
```

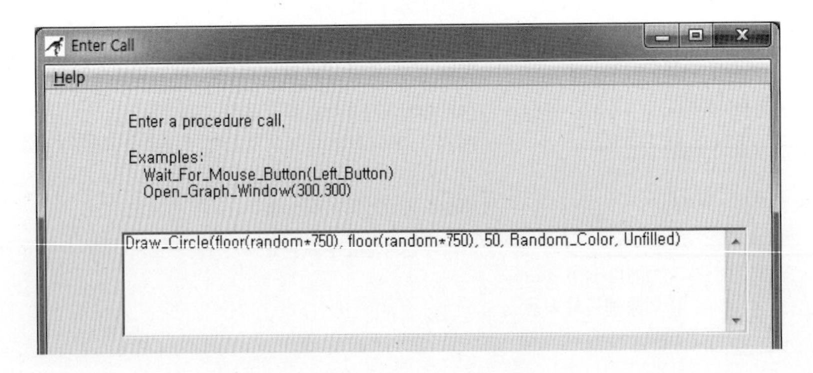

⁝⁝⁝ 랩터로 설계하기 (따라하기 6-1)

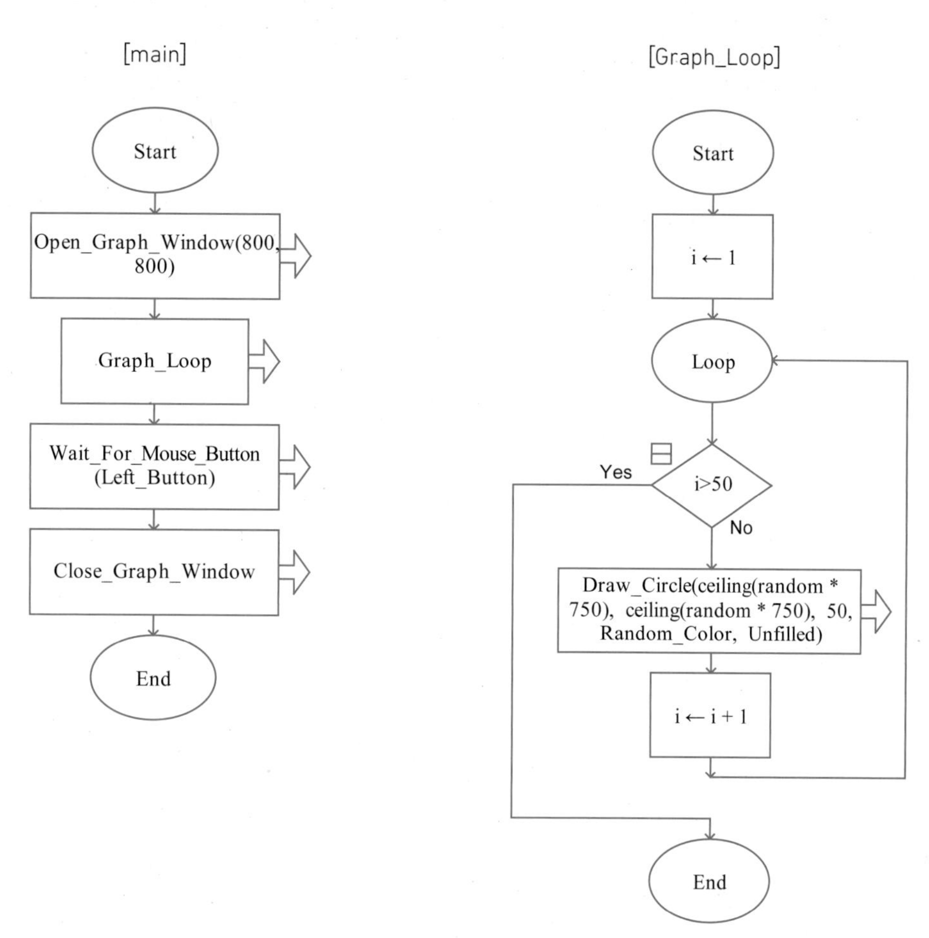

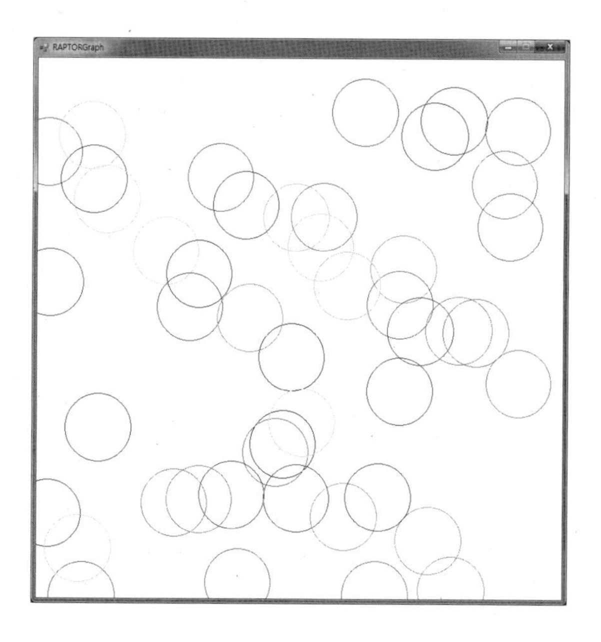

1.2.2 랩터를 이용한 그래픽 처리 설계 이해

랩터에서 제공하는 다양한 프로시저와 활용에 필요한 설정 값들에 대해 차례대로 소개한다.

■ 그래픽 Open 및 Close 프로시저

시작하기에서 소개한 그래픽 전용 윈도를 위한 프로시저이다. Open 프로시저를 통해 생성되는 그래픽 전용 윈도우의 특징은 그림과 같다.

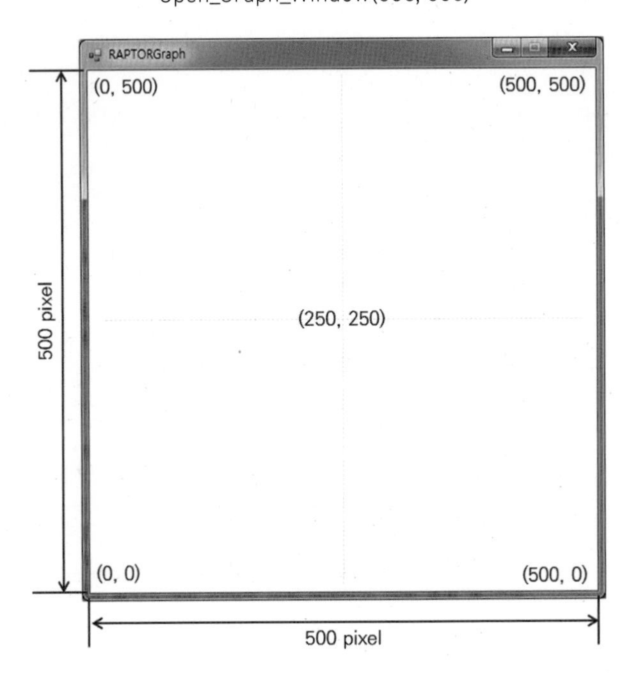

추가적으로 그래픽 윈도우의 size를 조작하기 위한 내부 함수들은 다음과 같다.

- Get_Max_Width : 그래픽 전용 윈도우의 가로 사이즈로 설정 가능한 최대 픽셀 값 리턴
- Get_Max_Height : 그래픽 전용 윈도우의 세로 사이즈로 설정 가능한 최대 픽셀 값 리턴
- Get_Window_Width : 현재 열려져 있는 그래픽 전용 윈도우의 가로 픽셀 값 리턴
- Get_Window_Height : 현재 열려져 있는 그래픽 전용 윈도우의 세로 픽셀 값 리턴

■ 그리기 관련 프로시저

점 찍기를 비롯하여 도형과 텍스트를 전용 윈도우에 그리고 제거할 수 있는 프로시저들이 있으며, 다음 표와 같다. 프로시저 Call 입력 창에도 사용법이 나타나니 쉽게 활용할 수 있을 것이다.

표 6.1 **그리기 관련 프로시저와 용도**

프로시저명	용도	사용법
Put_Pixel	점 찍기	Put_Pixel(X, Y, Color)
Draw_Line	선분 그리기	Draw_Line(X1, Y1, X2, Y2, Color)
Draw_Box	사각형	Draw_Box(X1,Y1,X2, Y2,Color,Filled/Unfilled)
Draw_Circle	원 그리기	Draw_Circle(X,Y,Radius,Color,Filled/Unfilled)
Draw_Ellipse	타원 그리기	Draw_Ellipse(X1,Y1,X2,Y2,Color,Filled/Unfilled)
Draw_arc	호 그리기	Draw_Arc(X1,Y1,X2,Y2,StartX,StartY,EndX,EndY, Color)
Display_Text	글자 배치	Display_Text(X, Y, String Expression, Color)
Display_Number	숫자 배치	Display_Number(X, Y, Number Expression, Color)
Clear_Window	화면 채우기	Clear_Window(Color)

그리기 프로시저에서 사용되는 매개변수의 표현은 다음의 의미를 지니고 있다.

- X (X1, X2) : 도형, 글자, 숫자를 화면에 그리기 위해 필요한 x좌표 값
- Y (Y1, Y2) : 도형, 글자, 숫자를 화면에 그리기 위해 필요한 y좌표 값
- Radius : 원의 반지름
- Color : 도형, 글자, 숫자의 색상
- Filled/Unfilled : 채우기가 가능한 도형의 채우기 유무(0 또는 1) 결정
- String Expression : 화면에 배치할 글자(들)
- Number Expression : 화면에 배치할 숫자(들)

Clear_Window( ) 프로시저는 Color 위치에 색상 값을 받아 해당하는 색상으로 화면을 채운다. 예를 들어 Color 위치에 "White"를 입력하면 윈도우 화면을 흰색으로 채워 그림이 지

워지게 된다. 랩터에서 사용할 수 있는 주요 색상 값은 다음과 같다.

Black	Blue	Green	Cyan	Red
Magenta	Brown	Light_Gray	Dark_Gray	Light_Blue
Light_Green	Light_Red	Light_Magenta	Yellow	White

■ Mouse 관련 프로시저

그래픽 윈도우 상에서 마우스 버튼 클릭과 관련된 간단한 프로시저를 지원하며, 다음과 같다.

- Wait_for_Mouse_Button(Which_Button) : 마우스 버튼을 클릭할 때까지 대기 상태
- Get_Mouse_Button(Which_Button, X, Y) : 마우스 버튼을 클릭한 윈도우 창의 좌표 값을 획득하여 전달

프로시저에서 Which_Button에는 클릭하는 버튼의 종류를 다음과 같이 구분한다.

- Left_Button : 왼쪽 버튼을 의미하며, 0으로도 인식
- Right_Button : 오른쪽 버튼을 의미하며, 1로도 인식

추가적으로 다음과 같이 Mouse와 관련된 내부 함수도 있다.

- Mouse_Button_Pressed(Which_Button) : 마우스가 눌려졌는지 유무(True/False) 반환
- Mouse_Button_Released(Which_Button) : 마우스 버튼이 눌렀다 떼어졌는지 유무(True/False) 반환
- Get_Mouse_X : 현재 마우스가 위치한 x 좌표 값 반환
- Get_Mouse_Y : 현재 마우스가 위치한 y 좌표 값 반환

1.3 파이썬을 이용한 그래픽 처리 구현

파이썬에서는 그래픽 프로그램을 구현을 위해 다양한 모듈이 개발되어 사용되고 있으며, 이들 간에 사용되는 함수도 다양하고 사용법도 다른 경우가 많다. 그러나, 약간의 차이가 있더라도 앞서 살펴본 랩터에서의 그래픽 개념과 유사하기 때문에 어렵지 않게 이해할 수 있을 것이다.

1.3.1 파이썬의 그래픽 윈도우 이해

파이썬으로 그래픽을 처리하고자 할 때 랩터와 가장 큰 차이는 y축의 시작 위치(원점)가 반대로 되어 있는 점이다. x축의 경우는 동일하니 이점을 유의하여 프로그램 시 혼동하지 않아야 한다.

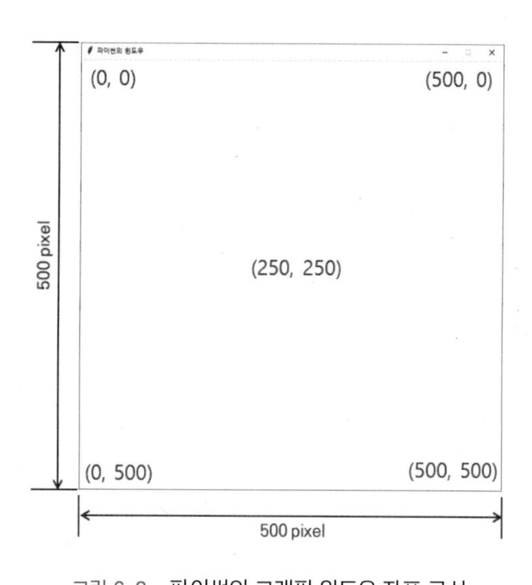

그림 6-3 파이썬의 그래픽 윈도우 좌표 구성

1.3.2 파이썬 기본 윈도우 GUI 모듈인 tkinter 모듈을 이용한 그래픽 처리

파이썬에서는 윈도우 GUI(Graphic User Interface) 프로그래밍을 위해 tkinter라는 모듈을 기본적으로 제공한다. tkinter는 Tk Interface의 약어이며, 여기서 Tk는 크로스 플랫폼에 사용되는 GUI 툴킷의 일종으로서 Tcl/Tk라는 전통적인 GUI 인터페이스이다. 따라서, 운영체제에 상관없이 동일한 코드로 프로그래밍이 가능한 장점이 있다. 즉 윈도우 환경에서 프로그래밍 된 윈도우도 맥 OS에서 동일한 기능을 코드의 변경 없이 가능하게 한다.

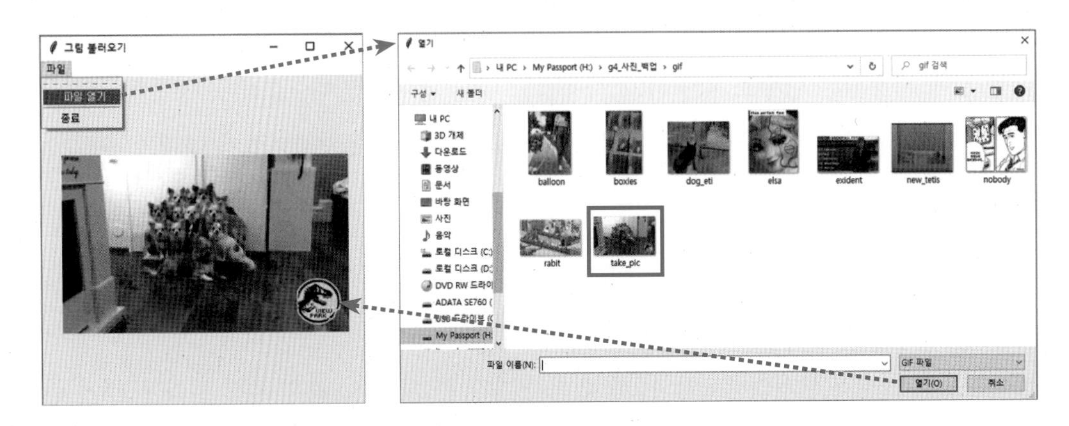

그림 6-4 tkinter 모듈 적용 간단한 윈도우 프로그램 구현 예 (그림 불러오기)

tkinter 모듈을 이용한 GUI 프로그램 제작은 아래의 구조에 따라 만들어지며, 이는 [그림 6-2]의 구조와 비교하여 유사성을 가지므로 쉽게 이해할 수 있을 것이다.

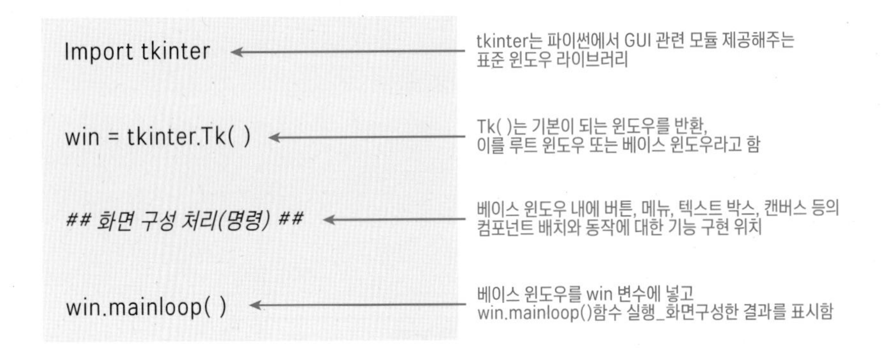

그림 6-5 tkinter 모듈을 이용한 GUI 프로그래밍 구조

tkinter는 생성하는 베이스 윈도우의 크기와 같은 속성을 조절할 수 있다.

win = tkinter.Tk() → 베이스 윈도우를 생성하여 win 변수로 지정
win.title("제목") → 베이스 윈도우의 제목 지정
win.geometry("너비x높이") → 베이스 윈도우의 가로 및 세로 크기 지정
win.resiaeable(상하, 좌우) → 윈도우의 크기 변경 기능 설정 (True/False)

그림 6-6 파이썬으로 그림 그리기를 위한 준비 Canvas 배치

tkinter에서 생성하는 베이스 윈도우에 배치할 수 있는 다양한 컴포넌트들 중에서 캔버스(Canvas)를 배치하여 선, 원, 다각형 등의 다양한 도형을 그릴 수 있다. 또한, 캔버스 형태는 [표 6.2]와 같이 속성 값을 부여하여 변경 가능하며, 캔버스 위에 그리는 도형은 [표 6.3]과 같다.

표 6.2 Canvas 컴포넌트를 위한 속성

속성 이름	의미	기본값
width	캔버스의 너비 값 (픽셀)	378
height	캔버스의 높이 값 (픽셀)	265
relief	캔버스의 테두리 모양 설정	flat
boarderwidth(bd)	캔버스의 테두리 두께 설정	0
background(bg)	캔버스의 배경 색상 설정	SystemButtonFace
offset	캔버스의 오프셋 설정	0,0

표 6.3 Canvas에 사용 가능한 도형 그리기 함수

함수	설명
create_line(x1, y1, x2, y2, ... , xn, yn, option)	(x1, y1), ···, (xn, yn) 까지 연결되는 선 생성
create_rectangle(x1, y1, x2, y2, option)	(x1, y1)에서 (x2, y2)의 크기를 갖는 사각형 생성
create_polygon(x1, y1, x2, y2, ... , xn, yn, option)	(x1, y1), ···, (xn, yn) 의 꼭지점을 갖는 다각형 생성
create_oval(x1, y1, x2, y2, option)	(x1, y1)에서 (x2, y2)의 사각형 영역에 맞는 원 생성
create_arc(x1, y1, x2, y2, start, extent, option)	(x1, y1)에서 (x2, y2)의 사각형 영역 내부에 start 지점에서 extent 각도 만큼의 호 생성

⁝⁝⁝ 파이썬으로 구현하기 (따라하기 6-1)

```
import tkinter as tk    # as tk - 프로그램 내에서 사용할 모듈의 별칭 선언
import random

colors = ['red', 'green', 'blue', 'yellow', 'orange', 'black', 'purple', 'brown', 'pink', 'gray']

## 베이스 윈도우 설정 및 생성 ##
win = tk.Tk()
win.title("따라하기 6-1")
win.geometry("800x800")
win.resizable(False, False)

## 캔버스 속성 설정 및 생성 ##
cav = tk.Canvas(win, width=800, height=800, relief="solid", bg="white", bd=1)

## 캔버스 화면에 배치 ##
cav.pack()

## 그래픽 처리 부분 ##
for i in range(50) :
    x = random.randrange(700)
    y = random.randrange(700)
    cav.create_oval(x, y, x+100, y+100, width=1.5, outline=random.choice(colors))

## 화면 표시 ##
win.mainloop()
```

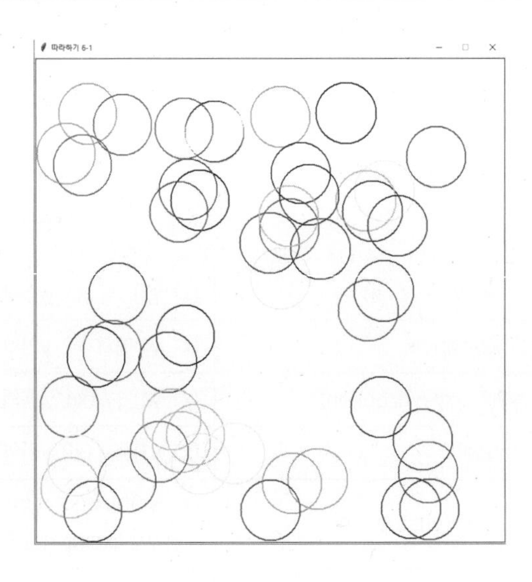

Coding Practice

예제 6-1

그래픽 전용 윈도우 상에 마우스 왼쪽 버튼을 클릭하면 클릭된 지점을 기준으로 길이가 40인 정사각형을 그리는 프로그램을 작성하시오. 도형의 색상과 채우기 유무는 클릭할 때마다 달라지게 하고, 종료 조건을 만족할 때까지 반복되게 하시오.

랩터로 설계하기 (예제 6-1)

[main]

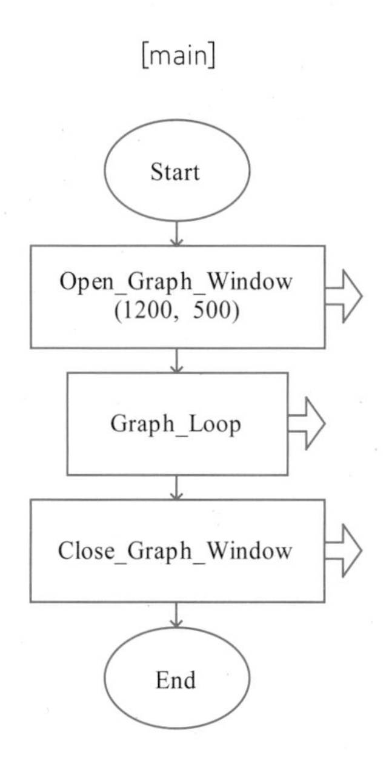

[Graph_Loop]

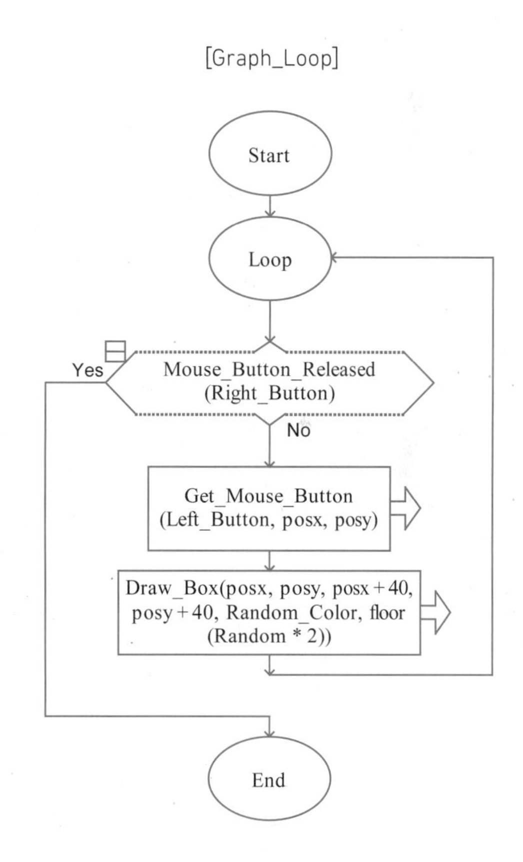

::: 파이썬으로 구현하기 (예제 6-1)

```
import tkinter as tk     # as tk - tkinter 모듈의 별칭을 tk로 설정함
import random

colors = ['red', 'green', 'blue', 'yellow', 'orange', 'black', 'purple', 'brown', 'pink', 'gray']

def draw_rec(event):
    x = event.x
    y = event.y
    filled = random.randint(0,1)
    choose_color = random.choice(colors)
    if filled<1 :
        cav.create_rectangle(x, y, x+40, y+40, width=1, outline=choose_color)
    else:
        cav.create_rectangle(x, y, x+40, y+40, width=1, outline=choose_color, \
                    fill=choose_color)

# 그리기용 윈도우 및 전용 화면 생성
win = tk.Tk()
win.title("예제 6-1")
win.geometry("1200x500")
win.resizable(False, False)
cav = tk.Canvas(win, width=1200, height=500, bg='white')

cav.bind("<Button-1>", draw_rec)    # 캔버스 자체에 마우스 클릭 대기
cav.pack()

win.mainloop()
```

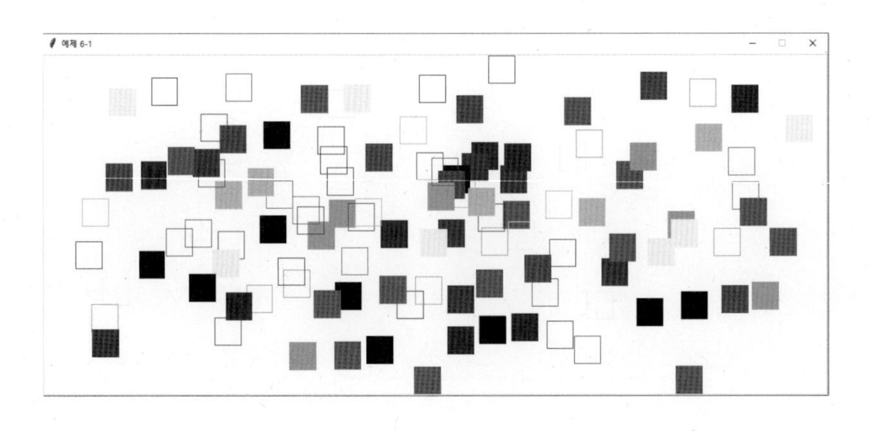

Coding Practice

예제 6-2

그래픽 전용 윈도우 상에 마우스 왼쪽 버튼을 클릭하면 클릭된 지점을 기준으로 정사각형을 그리는 프로그램을 작성하시오. 도형의 색상 및 채우기 유무와 도형의 크기는 클릭할 때마다 달라지게 하고, 종료 조건을 만족할 때까지 반복되게 하시오.

Coding Practice

예제 6-3

그래픽 전용 윈도우 상에 마우스 왼쪽 버튼을 클릭하면 클릭된 지점을 기준으로 정사각형과 직사각형을 임의대로 그리는 프로그램을 작성하시오. 도형의 색상 및 채우기 유무와 도형의 크기는 클릭할 때마다 달라지게 하고, 종료 조건을 만족할 때까지 반복되게 하시오.

Coding Practice

예제 6-4

그래픽 전용 윈도우 상에 사용자의 마우스 왼쪽 버튼 두 번을 입력 받아 첫 번째 클릭 지점에서 두 번째 클릭 지점까지 다양한 색상의 선을 그리는 프로그램을 작성하시오. 마우스 오른쪽 버튼을 클릭하여 종료될 때 까지 반복되게 하시오.

알고리즘 만들기 힌트

① 프로그램에서 선분 그리는 법
- Draw_Line(x1, y1, x2, y2, Color)
- 출발지점 좌표(x1, y1)에서 도착지점 좌표(x2, y2) 생성 필요

② 마우스 왼쪽 버튼 클릭 확인하기
- Mouse_Button_Released(Which_Button)
- 선분을 그리기 위해 필요한 마우스 왼쪽 버튼 클릭 카운트 변수 사용

③ 마우스 왼쪽 버튼 카운트 변수 값에 따라 선분 그리기
- 카운트 변수는 두 가지 값만 저장하도록 제한
  예) 첫 번째 클릭 시 1 증가, 두 번째 클릭 시 0으로 변경
- 첫 번째 클릭 : 마우스 위치의 좌표 값 저장
  Get_Mouse_Button(Left_Button, x1, y1)
- 두 번째 클릭 : 마우스 위치의 좌표 값 저장 및 선분 그리기
  Get_Mouse_Button(Left_Button, x2, y2) 및 Draw_Line 프로시저 사용

④ 프로그램 종료 조건 만들기
- 선분 그리기를 위한 반복문의 종료 조건 Mouse_Button_Released(Right_Button)
- 프로그램의 종료 조건 Wait_For_Mouse_Button(Right_Button)

⠿ 랩터로 설계하기 (예제 6-4)

[main]

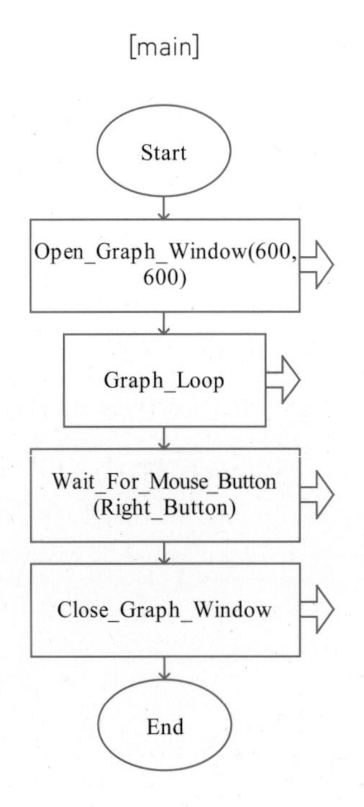

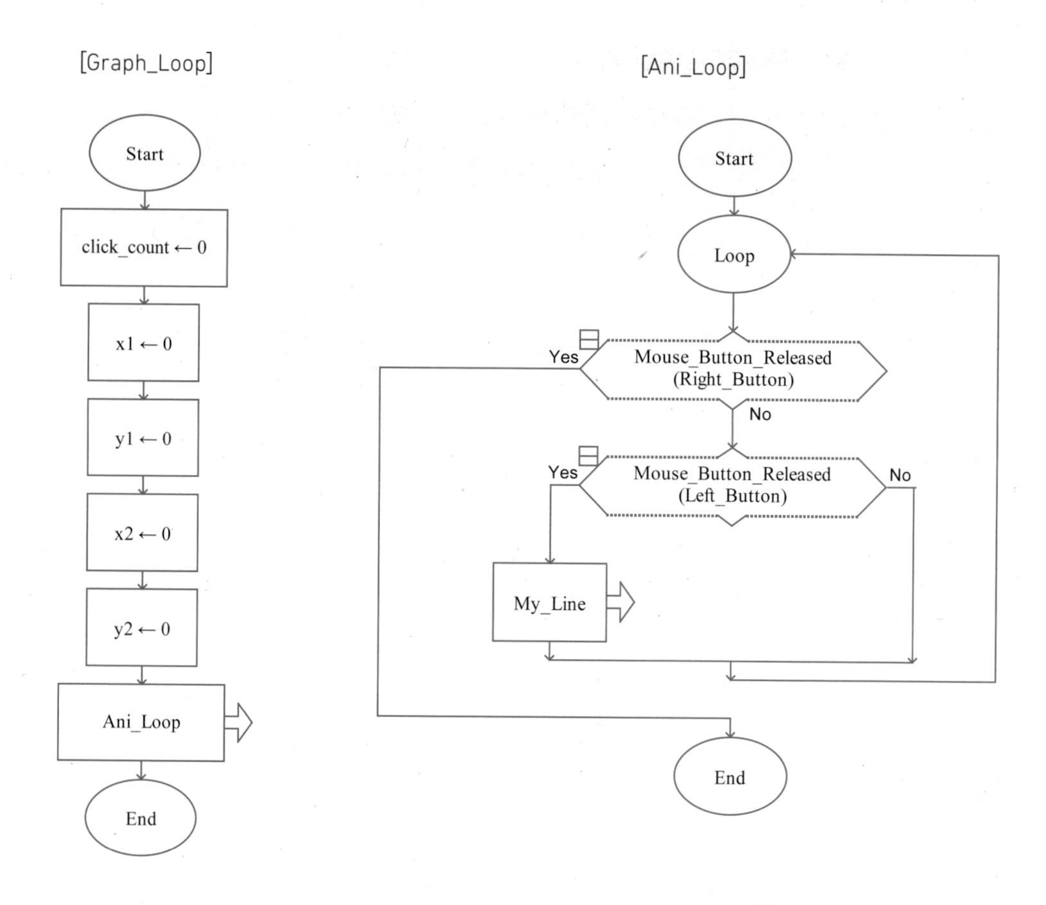
[Graph_Loop]
Start
click_count ← 0
x1 ← 0
y1 ← 0
x2 ← 0
y2 ← 0
Ani_Loop
End
[Ani_Loop]
Start
Loop
Yes
Mouse_Button_Released (Right_Button)
No
Yes
Mouse_Button_Released (Left_Button)
No
My_Line
End

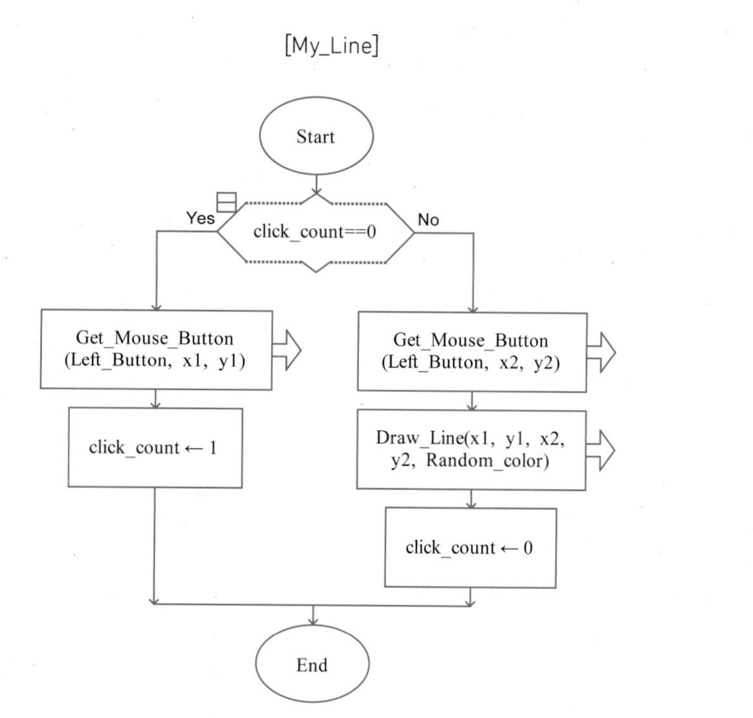
[My_Line]
Start
Yes
click_count==0
No
Get_Mouse_Button (Left_Button, x1, y1)
click_count ← 1
Get_Mouse_Button (Left_Button, x2, y2)
Draw_Line(x1, y1, x2, y2, Random_color)
click_count ← 0
End

∷ 파이썬으로 구현하기 (예제 6-4)

```
import tkinter as tk
import random

colors = ['red', 'green', 'blue', 'yellow', 'orange', 'black', 'purple', 'brown', 'pink', 'gray']
click_count = 0
x1, y1, x2, y2 = 0, 0, 0, 0

def draw_line(event):
    global click_count
    global x1, y1, x2, y2

    if click_count == 0:
        x1 = event.x
        y1 = event.y
        click_count = 1
    else:
        x2 = event.x
        y2 = event.y
        cav.create_line(x1, y1, x2, y2, width=1, fill=random.choice(colors))
        click_count = 0

def end(event):
    win.quit()
    win.destroy()

win = tk.Tk()
win.title("예제 6-4")
win.geometry("1000x600")
win.resizable(False, False)
cav = tk.Canvas(win, width=1200, height=1200, bg='white')
cav.bind("<Button-1>", draw_line)
cav.bind("<Button-3>", end)
cav.pack()

win.mainloop()
```

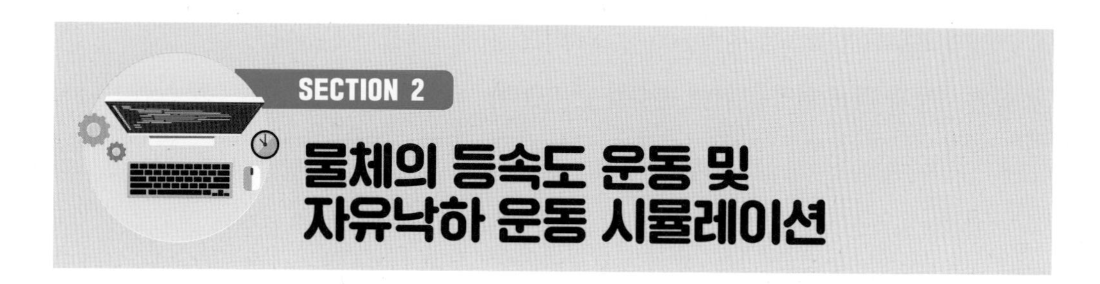

물체의 등속도 운동 및 자유낙하 운동 시뮬레이션

세상에 움직이는 물체가 무수히 많다. 이동하는 환경과 방법도 다양하지만, 대부분은 물리적인 법칙을 따르기 때문에 예측이 가능하여 시뮬레이션할 수 있다. 컴퓨터는 모든 것을 데이터화하여 표현한다. 따라서 움직이는 물체를 표현하고자 한다면, 운동 법칙에 해당하는 속도를 반영한 위치 값을 정확하게 명령으로 제시해야 한다.

2.1 등속도 운동 시뮬레이션

물체의 운동 중에서 가장 기본적인 운동이 직선 운동이다. 시뮬레이션을 포함한 모든 분야에서 가장 기본이 되는 "등속 직선 운동"에 대해 이해하고 프로그램할 수 있도록 실습하고자 한다.

따라하기 6-2

공을 가정한 원을 등속 직선 운동 시키는 프로그램을 작성한다. 물체 이동과 관련된 가장 기초적인 프로그램으로 잘 따라하길 바란다.

2.1.1 랩터로 설계하기 (따라하기 6-2)

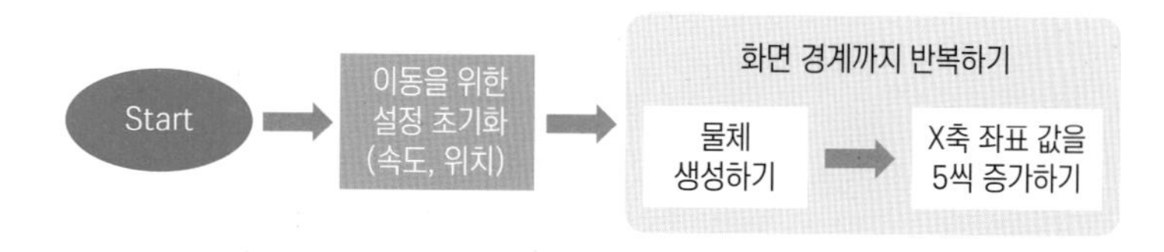

① 그래픽 프로그램 작성을 위해 800 × 800의 전용 윈도우를 오픈한다.

② 공의 이동과 좌표 설정을 위한 변수를 준비한다.

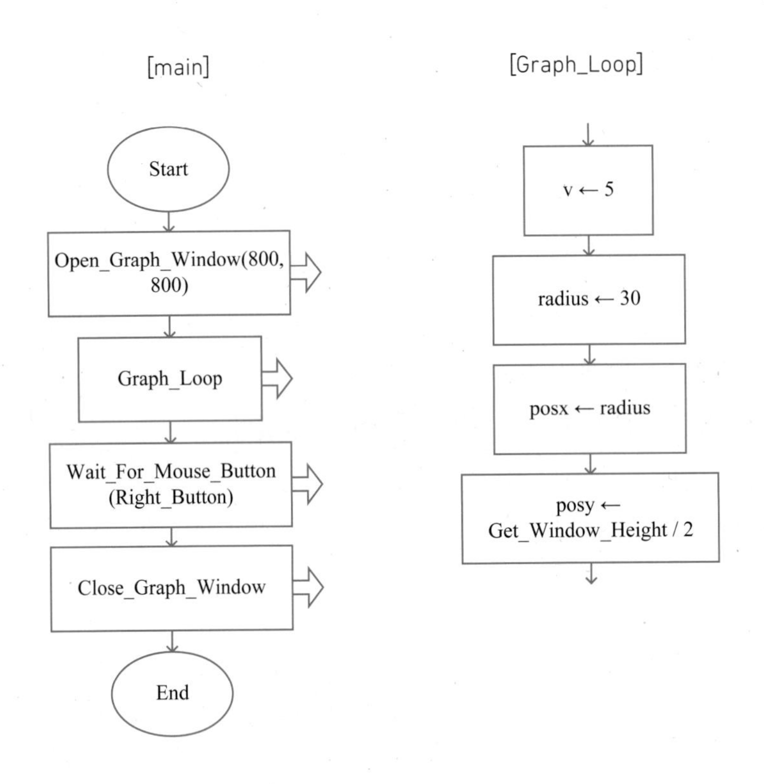

- v ← 5 : 물체의 이동 속도를 위한 변수로 속도 값을 5로 설정
- radius ← 30 : 원의 반지름 및 원이 좌우 경계를 벗어나지 않게 처리할 때 활용

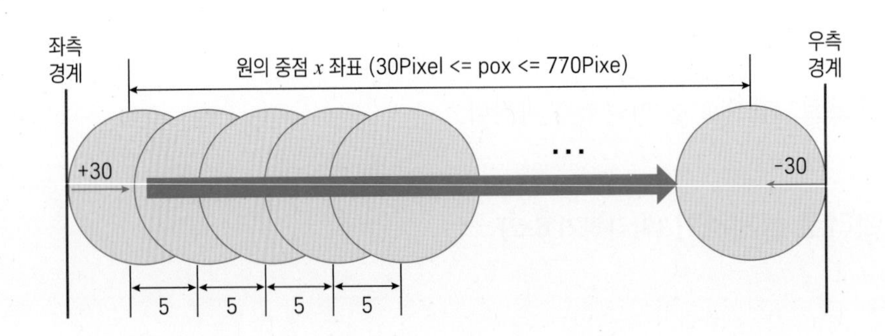

- posx ← radius : 물체의 위치 지정을 위한 x축 좌표 값 (시작 지점을 좌측 끝으로 설정)

- poxy ← Get_Window_Height / 2 : 물체의 위치 지정을 위한 y축 좌표 값 (윈도우의 중간으로 설정)

③ 물체를 생성하고 수평 방향의 등속 직선 운동을 통해 물체를 이동시키는 작업을 우측 경계까지 반복한다.

- 반복을 위한 조건식 : posx 〉 770
- Draw_Circle(posx, posy, radius, Brown, filled) : 프로시저를 호출하여 원을 그린다.
- posx ← posx + v : 수평 방향(x축 방향)이로 이동하므로 posx 값에 속도 v를 더한다.

④ 현재까지 프로그램의 실행 결과

- 현재까지 완성한 프로그램을 수행하면 좌측 끝에서 우측 끝으로 움직이는 것은 보이지만 원(공)이 움직이는 좋은 애니메이션은 아니다.
- 애니메이션 효과를 위한 방법은 다음과 같다.
  - 물체를 한 지점 (x, y)에 Draw 프로시저를 이용하여 그린다.
  - delay_for 프로시저를 이용하여 잠깐 동안 시간을 지연시킨다.
  - Clear_Window 프로시저를 이용하여 전체 화면을 지운다.
  - 이때 호출하는 Clear_Window 프로시저의 색상 설정은 그래픽 윈도우의 바탕색과 동일하게 한다. (지우기 용도)
  - 이동시키는 목적에 맞게 물체의 위치 값 (x', y')으로 갱신한다.

⑤ 따라서 ③번 반복문의 Draw 프로시저와 x좌표 증가식 사이에 다음을 추가한다.

- delay_for(0.2) : 0.2초 동안 시간을 지연시킴
- Clear_Window(White) : 바탕색인 흰색으로 화면을 덮어서 전체 화면을 지운다.

이제는 천천히 좌측 끝에서 우측 끝으로 움직이는 원을 확인할 수 있을 것이다.

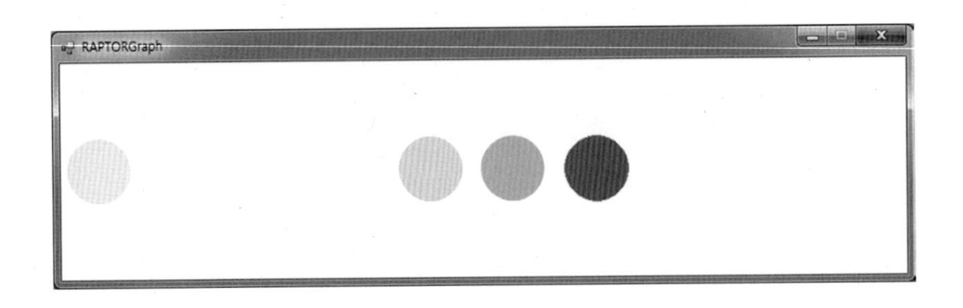
RAPTORGraph

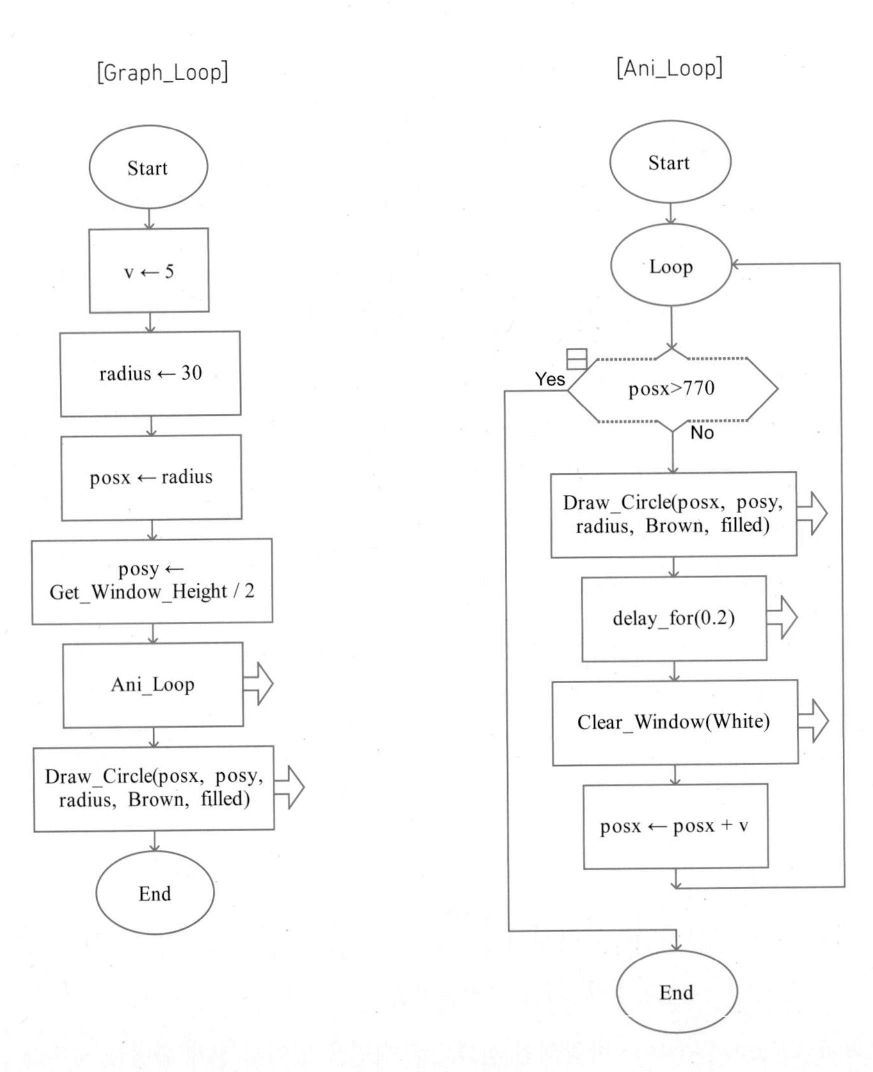
[Graph_Loop]
Start
v ← 5
radius ← 30
posx ← radius
posy ← Get_Window_Height / 2
Ani_Loop
Draw_Circle(posx, posy, radius, Brown, filled)
End
[Ani_Loop]
Start
Loop
Yes
posx>770
No
Draw_Circle(posx, posy, radius, Brown, filled)
delay_for(0.2)
Clear_Window(White)
posx ← posx + v
End

2.1.2 파이썬 pygame을 이용한 움직이는 그래픽 처리 다루기

파이썬으로 물체의 움직임을 시뮬레이션하기 위해 이 책에서는 pygame 모듈을 이용한다. pygame은 파이썬을 통해 게임을 만들 수 있도록 지원하는 모듈로 게임 내 객체들의 움직임 지원을 위한 라이브러리가 풍부하다. pygame은 파이썬의 기본 모듈이 아니기 때문에 별도로 설치 과정을 거쳐 사용하는 파이썬 환경에 맞게 설치해주어야 한다.

설치를 위해서는 윈도우 운영체제를 기준으로 명령 프롬프트 창을 실행하여 "pip install pygame"으로 간단히 설치할 수 있고, 주피터 노트북에서는 cell에 "!pip install pygame"을 입력한 후 실행시키면 명령 프롬프트에서 입력한 것처럼 처리한다.

주피터 노트북에서 아래와 같이 실행하여 메시지가 출력되면 pygame 모듈이 성공적으로 설치된 것이다.

```
import pygame
pygame 2.1.0 (SDL 2.0.16, Python 3.8.3)
Hello from the  pygame community. https://www.pygame.org/contribute.html
```

pygame을 이용한 게임 또는 객체 움직임 처리 프로그래밍은 다음과 같이 4단계의 기본 구조를 가지며, [그림 6-2]의 그래픽 처리와 유사하게 이해할 수 있을 것이다.

① pygame 모듈 불러오기
② pygame 초기화하기
③ pygame 에서 사용할 전역 변수 선언 및 할당
- size (x, y 크기)
- screen (화면 설정)
- clock (게임 동작 프레임 설정 : pygame.time.Clock())

④ pygame 메인 루프 만들어 동작시키기 : while 문 사용
- pygame event 설정 (키 값, 종료 값 등 입력 이벤트에 대한 처리)
- pygame 화면 설정 (한 순간의 화면 구성)
- 기타 사용자 행위에 대한 구성

- pygame 모듈 불러오기 : import pygame
- pygame 초기화하기 : pygame.init( )
- pygame에서 사용할 전역 변수 선언 및 할당

```
[사용 예]
screen = pygame.display.set_mode((가로,세로)) #그래픽 전용 윈도우 크기 설정
pygame.display.set_cation("제목 표시 글") #그래픽 윈도우 제목 표시 줄 타이틀
clock = pygame.time.Clock( ) #초당 화면 출력 설정(FPS)을 위한 변수 준비
my_img = pygame.image.load("파일경로")
my_img_rect = my_img.get_rect( ) #이미지의 사각 영역 설정
my_img_size = my_img.get_rect().size # x(가로) - my_img_size[0]
                                     # y(세로) - my_img_size[1]
```

– 초당 화면 출력 설정은 일반적인 게임에서 FPS(Frame Per Second)라고 하는 화면 전환 시간의 척도

– 설정된 변수를 통해 FPS에 해당하는 값으로 제어 : clock.tick(60)

- pygame 메인 루프 만들어 동작시키기

```
[사용 예]
run = True
while run :
    for event in pygame.event.get( ) : #pygame의 이벤트 수신
        if event.type == pygame.QUIT : #종료 조건과 맞을 경우
            run = False
    ## 기타 화면 구성을 위해 필요한 사항 작성 ##①
screen.fill(pygame.color.Color(255,255,255)) #전용 윈도우 화면 흰색으로 채우기
screen.blit(my_img, my_img.rect) #화면 상에 필요한 객체(my_img) 배치
pygame.disply.flip( ) # 지속적인 화면 업데이트 실시
```

- pygame 종료 : pygame.quit( )

  – 메인 루프를 빠져나오면 pygame 종료

파이썬으로 구현하기 (따라하기 6-2)

```
import pygame

run = True
v = 5

## Initialization & gloval variables assignment ##
pygame.init()
screen = pygame.display.set_mode((800,800))
pygame.display.set_caption("따라하기 6-2")
clock = pygame.time.Clock()

## image loading ##
ball = pygame.image.load("img/ball.png")
ball_rect = ball.get_rect()
ball_size = ball.get_rect().size     # ball_size[0]-x축, ball_size[1]-y축
ball_rect.x = 0
ball_rect.y = screen.get_height()/2 + (-ball_size[1]/2)

## Game Looping ##
while run:
  for event in pygame.event.get():
    if event.type == pygame.QUIT:
      run = False

  if ball_rect.x <= 700 :
    ball_rect.x += v

## Game Status Drawing ##
  screen.fill(pygame.color.Color(255,255,255))
  screen.blit(ball, ball_rect)
  pygame.display.flip()
  clock.tick(60)

pygame.quit()
```

Coding Practice

예제 6-5

반지름이 30인 원의 수평 등속도 운동을 시뮬레이션하는 프로그램을 작성하시오. 원이 경계에 도달하면 반대 방향으로 수평 등속도 운동이 가능하게 구현하고, 별도의 종료 조건을 만족할 때까지 원의 운동은 지속되게 하시오.

알고리즘 만들기 힌트

① 첫 번째 요소는 이동을 통해 원이 경계에 도달하였는지 판단하는 것이다.
- 좌 경계에 도달했는지 확인하는 조건식 : posx < radius
- 좌 경계에 도달했는지 확인하는 조건식 : posx > Get_Window_Width-radius

② 두 번째 요소는 경계에 도달했을 때 원의 운동 방향을 바꾸어야 하는 것이다.
- 원의 이동 방법 : posx ← posx + v
- 좌 경계 쪽 → 우 경계 쪽으로 이동 x 좌표 값 증가 : posx 증가 (+ v)
- 우 경계 쪽 → 좌 경계 쪽으로 이동 x 좌표 값 감소 : posx 감소 (- v)

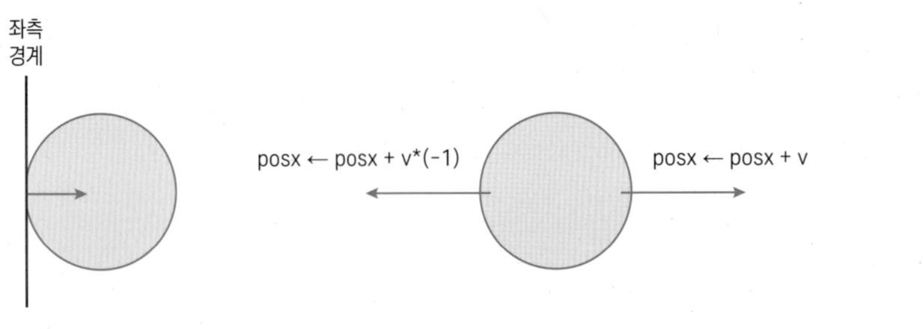

③ 비교문의 조건에 따라 원의 이동식을 간소화하여 적용
- 음수 * 음수는 양수이다.

④ 키보드의 특정 키(Key) 입력을 감지는 방법 (프로그램 종료 조건으로 활용)
- Key_Hit : 키보드 입력 유무 (True / False 반환)
- Get_key : 입력된 키보드의 정수 값 반환 (ASCII 코드 참조)
- "스페이스 바"가 입력 확인 조건식 : (Key_Hit) and (Get_key == 32)

::: 랩터로 설계하기 (예제 6-5)

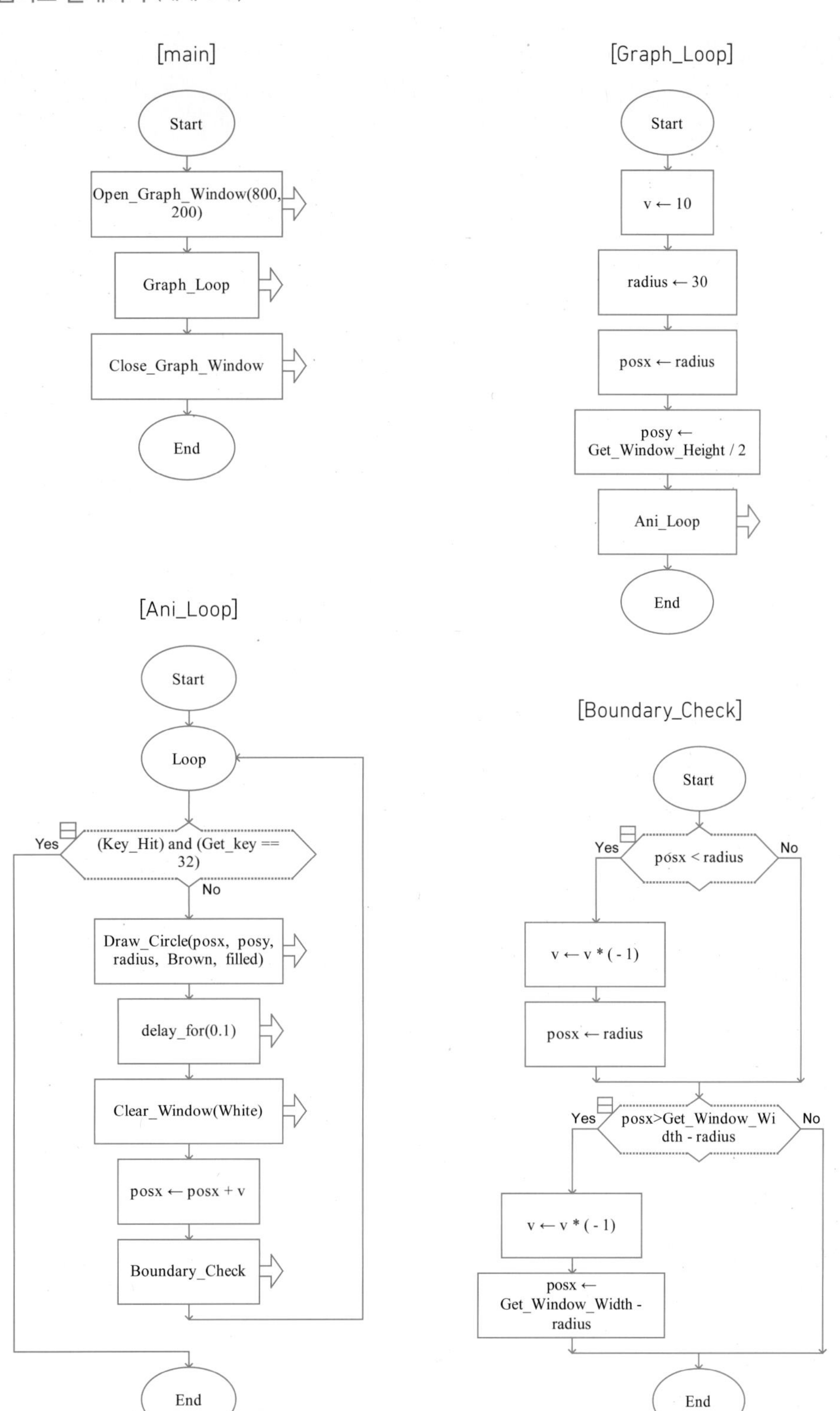

파이썬으로 구현하기 (예제 6-5)

```
import pygame

run = True
v = 10

## Initialization ##
pygame.init()
screen=pygame.display.set_mode((800,800))
pygame.display.set_caption("예제 6-5")
clock=pygame.time.Clock()

## image loading ##
ball = pygame.image.load("img/ball.png")
ball_rect = ball.get_rect()
ball_size=ball.get_rect().size
## 초기 위치값 설정
ball_rect.x=0
ball_rect.y=screen.get_height()/2 + (-ball_size[1]/2)

## Game Looping ##
while run :
    for event in pygame.event.get():
        if event.type==pygame.QUIT:
            run=False

    ball_rect.x += v

    if ball_rect.x<=0:      # 좌측 벽면에 도착 확인
        v = -1 * v
        ball_rect.x=0

    if ball_rect.x >=screen.get_width()-ball_size[0] :  # 우측 벽면에 도착 확인
        v = -1*v
        ball_rect.x=screen.get_width()-ball_size[0]

## Game Status Drawing ##
    screen.fill(pygame.color.Color(255,255,255))
```

```
    screen.blit(ball, ball_rect)
    pygame.display.flip()
    clock.tick(60)

pygame.quit()
```

2.2 자유 낙하 운동 시뮬레이션

등속 운동 또는 등속도 운동은 물체가 일정한 속도로 움직이는 것을 가정한 것이다. 그러나 현실 세계에서는 다양한 종류의 저항(공기, 물 등)과 추진력으로 인한 가속도가 발생하는 경우가 더 많다. 특히 지구에는 중력이 작용하기 때문에 수직으로 떨어지는 물체에는 중력에 의한 가속도가 시뮬레이션 되어야 한다. 공을 높은 곳에서 아래로 떨어트렸을 때를 가정하여 중력의 영향을 받은 자유 낙하 운동 시뮬레이션에 대해 알아볼 것이다.

가속도는 속도를 기반으로 한다. 먼저 속도를 다음과 같이 정의한다.

$$v = \frac{d}{t}, \ (v : 속도, \quad t : 걸린시간, \quad d : 이동거리)$$

주어진 정의에서 이동거리 d는 위치의 변화량이므로 Δx로, 걸린 시간 t은 시각의 변화량이므로 Δt로, 가속도 g는 속도의 변화량이므로 Δv로 각각 치환되어 다음과 같이 정의된다.

$$v = \frac{\Delta x}{\Delta t}, \quad a = \frac{\Delta v}{\Delta t} \quad \Rightarrow \quad \begin{matrix} \Delta x = v\Delta t \\ \Delta v = a\Delta t \end{matrix}$$

즉 속도는 시간당 위치의 변화량이고, 가속도는 시간당 속도의 변화량으로 이해할 수 있다. 또한, 위치의 변화량 $\Delta x = x_n - x_{n-1}$ 로, 속도의 변화량 $\Delta v = v_n - v_{n-1}$ 로 재표현 된다.

시뮬레이션이나 게임에서는 하나의 객체가 동작하는 주기의 경과 시간을 하나의 단위 시간으로 간주할 수 있다. 이때 자유 낙하하는 공이 한번 이동할 수 있게 만드는 과정을 단위 시간 1로 두면 $\Delta t = 1$이 되고, 이를 반영하여 정리하면 다음과 같다.

$$\begin{aligned} x_n - x_{n-1} &= v \\ v_n - v_{n-1} &= a \end{aligned} \quad \Longrightarrow \quad \begin{aligned} x_n &= x_{n-1} + v \\ v_n &= v_{n-1} + a \end{aligned}$$

즉 자유 낙하 시뮬레이션에서 사용하게 될 현재 위치의 좌표 값은 직전 좌표 값에 속도를 더한 것이고, 현재의 속도 값은 직전 속도 값에 가속도를 더한 것이 된다. 그리고 자유 낙하 운동에 반영되는 가속도는 중력에 의한 가속도이므로 중력가속도 $g(9.8m/s^2)$를 반영한다.

따라하기 6-3

공을 가정한 원을 자유 낙하 운동 시키는 프로그램을 작성한다. 이를 통해 가속도를 반영한 물체 움직임의 시뮬레이션을 프로그래밍하는 방법을 학습하자.

랩터로 설계하기 (따라하기 6-3)

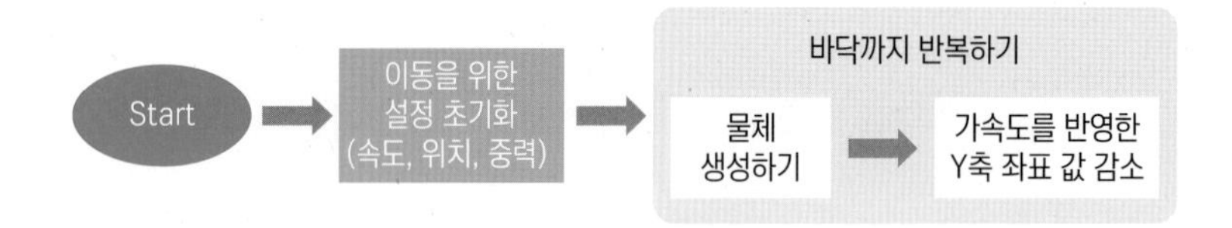

① 그래픽 프로그램 작성을 위해 800 × 800의 전용 윈도우를 오픈한다.

② 공의 이동 속도, 중력, 좌표 설정을 위한 변수를 준비한다.

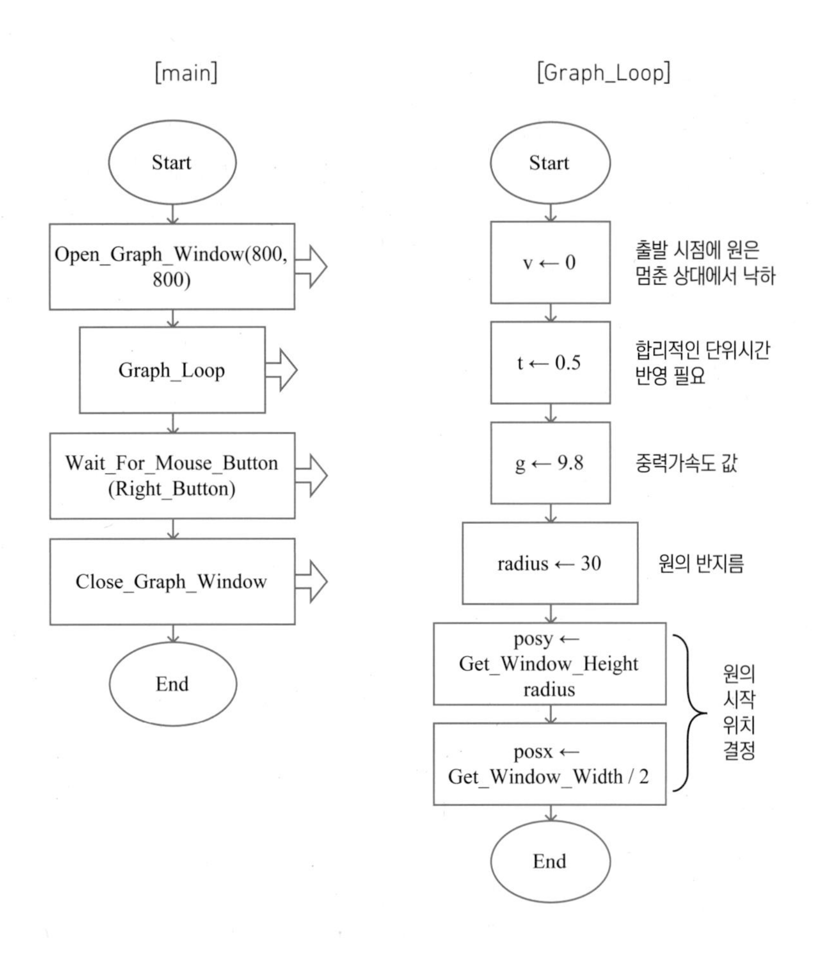

- v ← 0 : 물체의 이동 속도를 위한 변수로 출발 지점에서는 정지된 상태로 초기화
- t ← 0.5 : 원이 속도를 반영하여 좌표를 이동시키는 주기의 단위 시간 값 (속도 조절)
- g ← 9.8 : 중력가속도를 속도에 반영하기 위한 가속도 값
- posy ← Get_Window_Height - radius : 물체의 위치 지정을 위한 y축 좌표 값 (시작 지점을 최상단으로 설정)
- posx ← Get_Window_Height / 2 : 물체의 위치 지정을 위한 x축 좌표 값 (윈도우의 중간으로 설정)

③ 물체를 생성하고 수평 방향의 등속 직선 운동을 통해 물체를 이동시키는 작업을 우측 경계까지 반복한다.

- 반복을 위한 조건식 : posy < radius
- v ← v + (-1)*g*t : 가속도를 반영하는 속도 값의 정의 반영 (−1: 위에서 아래로, 즉 y

축 위치 값이 감소하며 이동)

- posy ← posx + v * t : 수직 방향(y축)으로 이동하므로 posy 값에 속도 v * t를 더한다.

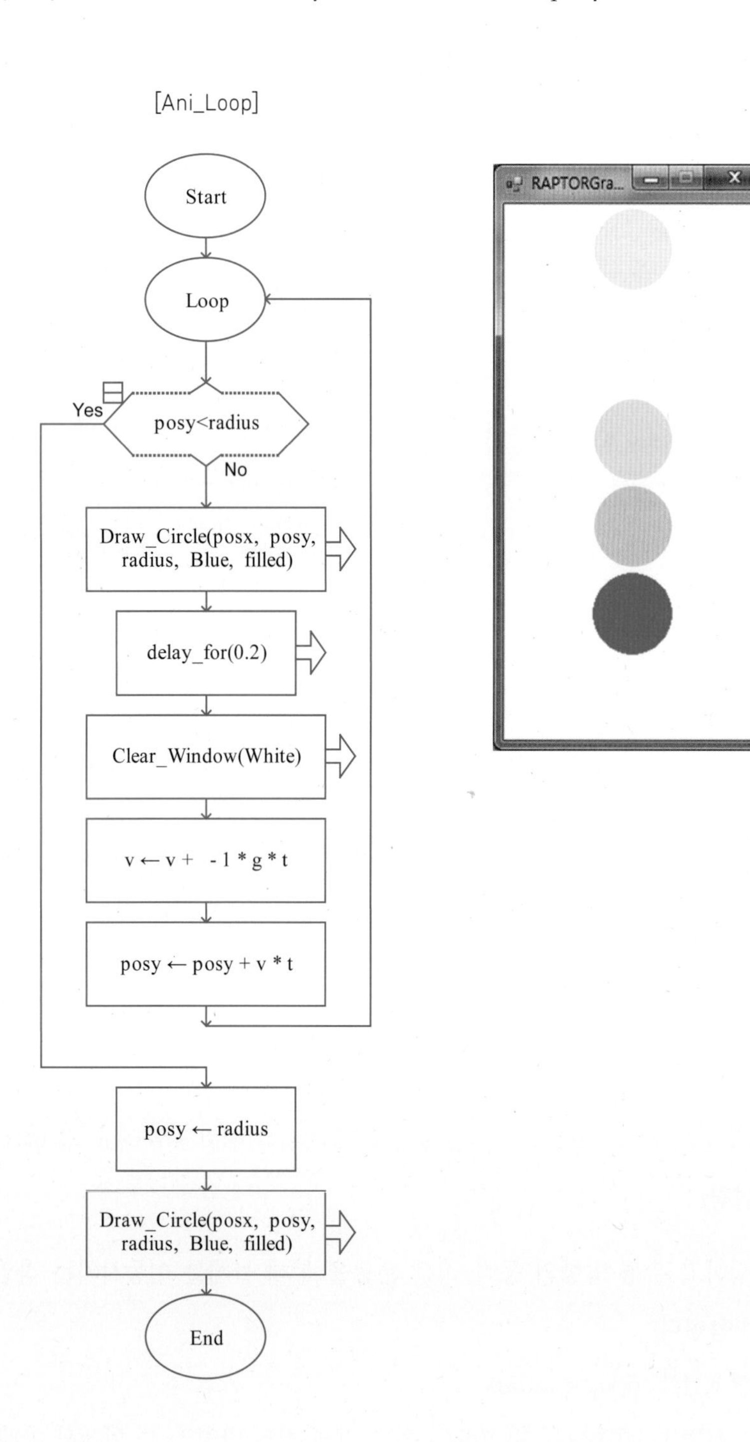

파이썬으로 구현하기 (따라하기 6-3)

```
import pygame

run = True
v = 0
t = 0.5
g = 9.8/3
fps = 60

## Initialization ##
pygame.init()
screen = pygame.display.set_mode((800,950))
pygame.display.set_caption("따라하기 6-3")
clock = pygame.time.Clock()

## image loading ##
ball = pygame.image.load("img/ball.png")
ball_rect = ball.get_rect()
ball_size = ball.get_rect().size
## 초기 위치값 설정 ##
ball_rect.x = screen.get_width()/2 - ball_size[0]/2
ball_rect.y = 0

## Game Looping ##
while run :
  for event in pygame.event.get():
    if event.type == pygame.QUIT:
      run = False

  if ball_rect.y < screen.get_height()-ball_size[1] :
    v = v+g*t
    ball_rect.y = ball_rect.y+v*t
  else:
    ball_rect.y = screen.get_height()-ball_size[1]

## Game Status Drawing ##
  screen.fill(pygame.color.Color(255,255,255))
  screen.blit(ball, ball_rect)
  pygame.display.flip()
  clock.tick(fps)

pygame.quit()
```

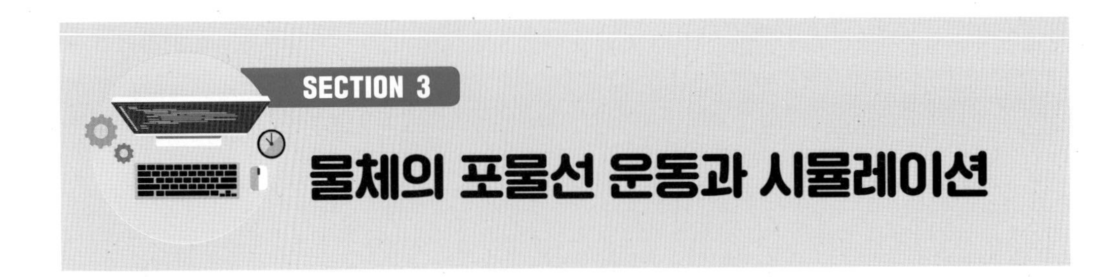

물체의 포물선 운동과 시뮬레이션

물체를 원하는 방향으로 움직이는 것은 x축 방향과 y축 방향으로의 위치 이동을 생각해야 한다. 앞선 실습에서는 수평 방향이나 수직 방향의 움직임을 시뮬레이션하고자 하였기 때문에 x축 방향과 y축 방향 둘 중의 하나는 움직이지 않는 0으로 고정되어 고려조차 하지 않았다. 수평 · 수직을 제외한 방향으로의 물체 이동을 시뮬레이션하는 방법에 대해 학습해보자.

3.1 여러 방향으로 움직이는 물체의 위치 값

물체가 x축과 y축 방향 모두로 움직이게 되면, 속도 v 역시 x축 방향에서의 속도 v_x와 y축 방향에서의 속도 v_y로 구분된다. 우리가 물체의 움직임을 화면에 표시한 때 결국 찾아내는 것은 물체의 현재 위치를 나타내는 x 좌표 값과 y 좌표 값이다. 따라서 속도도 각 축 방향의 속도가 따로 반영되어야 하는 것은 당연한 일인 것이다.

움직임의 시뮬레이션을 위해 2절에서 확인 한 바와 단위 시간과 속도를 반영한 식은 다음과 같이 표현된다.

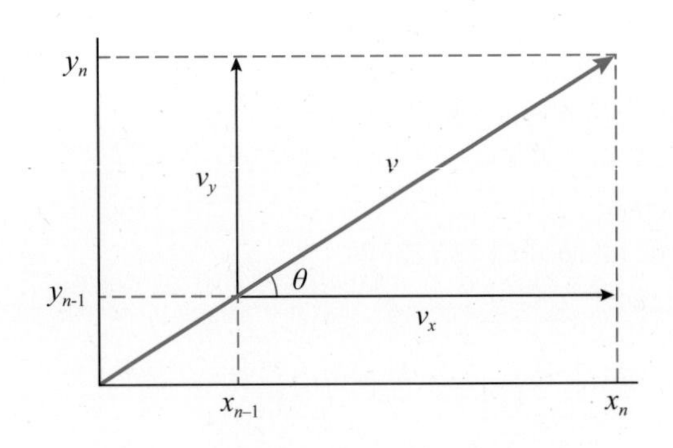

그림 6-7 움직이는 물체의 속도 표현 방법

$$x_n = x_{n-1} + v_x \cdot t$$
$$y_n = y_{n-1} + v_y \cdot t$$

결국 달라지는 것은 v_x와 v_y를 별도로 위치 값에 반영하는 것이다. 이를 피타고라스의 정리와 삼각 함수의 정의를 이용하는 도출하는 방법은 [그림 6-7]과 여러분의 수학적 지식을 이용하기 바라며, 시뮬레이션을 위해 활용하는 결론은 다음과 같다.

$$\begin{aligned} v_x &= \cos\theta \cdot v \\ v_y &= \sin\theta \cdot v \end{aligned} \quad \Rightarrow \quad \begin{aligned} x_n &= x_{n-1} + \cos\theta \cdot v \cdot t \\ y_n &= y_{n-1} + \sin\theta \cdot v \cdot t \end{aligned}$$

3.2 포물선 운동 시뮬레이션하기

포물선 운동은 자유낙하 운동과 마찬가지로 아래쪽으로 끌어당기는 중력가속도 때문에 속도가 점점 느려지고, 최고 지점에 도달했을 때는 속도가 0이 되어 아래로 떨어지는 운동으로 정의된다. 이러한 포물선 운동은 x축은 좌우로 진행해 나가지만, y축의 경우 상승(좌표 값 증가) 후 하강(좌표 값 감소)의 추세를 보인다. y좌표 값과 시간과의 관계를 그래프로 나타내면 다음과 같다.

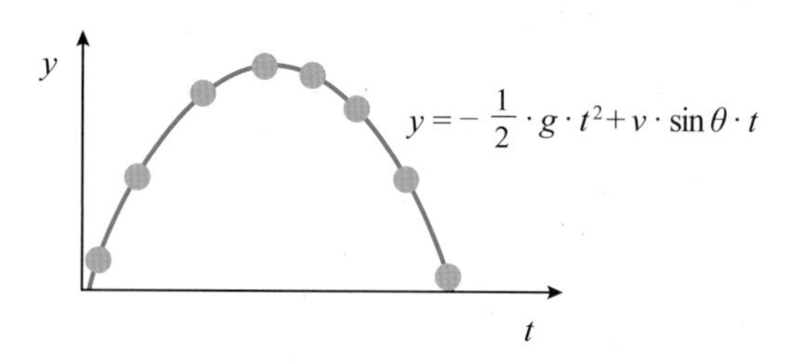

그림 6-8 시간 t와 y 좌표 값과의 관계 그래프

시간의 변화에 따라 포물선 형태를 이루는 것으로 이를 t에 대한 2차방정식으로 나타낼 수 있다. 이 이차방정식을 y의 좌표값으로 반영하여 포물선 운동으로 나타낼 수 있다.

따라하기 6-4

공을 정해진 힘(속도)을 가해 입력된 각도를 반영하여 포물선 운동을 시뮬레이션하는 프로그램을 작성하고자 한다. 지금까지 물체이동에 관해 학습한 내용과 몇 가지 유의사항을 이해하면 크게 어려운 일이 아닐 것이다.

::: 랩터로 설계하기 (따라하기 6-4)

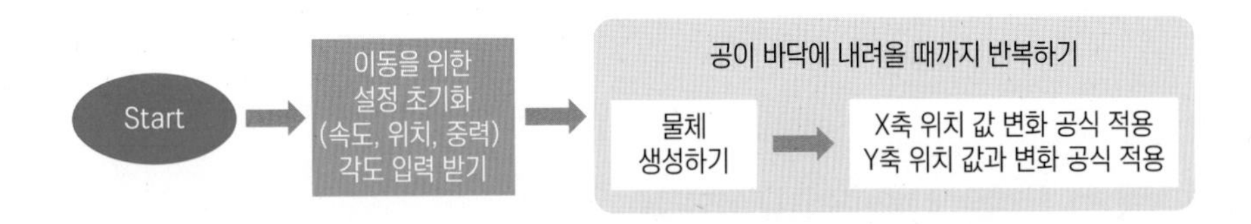

① 그래픽 프로그램 작성을 위해 1600 × 800의 전용 윈도우를 오픈 한다.

- 포물선 운동을 위해 가로로 충분히 넓은 화면을 준비한다.

② 공의 이동 속도, 중력, 좌표 설정을 위한 변수를 준비한다.

- v ← 50 : 물체의 이동 속도 지정, 프로그램에서는 던지는 힘으로 반영 가능
- g ← 9.8/2 : 중력가속도를 속도에 반영하기 위한 가속도 값. 실제 지구의 중력 가속도를 컴퓨터에 반영하면 그 힘이 강하게 표현되므로 상황에 맞게 조절(보통은 1/4 수준 반영)
- angle 변수에 공의 진행 각도 입력
  - 도수법(degree) : 보통 사람이 흔히 이해하는 개념으로 원을 360도 범위 내에서 분할
  - 호도법(radian) : 컴퓨터가 사용하는 개념으로 원을 2π 범위 내에서 분할
  - 사용자는 도수법에 의한 각도를 입력하게 된다. 그러나 우리가 각도를 사용해야 하는 sin, cos 함수는 입력값으로 호도법의 값을 필요로 한다.
  - $radian_{value} = degree_{value} \times \frac{\pi}{180}$ 로 값을 변경하여 사용
- t ← 0 : 포물선 운동을 위해 공을 한 번 이동시키는 한 사이클을 단위 시간으로 반영
- radius ← 30, posy ← radius, pox ← radian : 원의 반지름과 출발점 설정

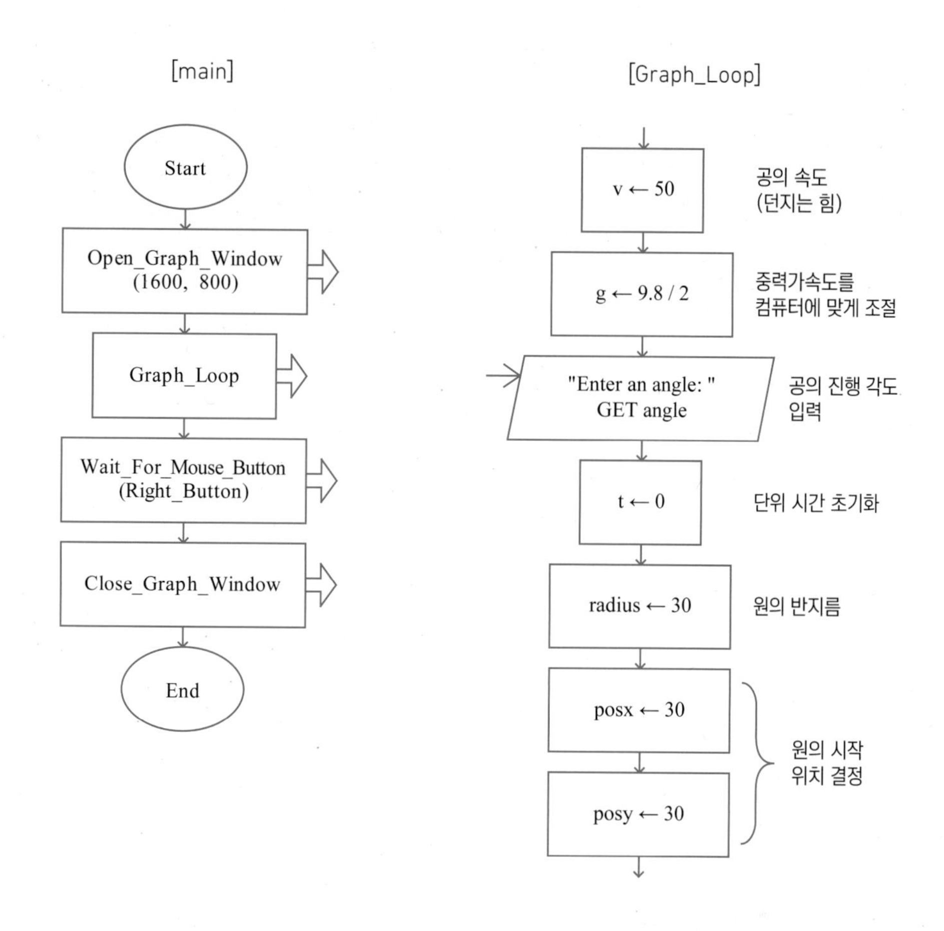

③ 물체를 생성하고 가속도와 포물선 운동을 반영해 물체를 이동시키는 작업을 공이 바닥에 도착 할 때까지 반복한다.

- 반복을 위한 조건식 : posy 〈 radius
- posx ← v*cos(angle*Pi/180)*t + radius : x축 방향으로 이동하는 식을 반영함
  - cos(angle*Pi/180) : 입력된 각도 값을 라디안 값으로 변경
  - radius : 공의 출발 지점이 x=30이므로 계속 반영되어야 함
- posy ← v*sin(angle*Pi/180)*t -0.5*g*t*t+radius
  - y축의 포물선 이동 공식을 적용하여 y 좌표 값 생성 (중력가속도(g)값은 posy만 적용)
- t ← t+1 : 포물선을 따라 공을 한 번 그리는 주기를 단위 시간으로 삼아 반복 시 마다 1씩 증가시킴

[Ani_Loop]

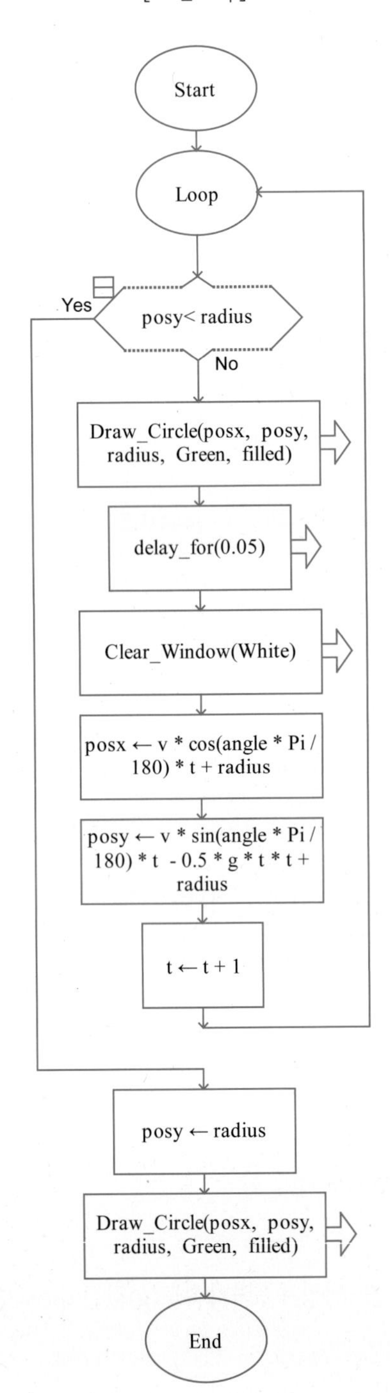
Start
Loop
Yes
posy< radius
No
Draw_Circle(posx, posy, radius, Green, filled)
delay_for(0.05)
Clear_Window(White)
posx ← v * cos(angle * Pi / 180) * t + radius
posy ← v * sin(angle * Pi / 180) * t - 0.5 * g * t * t + radius
t ← t + 1
posy ← radius
Draw_Circle(posx, posy, radius, Green, filled)
End

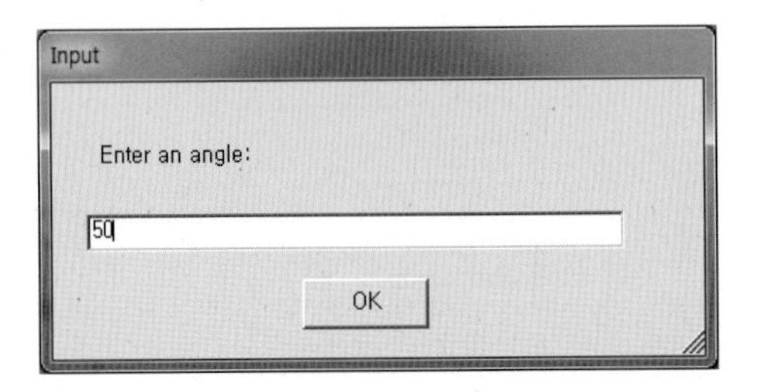
Input
Enter an angle:
50
OK

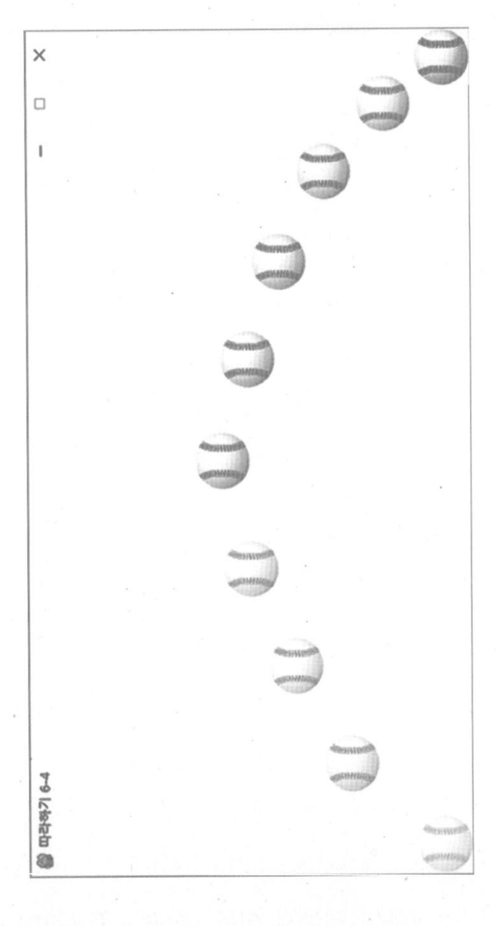

파이썬으로 구현하기 (따라하기 6-4)

```
import pygame
import math

run = True
v = 50
t = 0
g = 9.8/2
Pi = math.pi
fps = 20
ball_angle = 50

## Initialization ##
pygame.init()
screen = pygame.display.set_mode((1500,1000))
pygame.display.set_caption("따라하기 6-4")
clock = pygame.time.Clock()

## image loading ##
ball = pygame.image.load("img/bball.png")
ball_rect = ball.get_rect()
ball_size = ball.get_rect().size
## 초기 위치값 설정 ##
ball_rect.x = 0
ball_rect.y = screen.get_height() - 100

## Game Looping ##
while run :
  for event in pygame.event.get():
    if event.type == pygame.QUIT:
      run = False

    if (ball_rect.x >= screen.get_width()-ball_size[0]) or \
      (ball_rect.y >= screen.get_height()-ball_size[1]) :
      ball_rect.y = screen.get_height()-ball_size[1]
    else :
      ball_rect.x = ball_rect.x + v*math.cos((ball_angle)*Pi/180)*t
```

```
        ball_rect.y = ball_rect.y -1*(v*math.sin((ball_angle)*Pi/180)*t \
                - 0.5*g*math.pow(t, 2))
        t += 0.5

## Game Status Drawing ##
    screen.fill(pygame.color.Color(255,255,255))
    screen.blit(ball, ball_rect)
    pygame.display.flip()
    clock.tick(fps)

pygame.quit()
```

EXERCISE

1. 그래픽 전용 윈도우 상에 있는 마우스의 현재 위치 좌표를 화면에 출력하는 프로그램을 작성하시오. (마우스 지원 내부 함수 등을 활용할 것)

2. 그래픽 전용 윈도우 중앙에 한 변의 길이가 40픽셀인 정사각형을 그리고, 사용자로부터 입력받은 각도로 사각형이 움직이게 하는 프로그램을 작성하시오. 단 화면상의 모든 경계에 도달하면 진행하는 방향에 맞게 튕겨나게 해야 함.

3. 사용자로부터 공의 던지는 힘의 세기(0~100)와 던지는 각도 값(0~90)을 입력 받아 공의 포물선 운동을 시뮬레이션하는 프로그램을 작성하시오.

4. [따라하기 6-4]의 포물선 운동 시뮬레이션 프로그램을 활용하여 공이 바닥에 도착하면 다시 튕겨 올라 포물선 운동을 계속 이어나가는 프로그램을 작성하시오. 단 공이 우측 경계에 도달하면 멈춰야 함.

CHAPTER 7

데이터 관리

SECTION 1 데이터와 자료구조

1.1 자료구조의 이해

일상에서 우리는 물건들을 정리하는 여러 가지 방법을 이용하고 있다. 책장에 책을 종류별로 구분하여 꽂아 두거나, 책상 서랍의 첫 번째 칸은 중요한 물건들을 넣어두고 남이 함부로 못 보게 한다. 또 마트 계산대에서는 먼저 온 순서대로 계산이 진행되고, 주방에 차곡차곡 쌓여 있는 접시는 제일 위의 접시를 먼저 꺼내는 것이 안전하다.

그림 7-1 일상에서 볼 수 있는 구조화

컴퓨터 프로그래밍은 자료를 효과적으로 처리하기 위한 효율적인 알고리즘을 만들어 컴퓨터에게 일을 시키고자 하는 것이다. 자료를 효과적으로 처리하기 위해 꼭 필요한 것이 자료구조(data structure)이다. 사람들이 물건들을 정리하거나 구조화하여 사용하는 것처럼 컴퓨터 프로그램에서도 자료들을 구조화하여 사용하는 것이 편리하다. 컴퓨터가 자료를 구조화하는 방법을 자료구조라고 한다.

예를 들어 마트 계산대처럼 계산해야 하는 고객이 많아서 먼저 온 순서대로 처리하는 것처럼, 처리해야 하는 데이터가 많을 때 먼저 요청된 데이터(Firts−in)를 먼저 처리(First−out)

하기 위해서 큐(Queue)라는 자료구조를 이용하여 데이터를 보관한다. 쌓여 있는 접시를 깨지 않기 위해 제일 위에서부터 차례로 꺼내는 것처럼, 데이터를 쌓아 두었다가 가장 나중에 요청된 데이터(List-in)를 먼저 처리(First-out)하는 것이 효과적인 일이 될 수 있다. 컴퓨터 프로그램에서는 이를 위해 스택(Stack)이라 자료구조를 사용한다. 컴퓨터에서 사용되는 자료구조를 정리하면 다음과 같다.

표 7.1 **컴퓨터 자료구조의 종류와 유사한 일상의 예**

컴퓨터의 자료구조	유사한 일상의 예
배열(Array)	책장에 있는 위인시리즈 중에서 한 권을 꺼내 읽는 것
스택(Stack)	쌓여 있는 접시의 안전을 위해 맨 위에서부터 꺼내는 것
큐(Queue)	마트 계산대에서 차례대로 줄을 서서 계산하는 것
리스트(List)	준비물 체크 리스트를 만들어 여행갈 준비하는 것
트리(Tree)	컴퓨터에 폴더를 체계적으로 만들어 자료를 저장하는 것
사전(Dictionary)	영어 사전에서 영어 단어의 뜻을 찾아 문장을 해석하는 것

컴퓨터 프로그램에서 활용하는 다양한 자료구조가 있지만, 기초설계를 위해 반드시 알아야 하는 몇 가지만 소개하고, 자료구조를 이용한 편리한 프로그램 작성을 학습해 보자.

1.2 배열 형태를 이용한 프로그램

1.2.1 배열(Array)

배열은 대부분의 프로그래밍 언어에서 기본적으로 제공하는 자료구조이며 스택, 큐 등과 같은 다른 자료구조를 구성하는 기초가 된다. 즉 프로그램에서 스택을 만들어 사용하려고 할 때 배열을 이용하여 자료의 입출력 방식을 스택 방법(LIFO, Last in First Out)으로 프로그래밍하는 것이다.

배열은 동일한 유형(정수, 실수, 문자 등)인 데이터의 한 묶음으로, 묶여 있는 데이터의 활용을 위해 차례대로 번호를 부여해 놓은 자료의 형태이다. 배열에서 데이터의 참조 순서를 위해 사용하는 번호를 인덱스(Index)라 하고 첨자(Subscript)라고도 부른다. 데이터를 한 묶음으로 사용하는 것은 유사한 데이터를 위해 여러 개의 변수를 만드는 대신 하나의 변수 이름으로 인덱스를 이용해 구분할 수 있어 편리하다.

프로그램에서 배열은 "fruit[2]"와 같은 형태를 띄고, 배열의 변수명과 "[ ]"안에 인덱스 번호(첨자라고도 함)를 이용하여 데이터를 찾아오거나 저장하는 것이 가능하다.

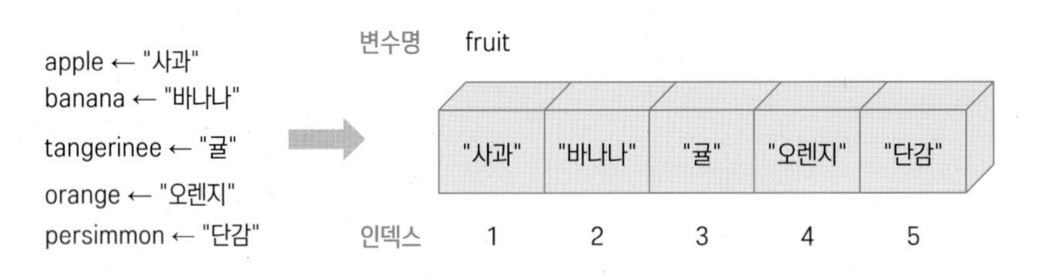

그림 7-2 **배열의 기본 개념과 구성 요소**

한편, 파이썬은 명시적으로 배열이라는 자료구조가 없다. 대신하여 사용할 수 있는 것이 리스트이다. 리스트는 정수, 문자열, 실수 등 서로 다른 데이터형도 하나로 묶어서 사용할 수 있는 점이 동일한 데이터형으로 묶인 배열과의 차이점이다. 리스트에 [그림 7-2]와 같이 동일한 데이터형을 묶어서 사용할 수 있고, 리스트형의 변수명과 "[ ]" 안에 인덱스 번호를 사용하여 데이터를 찾아오거나 저장하는 것이 동일하다. 따라서, 이 책에서 랩터로 설계된 배열을 파이썬으로 구현할 때는 동일한 자료형을 갖는 리스트를 사용한다. 다만, 랩터의 배열은 인덱스 번호가 1부터 시작이 되지만, 파이썬은 0부터 시작되는 차이가 있으니, 설계와 구현 시 혼돈하지 않도록 유의해야 한다.

추가적으로 파이썬은 리스트를 편리하게 사용할 수 있도록 제공되는 다양한 메소드(Method)가 있다. 메소드는 8장 객체지향 프로그램에서 상세히 이해할 수 있으며, 여기서는 단순히 사용자의 사용상 편리한 기능을 구현해 놓은 리스트에만 적용되는 함수 정도로 이해하자.

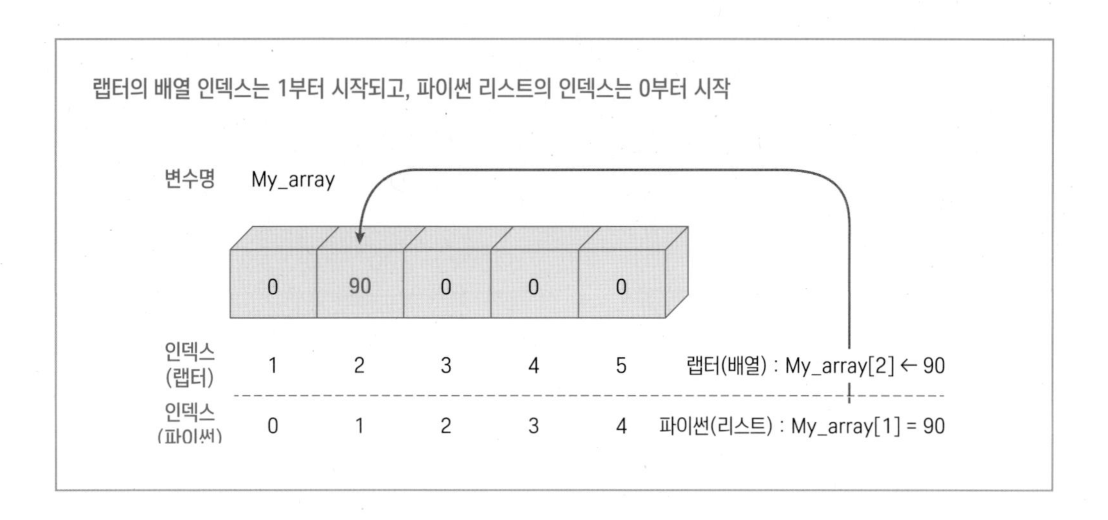

표 7.2 **파이썬 리스트의 메소드**

메소드	용도	사용 예
append( )	리스트 끝에 새 데이터 추가	리스트 생성 : arr[1, 2, 3, 4] 데이터 추가 : arr.append(5) 결과 : [1, 2, 3, 4, 5]
extend( )	기존 리스트에 다른 리스트 연결	리스트 생성 : arr[1, 2] 리스트 연결 : arr.extend([3, 4, 5, 6]) 결과 : [1, 2, 3, 4, 5, 6]
insert( )	인덱스로 명시한 리스트 위치에 제시한 데이터 삽입	리스트 생성 : arr[1, 2, 3, 4] 데이터 삽입 : arr.insert(0,9) 결과 : [9, 1, 2, 3, 4]
remove( )	제시한 데이터를 리스트에서 첫 번째로 발견되면 제거	리스트 생성 : arr['K','o','r','r','e','a'] 데이터 제거 : arr.remove('r') 결과 : ['K','o','r','e','a']
pop( )	리스트의 마지막 데이터를 리스트에서 제거	리스트 생성 : arr[1, 2, 3, 4, 5, 6] 데이터 제거 1 : arr.pop() 결과 : [1, 2, 3, 4, 5] 데이터 제거 2 : arr.pop() 결과 : [1, 2, 3, 4] 데이터 제거 3 : arr.pop(1) #인덱스 1을 의미함 결과 : [1, 3, 4]

메소드	용도	사용 예
index( )	제시한 데이터를 리스트에서 첫 번째로 발견된 인덱스 값 알림	리스트 생성 : arr[1, 2, 3, 4, 5, 6] 데이터 찾기 : arr.index(4) 결과 : 3
count( )	제시한 데이터와 일치하는 횟수 알림	리스트 생성 : arr[0, 1, 0, 0, 2, 3, 0, 4] 데이터 찾기 : arr.count(0) 결과 : 4
sort( )	리스트 내의 데이터 정렬	리스트 생성 : arr[1, 3, 0, 4, 2] 데이터 정렬1 : arr.sort() 결과 : [0, 1, 2, 3, 4] 데이터 정렬2 : arr.sort(reverse=True) 결과 : [4, 3, 2, 1, 0]
reverse( )	리스트 내의 데이터 순서를 반대로 뒤집음	리스트 생성 : arr['K','o','r','e','a'] 데이터 반전 : arr.reverse() 결과 : ['a','e','r','o','K']

랩터에서는 배열의 선언과 초기화가 명시적으로 이루어지지 않더라도 문제없이 동작하지만, 파이썬과 같은 프로그래밍 언어에서는 리스트 또는 배열의 선언과 초기화가 중요하다.

❖ 파이썬의 리스트 생성과 초기화 방법

```
arr = [ ]  #리스트형의 arr 선언 (초기화하지 않았음, 이후에 반드시 초기화해야 함)
arr = [0, 0, 0, 0]  #리스트형의 arr 선언 및 초기화 (숫자 0)
arr = [0 for col in range(4)] #위와 동일
arr = ['a', 'b', 'c'] #리스트형의 arr 선언 및 초기화 (문자)
```

Coding Practice

예제 7-1

사용자로부터 글쓰기, 수학, 알고리즘, 영어 네 과목의 점수를 입력 받아 화면에 과목별 점수 및 수학과 알고리즘 점수의 합계와 평균을 출력하는 프로그램을 작성하시오.

실행 결과 예시

```
글쓰기 점수 입력 : 60
수학 점수 입력 : 85
알고리즘 점수 입력 : 97
영어 점수 입력 : 88

60  85  97  88
수학 알고리즘 합계 : 182
수학 알고리즘 평균 : 91
```

랩터로 설계하기 (예제 7-1)

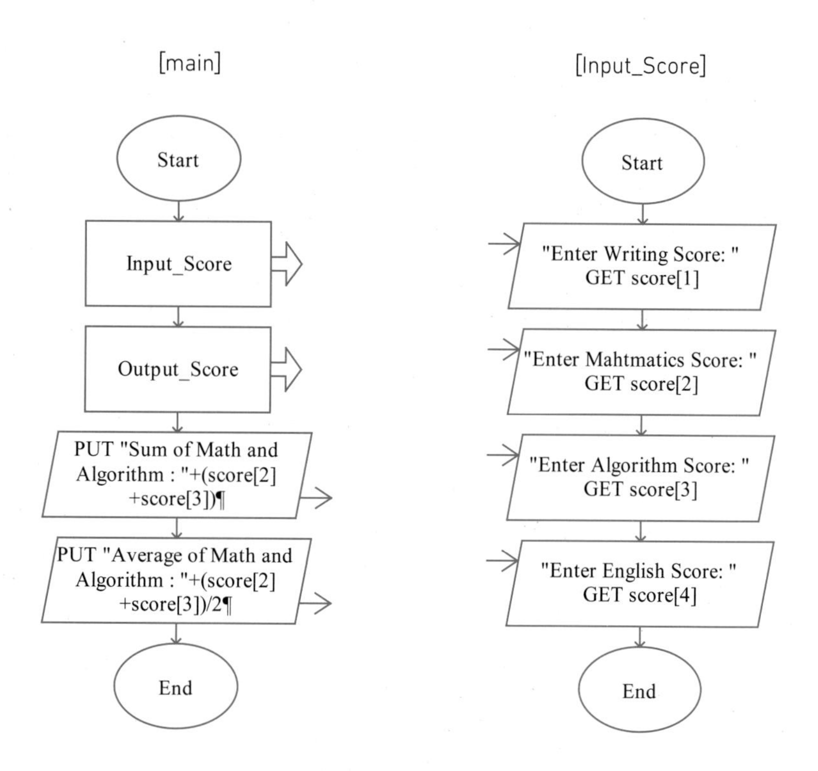

[Output_Score]

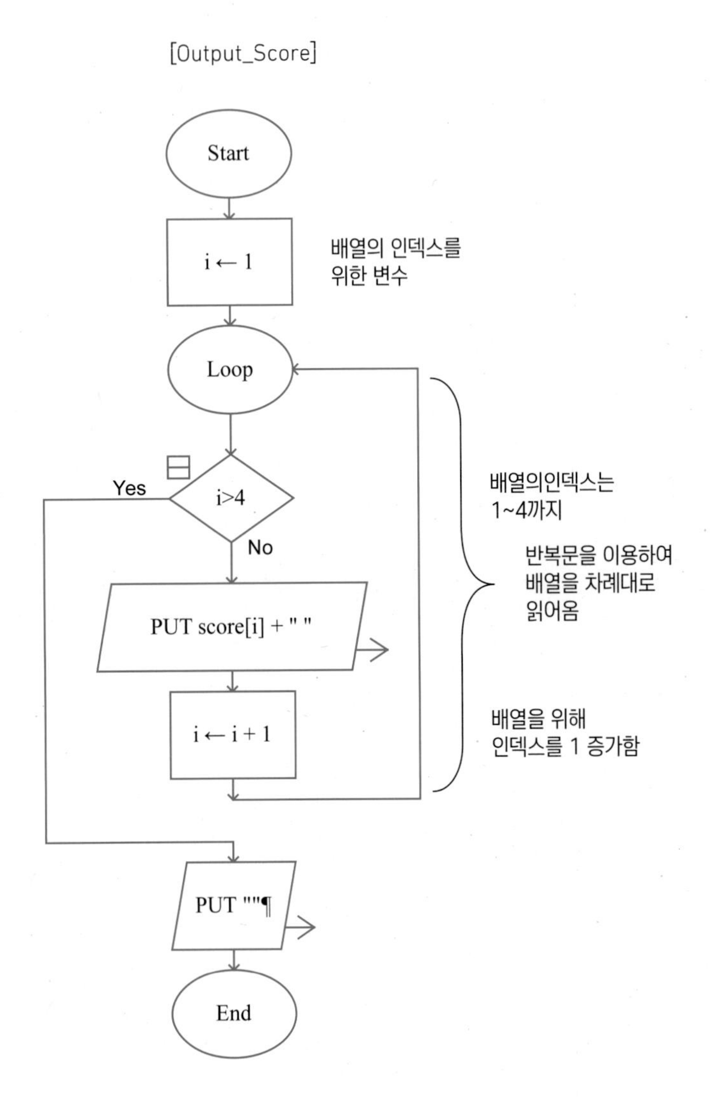

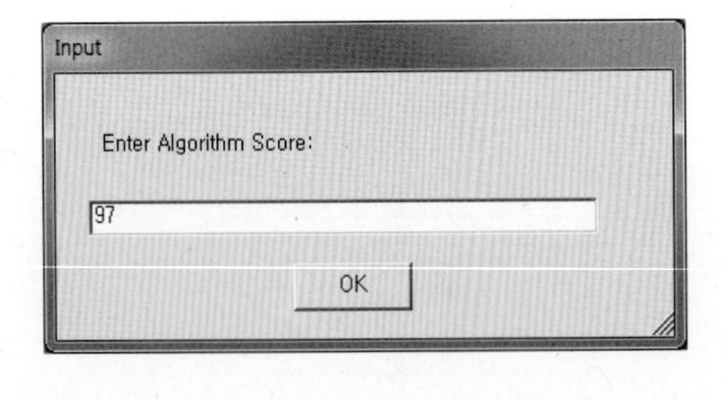

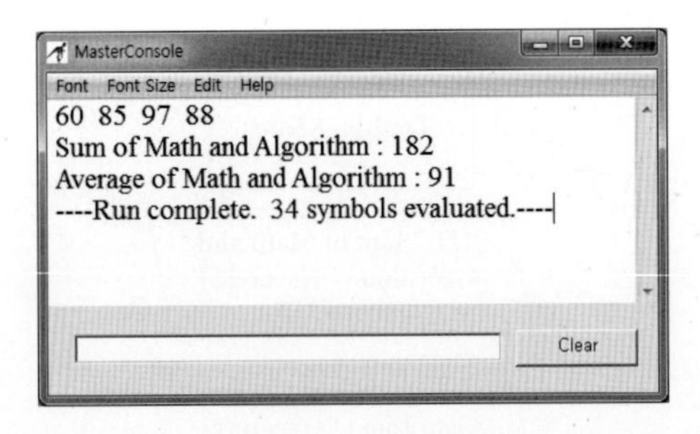

배열을 이용하여 변수를 score 하나로 통일하였고, 반복문을 이용하여 하나의 Output으로만 점수를 모두 출력하였다. 입력의 경우 입력되는 순서를 알고 있다면, 출력과 마찬가지로 반복문을 이용하여 하나의 Input으로 구성할 수 있다. 반복문을 이용하여 배열에 데이터를 저장하거나 저장된 데이터를 읽어 오는 문제는 배열의 인덱스에 해당하는 증감 변수를 잘 활용하여 쉽게 해결할 수 있다.

⠿ 파이썬으로 구현하기 (예제 7-1) : <배열선언 방법 1>

```
score=[0,0,0,0]    # score = [0 for col in range(4)] 와 동일

score[0] = int(input("글쓰기 점수 입력: "))
score[1] = int(input("수학 점수 입력: "))
score[2] = int(input("알고리즘 점수 입력: "))
score[3] = int(input("영어 점수 입력: "))

for i in range(4) :
    print(score[i], end="  ")
print('')
print("수학  알고리즘 합계 : ", score[1]+score[2])
print("수학  알고리즘 평균 : ", (score[1]+score[2])/2)
```

```
글쓰기 점수 입력: 60
수학  점수 입력: 85
알고리즘 점수 입력: 97
영어 점수 입력: 88
60 85 97 88
 수학 알고리즘 합계 : 182
 수학 알고리즘 평균 : 91.0
```

⁝⁝⁝ 파이썬으로 구현하기 (예제 7-1) : <배열선언 방법 2>

```
score = []

score.append(int(input("글쓰기 점수 입력: ")))
score.append(int(input("수학 점수 입력: ")))
score.append(int(input("알고리즘 점수 입력: ")))
score.append(int(input("영어 점수 입력: ")))

for i in range(4):
    print(score[i], end="  ")
print('')
print("수학  알고리즘 합계 : ", score[1]+score[2])
print("수학  알고리즘 평균 : ", (score[1]+score[2])/2)
```

```
글쓰기 점수 입력: 80
수학  점수 입력: 95
알고리즘 점수 입력: 95
영어 점수 입력: 65
80 95 95 65
 수학 알고리즘 합계 : 190
 수학 알고리즘 평균 : 95.0
```

Coding Practice

예제 7-2

사용자로부터 하나의 정수와 공차(common difference)를 위한 정수 값을 입력 받아 입력된 수로부터 10개로 구성된 등차수열을 만들고 출력하는 프로그램을 작성하시오. 단 반드시 배열을 이용하시오.

실행 결과 예시

숫자 입력 : 5
공차 입력 : 8
등차수열 : 5 13 21 29 37 45 53 61 69 77

⠿ 랩터로 설계하기 (예제 7-2)

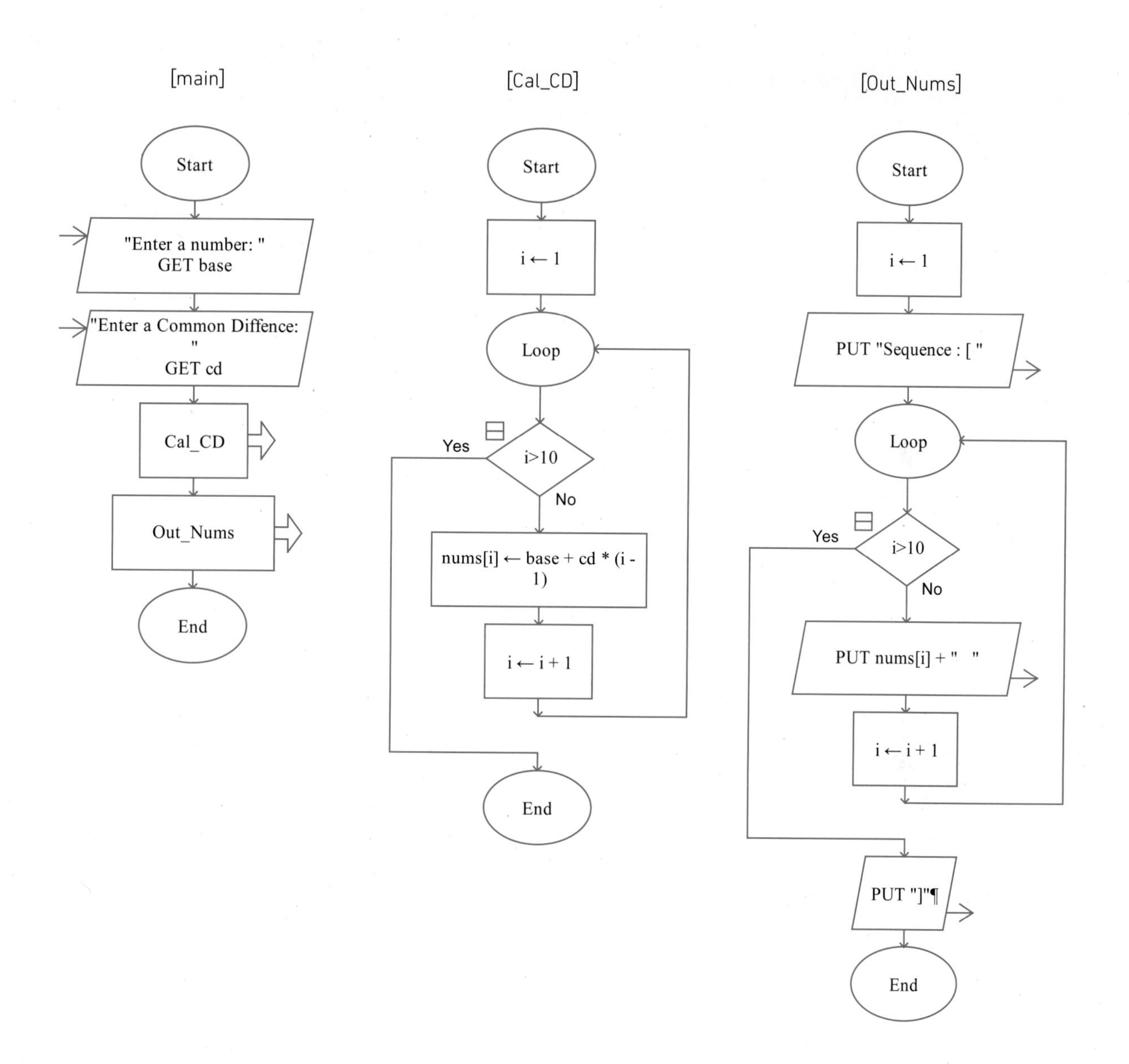

::: 파이썬으로 구현하기 (예제 7-2) : <배열선언 방법 1>

```
nums = [0 for col in range(10)]
base = int(input("숫자 입력: "))
cd = int(input("공차 입력: "))

for i in range(10):
    nums[i] = base+cd*i

print("등차 수열 :", end=" ")
for j in range(0, 10, 1):
    print(nums[j], end=" ")
print("]")
```

```
숫자 입력: 5
공차 입력: 8
등차 수열 : [5, 13, 21, 29, 37, 45, 53, 61, 69, 77]
```

::: 파이썬으로 구현하기 (예제 7-2) : <배열선언 방법 2>

```
nums = []
base = int(input("숫자 입력: "))
cd = int(input("공차 입력: "))

for i in range(10):
    nums.append(base + cd*i)

print("등차 수열 :", end=" ")
print(nums)
```

```
숫자 입력: 6
공차 입력: 7
등차 수열 : [6, 13, 20, 27, 34, 41, 48, 55, 62, 69]
```

1.2.2 2차원 배열

실습 예제 7-1에서 사용한 것과 같은 배열을 1차원 배열이라고 한다. 컴퓨터 프로그램에서는 1차원 형태의 배열에서부터 2차원 배열을 포함한 다차원 형태의 배열을 모두 사용한다.

2차원 배열은 1차원 형태의 배열이 2줄로 나열된 형태로 이해할 수 있다. 이차원 배열의 형태와 사용은 다음과 같다.

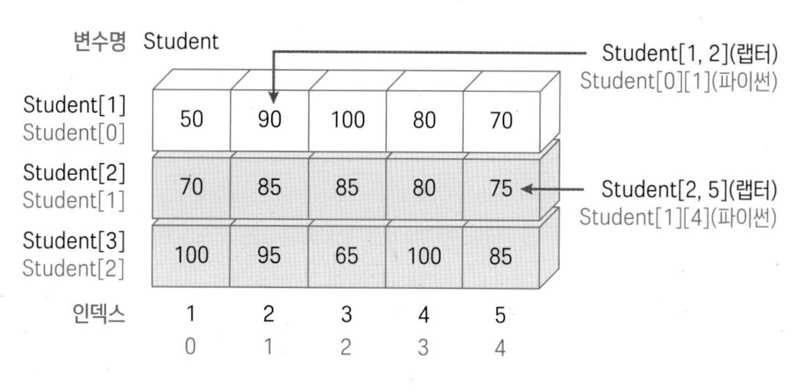

그림 7-3 2차원 배열 개념과 구성 요소

2차원 배열이 필요한 경우를 위해 간단한 성적처리 프로그램을 생각해보자. 3명의 학생을 위한 5과목의 점수 데이터를 저장해야 한다고 가정하면, 먼저 학생 세 명을 위해 1차원적으로 Student[x]이 필요하다. 여기에 학생별 5개 과목 각각의 점수 데이터를 저장하게 하도록 "Student[x, y]" 또는 "Student[x][y]"와 같은 2차원적 구조를 이용하면 될 것이다. 주의해야 하는 것은 저장된 데이터를 읽어 오는 처리를 할 때 각 담당 영역별로 확정된 인덱스를 넘어가지 않도록 해야 한다.

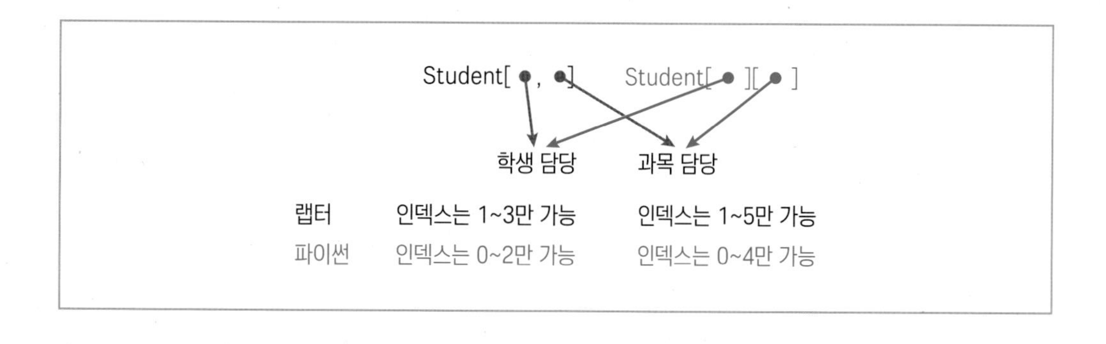

2차원 배열은 행렬의 구조와 같이 행(row)과 열(column)의 개념으로 쉽게 이해할 수 있다. 따라서 행과 열의 구분을 정확하게 하는 것이 중요하며, 행과 열의 순서가 바뀌지 않게 주의해야 한다. 1차원 배열에 데이터를 저장 또는 읽기 위해 반복문을 사용한 것처럼 2차원 배열에서는 행을 위한 반복문과 열을 위한 반복문을 중첩해서 사용하게 된다.

중첩된 반복문으로 2차원 배열을 활용할 때는 행과 열의 둘 중에 어느 하나를 기준으로 바깥 루프와 내포된 루프를 결정하여 처리 절차를 구성한다.

Coding Practice

예제 7-3

배열과 중첩된 반복문을 이용하여 구구단 1단에서부터 9단까지 출력하는 프로그램을 작성하시오.

- main은 구구단을 계산하여 2차원 배열 gugu[x, y]에 저장하는 "Cal_GuGu"와 gugu 배열에 저장된 결과 값을 출력하는 "Output_GuGu"로 분할하여 프로그램을 작성하였다.
- 출력 시 선택문을 이용해 결과 값의 자리 맞춤을 하였다.

∷ 랩터로 설계하기 (예제 7-3)

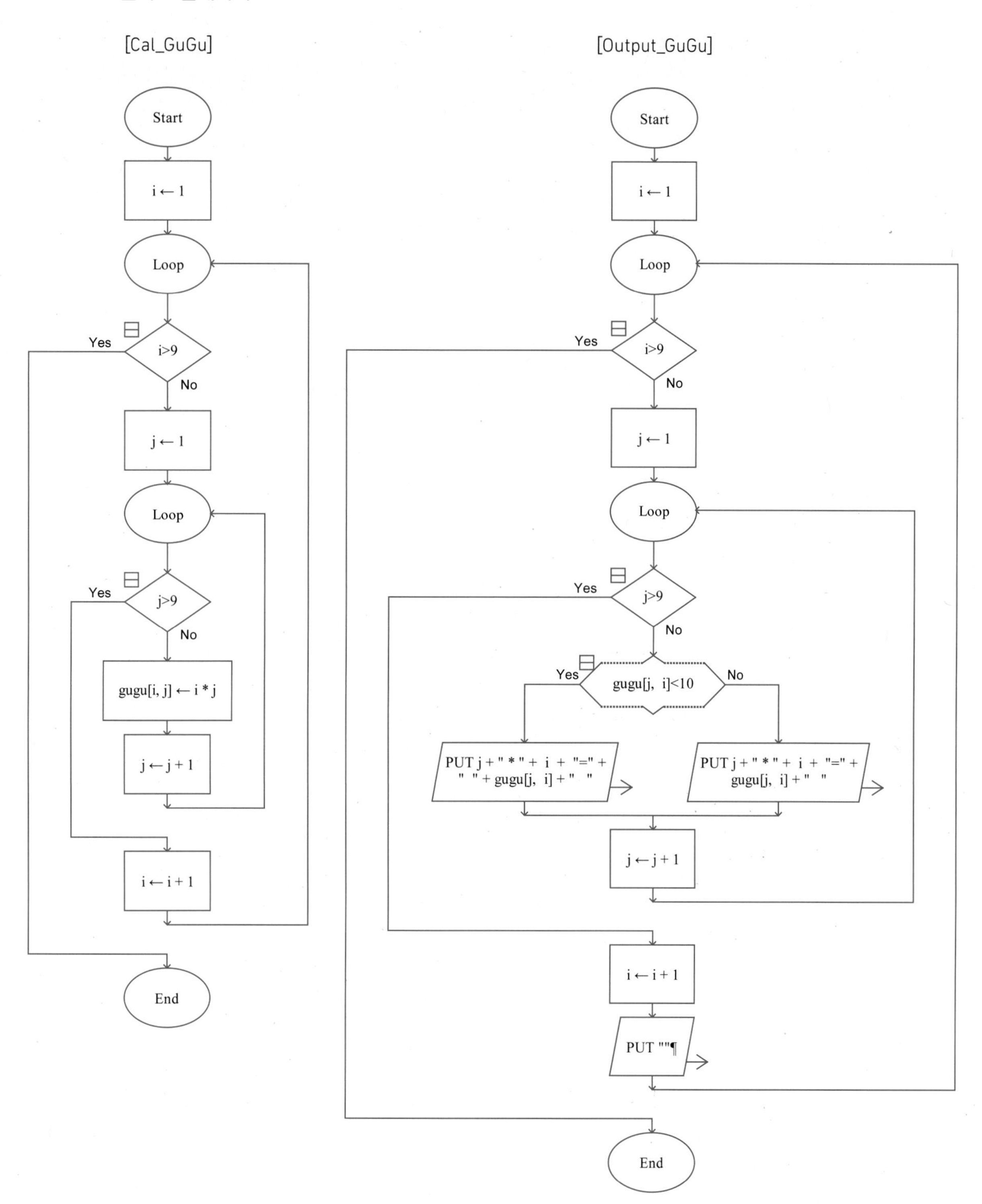

::: 파이썬으로 구현하기 (예제 7-3)

```
gugu = [[0 for col in range(9)] for row in range(9)]

## Cal_GuGu
for i in range(1,10):
    for j in range(1,10):
        gugu[i-1][j-1] = i*j

## Output_GuGu
for i in range(1,10):
   for j in range(1,10):
      if gugu[i-1][j-1]<10 :
         print("{0} * {1} =  {2}".format(j, i, gugu[i-1][j-1]), end="   ")
      else :
         print("{0} * {1} = {2}".format(j, i, gugu[i-1][j-1]), end="   ")
   print("")
```

```
1*1=1 2*1= 2 3*1= 3 4*1= 4 5*1= 5 6*1= 6 7*1= 7 8*1= 8 9*1= 9
1*2=2 2*2= 4 3*2= 6 4*2= 8 5*2=10 6*2=12 7*2=14 8*2=16 9*2=18
1*3=3 2*3= 6 3*3= 9 4*3=12 5*3=15 6*3=18 7*3=21 8*3=24 9*3=27
1*4=4 2*4= 8 3*4=12 4*4=16 5*4=20 6*4=24 7*4=28 8*4=32 9*4=36
1*5=5 2*5=10 3*5=15 4*5=20 5*5=25 6*5=30 7*5=35 8*5=40 9*5=45
1*6=6 2*6=12 3*6=18 4*6=24 5*6=30 6*6=36 7*6=42 8*6=48 9*6=54
1*7=7 2*7=14 3*7=21 4*7=28 5*7=35 6*7=42 7*7=49 8*7=56 9*7=63
1*8=8 2*8=16 3*8=24 4*8=32 5*8=40 6*8=48 7*8=56 8*8=64 9*8=72
1*9=9 2*9=18 3*9=27 4*9=36 5*9=45 6*9=54 7*9=63 8*9=72 9*9=81
```

Coding Practice

예제 7-4

3×3행렬 A와 B의 합을 구하는 프로그램을 작성하시오. 단 행렬 A와B는 1~9사이의 정수로 랜덤하게 생성되게 만들어 저장하시오.

실행 결과 예시

A 행렬 :
10 20 30
40 50 60
70 80 90

B 행렬 :
1 2 3
4 5 6
7 8 9

A+B 행렬 :
11 22 33
44 55 66
77 88 99

알고리즘 만들기 힌트

① 행렬의 합 구하는 방법의 이해

$$\begin{bmatrix} a_1 & a_2 & a_3 \\ a_4 & a_5 & a_6 \\ a_7 & a_8 & a_9 \end{bmatrix} + \begin{bmatrix} b_1 & b_2 & b_3 \\ b_4 & b_5 & b_6 \\ b_7 & b_8 & b_9 \end{bmatrix} = \begin{bmatrix} a_1 + b_1 & a_2 + b_2 & a_3 + b_4 \\ a_4 + b_4 & a_5 + b_5 & a_6 + b_6 \\ a_7 + b_7 & a_8 + b_8 & a_9 + b_9 \end{bmatrix}$$

- $C = A + B$이라고 하면 행렬 C의 한 원소는 $a_n + b_n$이다.
- C배열의 한 원소는 A[1, 1]+B[1,1]로 계산된다.

랩터로 설계하기 (예제 7-4)

- 반복된 작업을 줄이기 위해 함수를 설계하여 프로그램 작성
- 행렬 생성
  - Create_Matrix(out matrix)
  - 생성해서 돌려받음
- 행렬 합 계산
  - Add_Matrix(in A, in B, out C)
  - 두 개의 행렬을 전달하고 계산된 하나의 행렬을 돌려받음
- 행렬 출력
  - 출력하고자 하는 행렬 전달

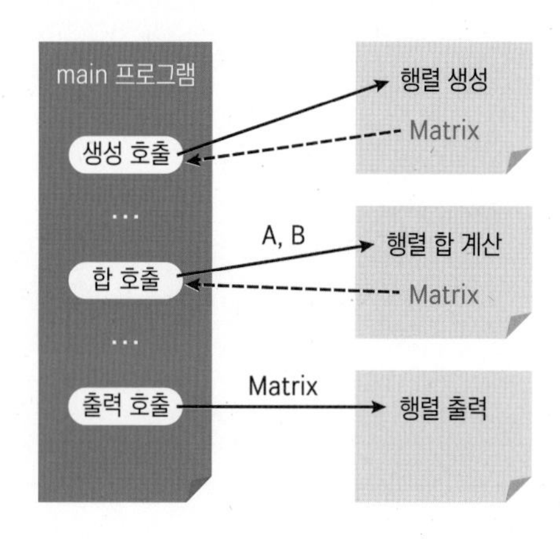

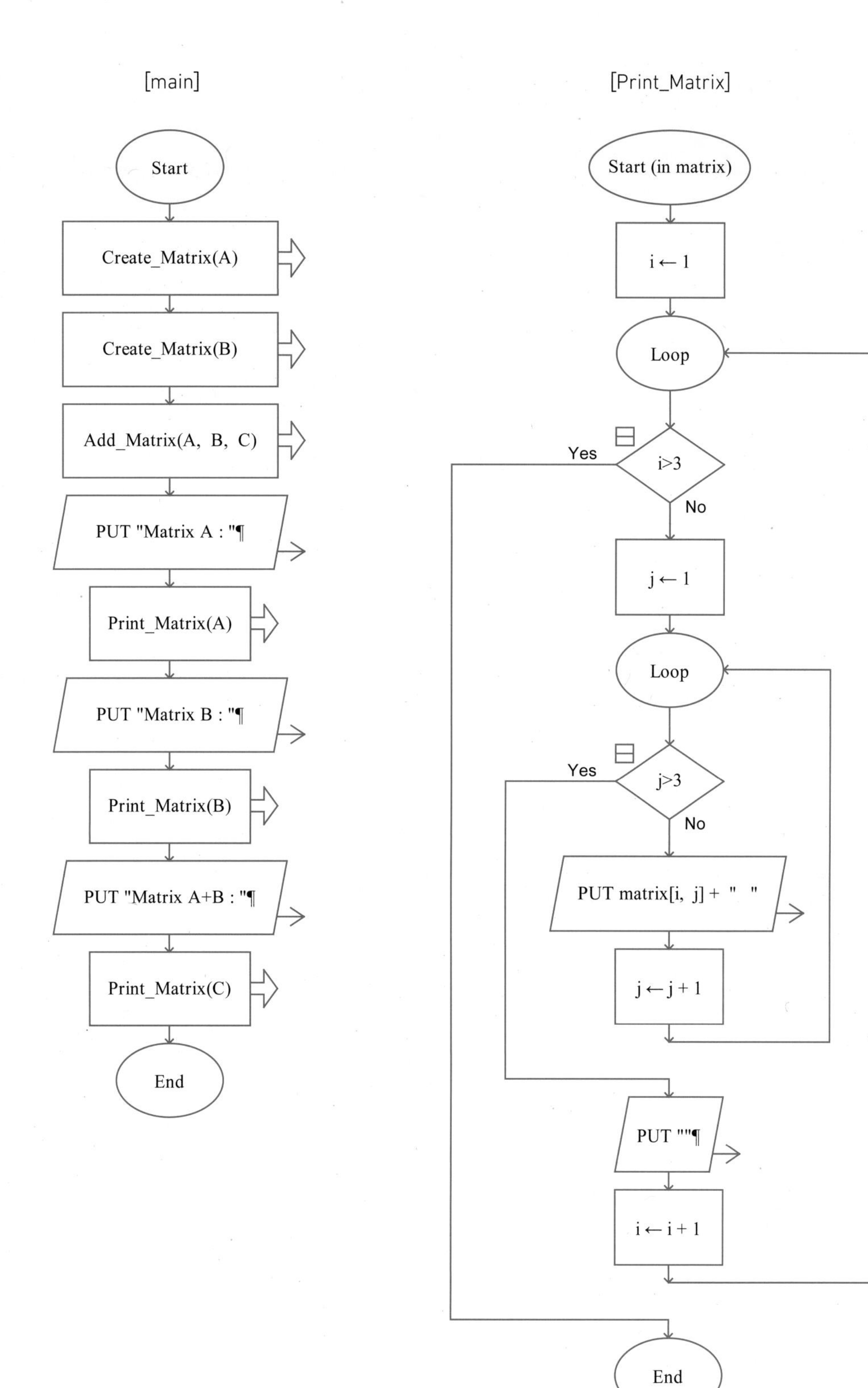
[main]
Start
Create_Matrix(A)
Create_Matrix(B)
Add_Matrix(A, B, C)
PUT "Matrix A : "¶
Print_Matrix(A)
PUT "Matrix B : "¶
Print_Matrix(B)
PUT "Matrix A+B : "¶
Print_Matrix(C)
End
[Print_Matrix]
Start (in matrix)
i ← 1
Loop
i>3
Yes
No
j ← 1
Loop
j>3
Yes
No
PUT matrix[i, j] + " "
j ← j + 1
PUT ""¶
i ← i + 1
End

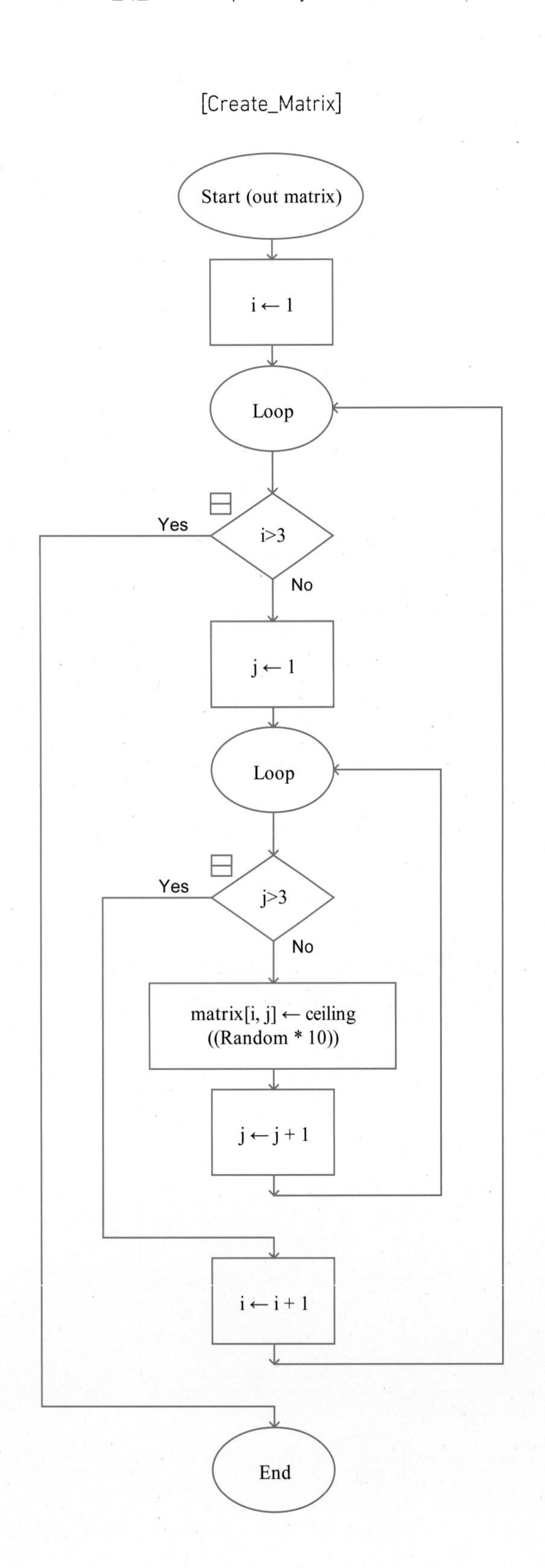
[Create_Matrix]
Start (out matrix)
i ← 1
Loop
i>3
Yes
No
j ← 1
Loop
j>3
Yes
No
matrix[i, j] ← ceiling ((Random * 10))
j ← j + 1
i ← i + 1
End

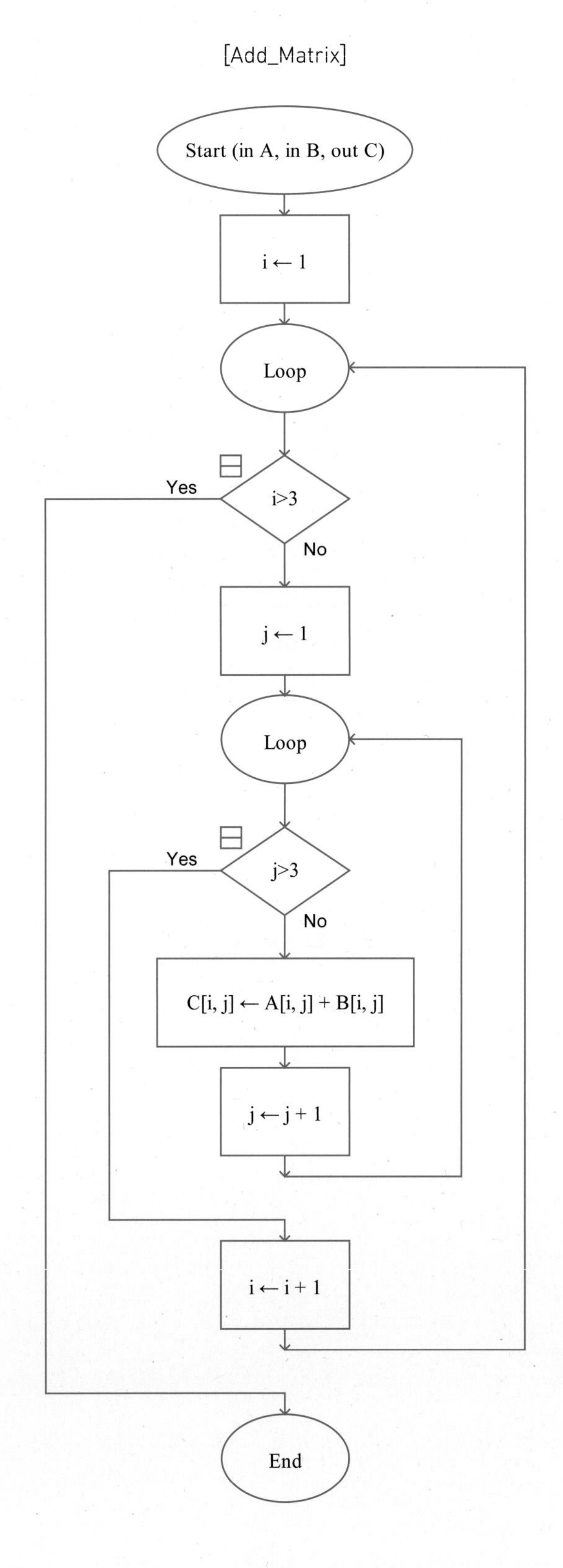
[Add_Matrix]
Start (in A, in B, out C)
i ← 1
Loop
i>3
Yes
No
j ← 1
Loop
j>3
Yes
No
C[i, j] ← A[i, j] + B[i, j]
j ← j + 1
i ← i + 1
End

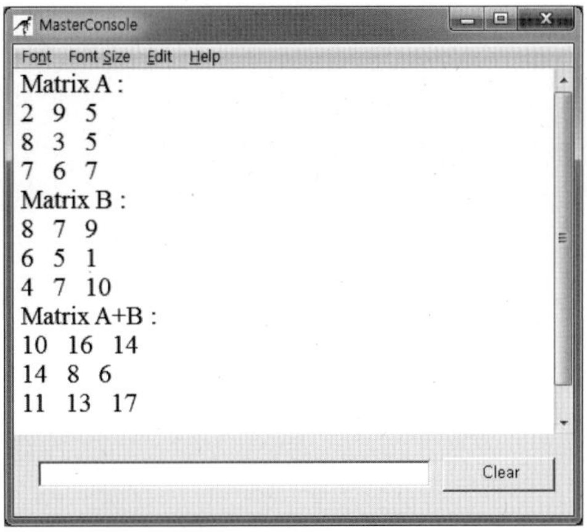

```
Matrix A :
2  9  5
8  3  5
7  6  7
Matrix B :
8  7  9
6  5  1
4  7  10
Matrix A+B :
10  16  14
14  8  6
11  13  17
```

파이썬으로 구현하기 (예제 7-4)

```
import random as rand

## 함수 정의
def Create_Matrix( ):
    matrix = [[0 for col in range(3)] for row in range(3)]
    for i in range(3):
        for j in range(3):
            matrix [i][j] = rand.randint(1, 10)
    return matrix

def Add_Matrix(A, B):
    matrix = [[0,0,0],[0,0,0],[0,0,0]]
    for i in range(3):
        for j in range(3):
            matrix[i][j] = A[i][j] + B[i][j]
    return matrix

def Print_Matrix(matrix):
    for i in range(3):
        for j in range(3):
            print(matrix[i][j], " ", end='')
        print("")
```

```
## main 영역
A = Create_Matrix()
B = Create_Matrix()
C = Add_Matrix(A, B)
print("Matrix A : ")
Print_Matrix(A)
print("Matrix B : ")
Print_Matrix(B)
print("Matrix A+B : ")
Print_Matrix(C)
```

```
Matrix A :
1 2 5
1 7 10
9 9 7
Matrix B :
6 1 9
5 2 5
6 1 4
Matrix A+B :
7 3 14
6 9 15
15 10 11
```

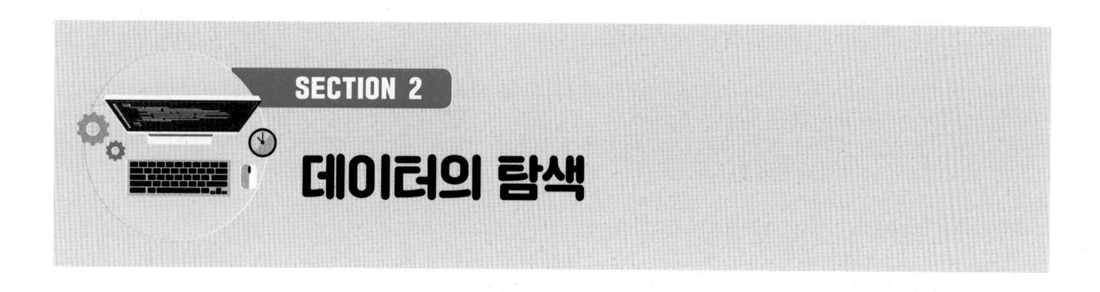

2.1 탐색이란?

일상에서 우리는 필요한 것을 찾아서 사용한다. 도서관에 있는 많은 책들 중에서 읽고 싶은 수필집을 찾거나, 마트에서 물건을 사고 계산할 때 가지고 있는 현금 중에서 적당한 액수의 금액을 찾아 계산한다. 탐색(search)은 컴퓨터 프로그램에서 빈번히 발생하는 작업이다. 요즘 같이 넘쳐 나는 데이터 중에서 필요한 자료를 빨리 찾을 수 있는 것은 중요한 능력 중에 하나이다. 이와 마찬가지로 컴퓨터 프로그램에서도 효과적이면서도 정확하게 데이터의 탐색을 수행하는 것이 중요하다.

그림 7-4 일상에서 이루어지는 탐색

탐색은 여러 개의 데이터 중에서 원하는 데이터를 찾는 작업이다. 탐색 중에서 가장 기초적인 방법이 배열을 사용하여 데이터를 저장하고 활용하는 것이다. 그러나 배열은 순차적인 방법으로 데이터를 다룬다. 컴퓨터에서는 탐색 성능을 향상하고자 이진 탐색 트리와 같은 보다 진보된 방법으로 데이터를 저장하고 탐색하고 있다.

탐색의 대상이 되는 것을 항목(item)이라고 한다. 간단하게는 우리가 배열에 저장해 둔 숫자들을 항목이라고 생각하면 된다. 찾고자하는 목적에 따라 항목과 항목을 구별시켜주는 키(key)가 존재하며, 이를 탐색키(search key)라고 한다. 즉 탐색이란 찾고자하는 목적에 해당하는 탐색키로 데이터로 이루어진 여러 개의 항목 중에서 원하는 탐색키를 가지고 있는 항목을 찾는 행위이다.

컴퓨터 프로그램에서는 다양한 탐색 기법(알고리즘)을 이용하여 빠른 시간 내에 정확하게 찾고자하는 데이터를 찾아내고 있다. 기초 설계에서는 배열을 이용하여 데이터를 찾는 방법에 대해 학습한다.

2.2 배열을 이용한 데이터 탐색

2.2.1 순차 탐색(Sequential Search)

순차 탐색은 탐색 방법 중에서 가장 간단하고 쉬운 탐색 방법이다. 순차 탐색은 배열에 저장된 데이터 항목들을 처음부터 마지막까지 하나씩 검사하여 원하는 항목을 찾는 방법이다. 순차 탐색은 가장 쉬운 방법이지만 반대로 가장 비효율적인 방법이다. 예를 들어 100개의 숫자가 저장되어 있는 배열에서 탐색키로 "500과 같은 수"를 사용하여 숫자를 찾는다고 가정해보자. 500이 100번째 저장되어 있거나 아예 없다면, 100개의 데이터를 읽어와 비교하는 작업을 해야 한다. 반대로 3번째 저장되어 있었다면 운이 좋은 경우일 뿐이다.

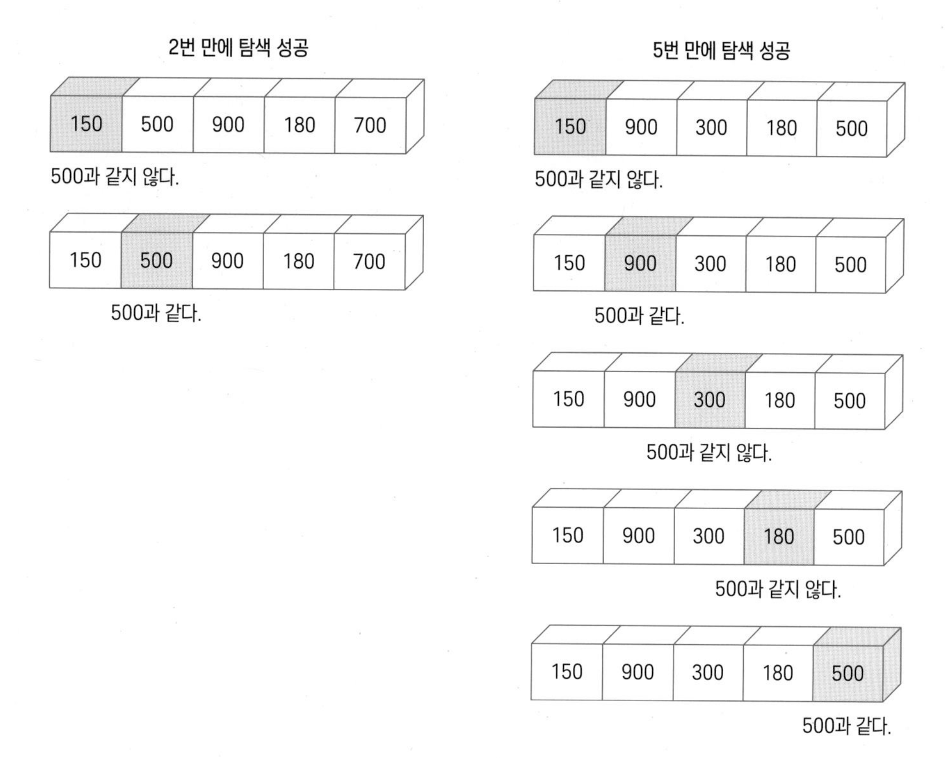

그림 7-5 순차 탐색 방법의 이해

Coding Practice

예제 7-5

5×5인 2차원 배열에 들어 있는 수중에서 5를 찾아 그 개수를 화면에 출력하는 프로그램을 작성하시오. 배열의 수는 0~9 사이의 수를 자동으로 생성되게 하시오.

랩터로 설계하기 (예제 7-5)

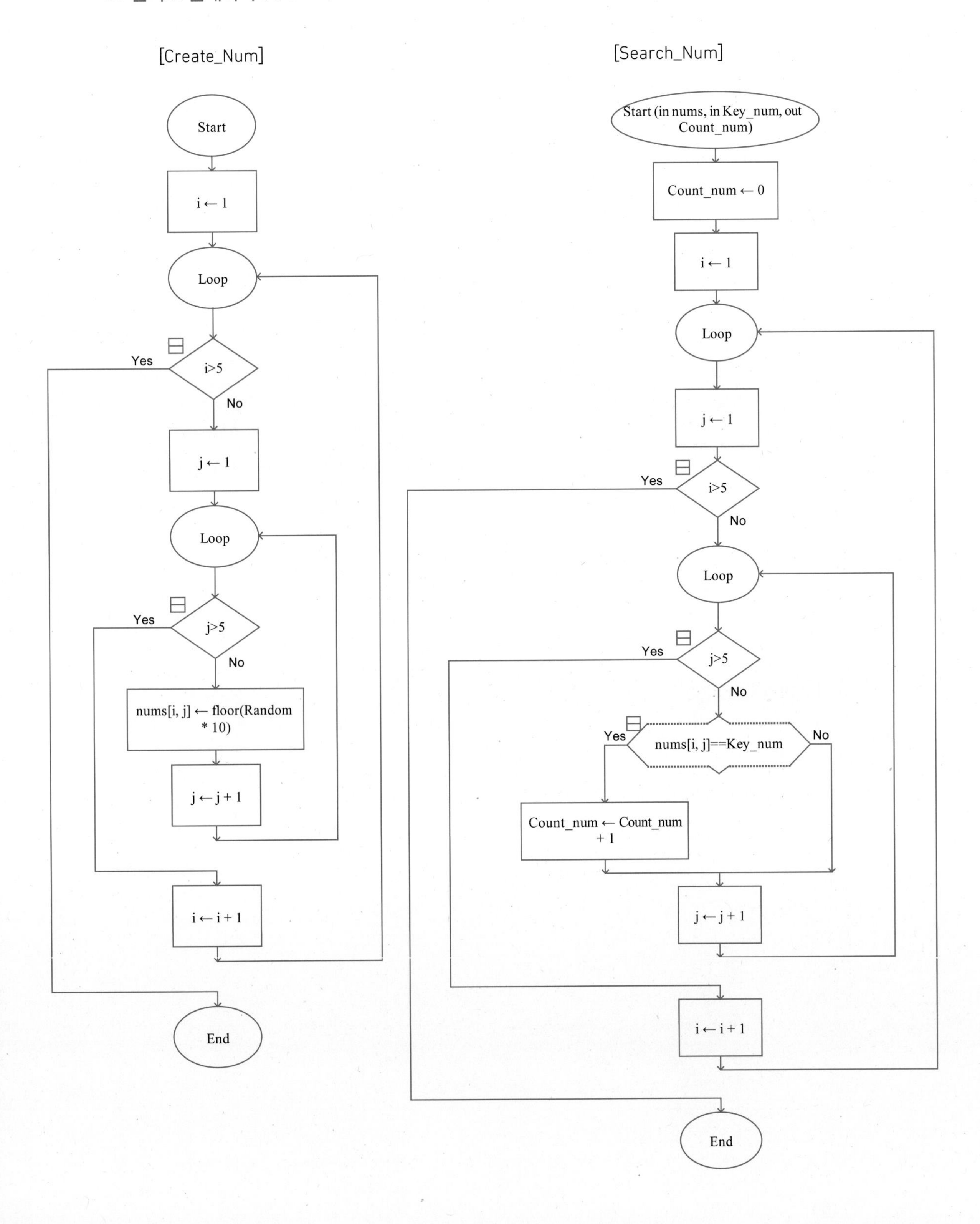

[main]

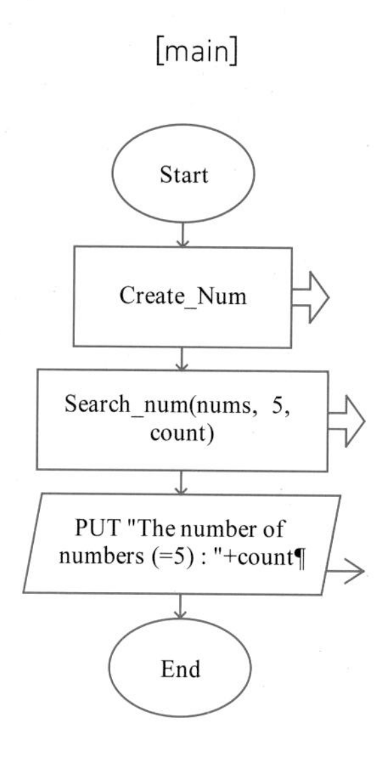

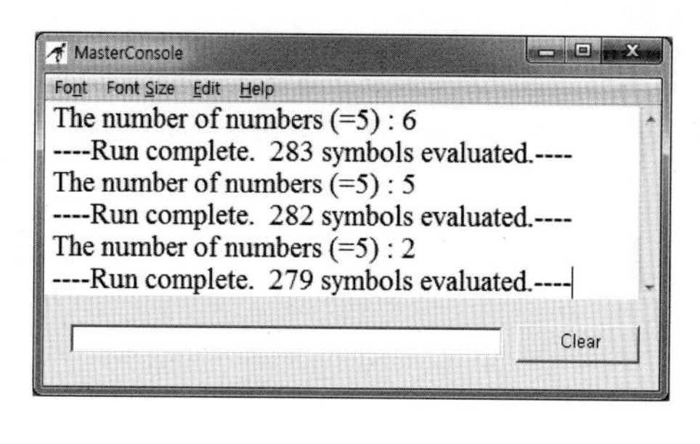

⁝⁝⁝ 파이썬으로 구현하기 (예제 7-5)

```
import random

## 함수 정의
def Search_Num(matrix, key_num):
    count_key = 0
    for i in range(5):
        for j in range(5):
            if matrix[i][j] == key_num:
                count_key += 1
    return count_key

## main 영역
nums = [[0 for col in range(5)] for row in range(5)]
for i in range(5):
    for j in range(5):
        nums[i][j] = random.randint(1, 10)

count_num = Search_Num(nums, 5)
print("2차원 배열에 포함된 5의 갯수 : ", count_num)
print(nums)
```

```
2차원 배열에 포함된 5의 개수 : 4
[ [8, 7, 7, 10, 7], [9, 2, 9, 1, 2], [6, 5, 10, 5, 5], [4, 4, 10, 4, 5] ]
```

 **Coding Practice**

예제 7-6

5×5인 2차원 배열에 들어 있는 수중에서 8을 찾는 프로그램을 작성하시오. 배열의 수는 0~9 사이의 수를 자동으로 생성하고, 비교하여 8이 처음 발견되면 탐색을 종료하고 몇 번의 탐색으로 찾았는지를 화면에 출력하시오.

 **Coding Practice**

예제 7-7

5×5인 2차원 배열에 들어 있는 수중에서 7보다 큰 수를 찾는 프로그램을 작성하시오. 배열의 수는 0~9 사이의 수를 자동으로 생성하고, 비교하여 7보다 큰 수가 발견된 횟수를 화면에 출력하시오.

예제 7–5를 이용하면 쉽게 프로그램으로 만들 수 있을 것이다. 도전해 보자.

■ 순차 탐색법의 시간 복잡도

순차 탐색의 알고리즘은 배열의 처음에서부터 마지막까지 탐색키를 만족하는 항목을 찾거나 모든 항목을 검색할 때까지 비교 연산을 반복적으로 수행한다. 따라서 순차 탐색 알고리즘의 복잡도는 탐색이 성공하는 경우 반복이 중단된 시점까지의 횟수가 결정된다. 즉 모든 항목에 대하여 탐색키가 만족할 확률이 동일하다고 가정하면 평균 비교 횟수는 다음과 같다.

$$\frac{(1+2+3+\cdots+n-1+n)}{n}=\frac{(n+1)}{2}$$

n : 항목수

따라서 순차 탐색이 성공할 경우 평균 $(n+1)/2$번의 비교가 필요하고, 탐색이 실패할 경우 n번 모두를 비교하므로 시간 복잡도는 $O(n)$이 된다.

2.2.2 이진 탐색(binary Search)

순차 탐색은 대상을 삼는 데이터들에 규칙을 고려하지 않는 방법이다. 만약 배열에 저장된 값이 오름차순이나 내림차순으로 정렬이 되어 있다면, 이진 탐색이 순차 탐색보다 효과적인 방법이다.

이진 탐색은 배열의 중앙에 있는 값을 조사하여 탐색키를 만족하는 항목이 왼쪽 또는 오른쪽에 위치하는지 알아내어 탐색의 범위를 반으로 줄이게 된다. 같은 방법으로 매 탐색 시마다 탐색해야 하는 범위를 반으로 줄여나간다. 예를 들어 100만 건의 데이터 중에 찾고자 하는 하나의 데이터가 있다면, 이진 탐색을 이용하면 이론적으로 20번 만에 찾아낼 수 있게 된다.

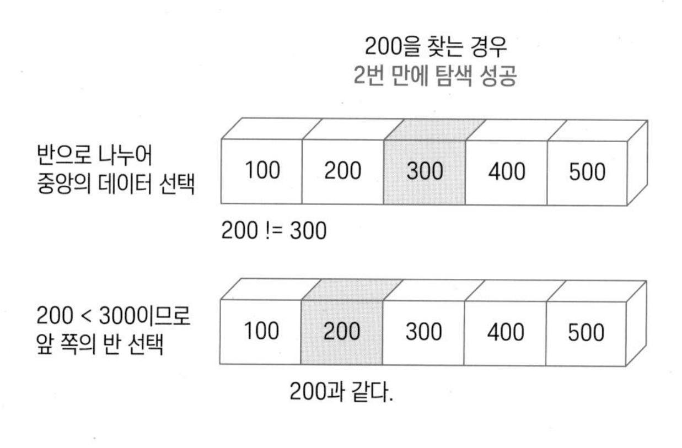

그림 7-6 이진 탐색의 이해

이진 탐색의 복잡도는 n개의 자료를 2등분하여 탐색하기 때문에 $O(\log_2 n)$이며, 이는 획기적으로 복잡도를 줄이는 방법이다.

따라하기 7-1

이진 탐색은 방법이 정해져 있으므로 알고리즘을 이해하면, 프로그램 작성에 활용할 수 있다.

::: 랩터로 설계하기 (따라하기 7-1)

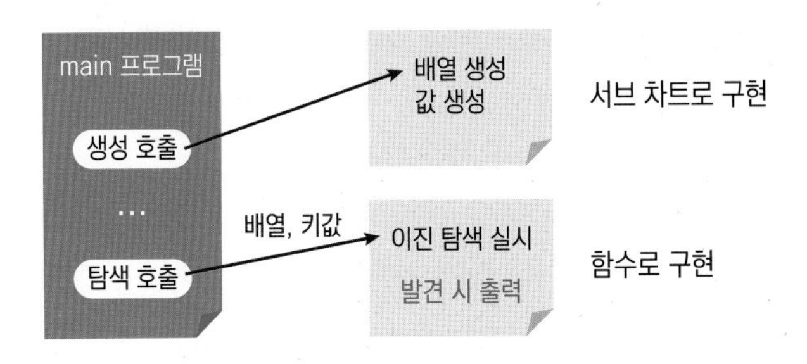

① 10~150까지의 정수 15개의 생성하여 배열에 차례대로 저장

- Array_Create 서브 차트로 분할하여 작업
- 반복문을 이용하여 arr[ ] 배열에 값을 저장 arr[i] ← i * 10
- 생성과 동시에 화면에 출력

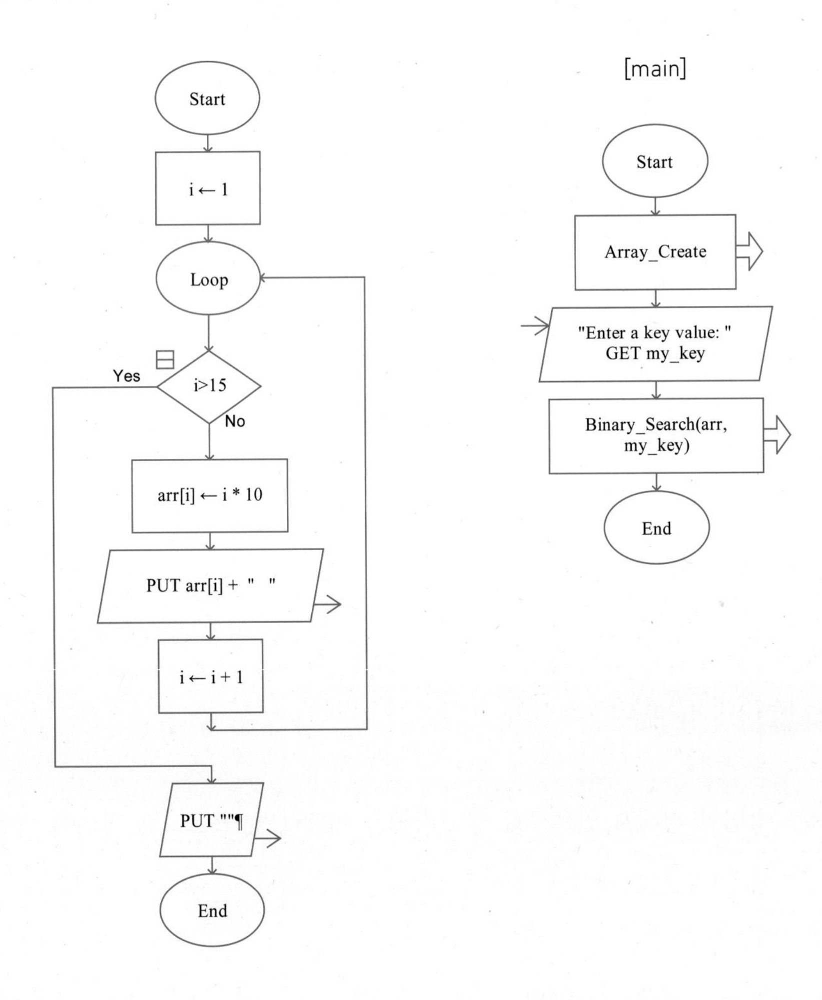

② 이진 탐색 처리를 위한 Binary_Search 함수 만들기

- Binary_Search 프로시저 생성
- 입력 매개변수로 arr과 key 설정
  (생성한 배열과 사용자로부터 입력받은 key값 사용)
- 입력 매개변수
  - arr : 생성한 배열
  - key : 사용자가 입력한 탐색용 key 값
- 배열의 탐색 위치 결정을 위한 변수 초기화
  - low : 배열의 처음 위치 값
  - high : 배열의 마지막 위치 값
- key값 탐색 성공 유무를 위한 변수 초기화
  - found : 발견 1, 미발견 0
- 이진 탐색을 위한 탐색 위치 이등분
  - middle ← (low+high)/2
  - 배열의 인덱스는 정수만 해당
    floor( )를 이용하여 정수로 변환
- BS_core 서브차트로 분할

③ Bs_core 서브 차트에 이진 탐색 핵심 기능 작성

- 이등분 한 위치의 값과 key 값이 같은 경우
  - key 값과 같은 데이터의 위치 정보 출력
  - key 값을 찾았다고 표시
  - 반복문을 지속할 필요가 없으므로
    반복문의 종료
- 이등분 한 위치의 값과 key 값이
  같지 않은 경우
  - Key 값이 현재 위치의 값보다
    크다면, 찾는 값은 상위 영역에
    해당하므로 이등분할 영역의 low를

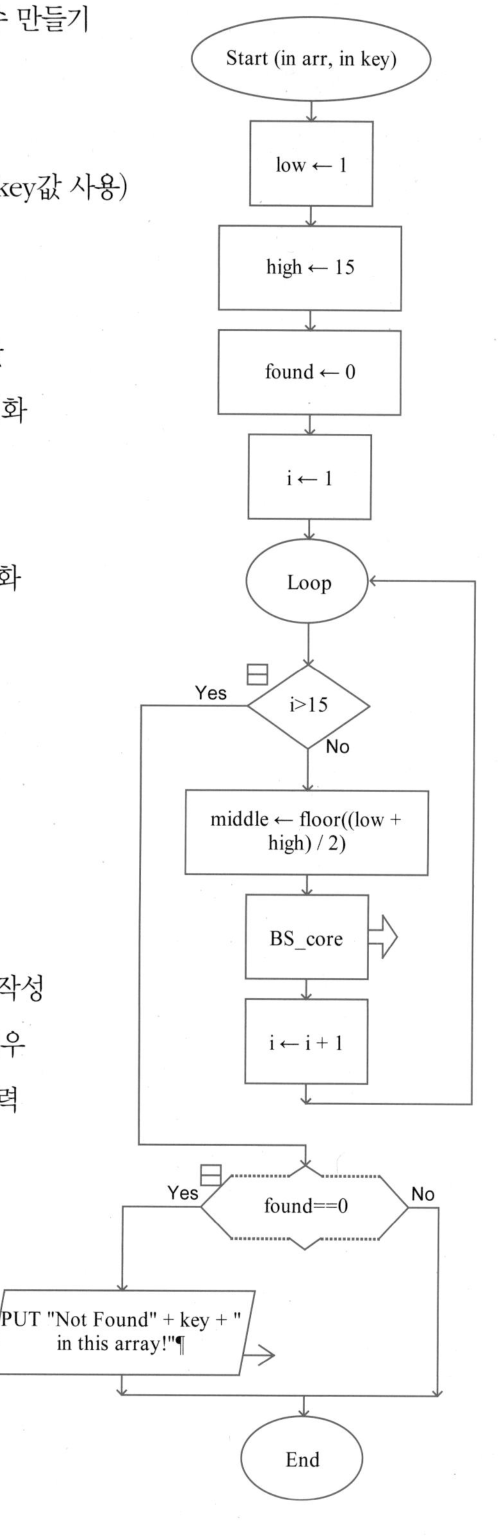

middle 다음으로 변경 (low ← middle + 1)

- 그렇지 않고 Key 값이 현재 위치의 값보다 작다면, 찾는 값은 하위 영역에 해당하므로 이등분할 영역의 high을 middle 이전으로 변경 (high ← middle – 1)

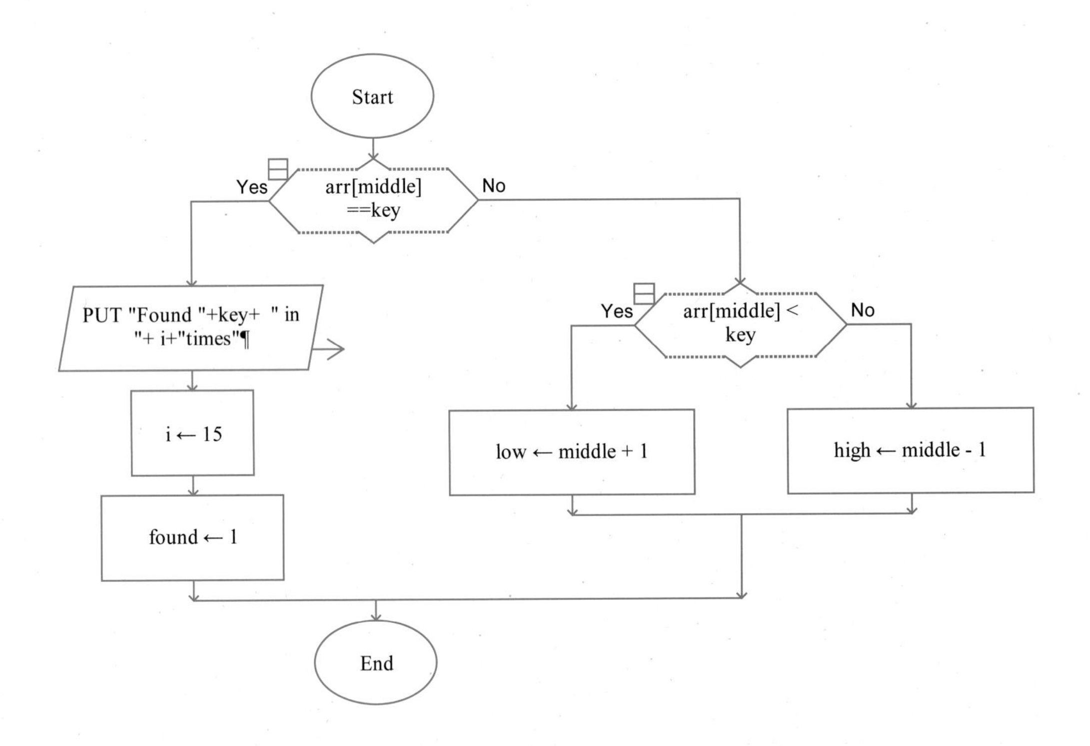

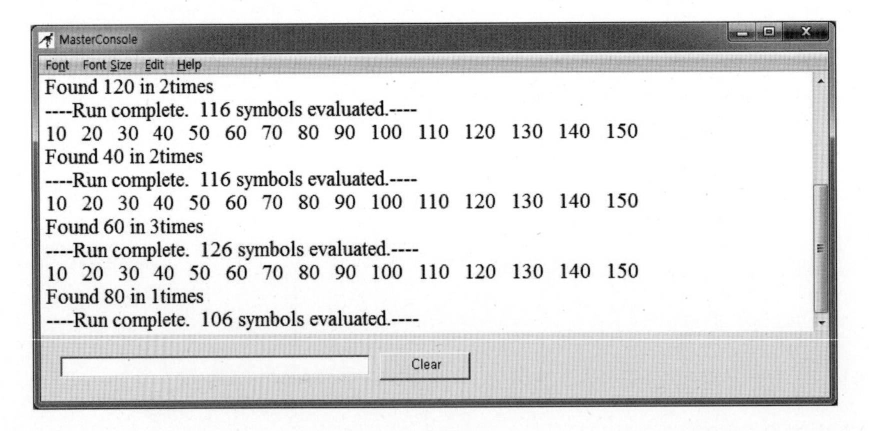

파이썬으로 구현하기 (따라하기 7-1)

```
arr = [0 for col in range(15)]

## 함수 정의
def Binary_Search(array, key) :
    low = 0
    high = len(array)-1
    found = 0
    count = 1

    while(found==0) :
        middle=round((low+high)/2)
        if array[middle] == key :
            print("{0}를 {1}번의 탐색으로 찾았습니다.".format(key,count))
            found = 1
        elif array[middle] < key :
            low = middle+1
        else:
            high = middle-1
        count += 1
    if found == 0 :
        print("{0}를 발견하지 못했습니다.".format(key))

## main 영역 (배열 생성)
for i in range(15):
     arr[i]=i*10+10
print(arr)
my_key = int(input(" 키값 입력 (10~150): "))
Binary_Search(arr, my_key)
```

```
[10, 20, 30, 40, 50, 60, 70, 80, 90, 100, 110, 120, 130, 140, 150]
 키값 입력 (10~150): 140
140를 3번의 탐색으로 찾았습니다.
```

::: 파이썬으로 구현하기 (따라하기 7-1) : for문 사용 (Binary_Search 함수)

```
## 함수 정의
def Binary_Search(array, key):
    low = 0
    high = 14
    found = 0
    for i in range(15) :
        middle=round((low+high)/2)
        if array[middle]==key:
            print("{0}를 {1}번의 탐색으로 찾았습니다.".format(key,i+1))
            found = 1
            break
        elif array[middle] < key:
            low = middle+1
        else :
            high = middle-1
    if found==0 :
        print("{0}를 발견하지 못했습니다.".format(key))
```

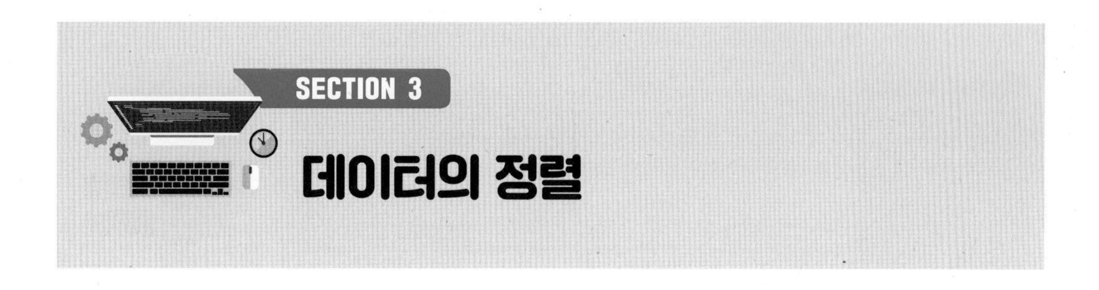

SECTION 3

데이터의 정렬

3.1 정렬이란?

정렬(Sorting)은 물건의 크기를 기준으로 하여 오름차순(Ascending order)이나 내림차순(Descending order)으로 차례대로 나열하는 것을 의미한다. 회원 주소록을 작성할 때 찾기 쉽게 가나다순(오름차순)으로 정리되어 있으면 연락처를 찾을 때 도움이 된다. 도서관의 책들은 제목이나 저자, 또는 발간연도를 기준으로 정렬되어 진다. 따라서, 서로 비교가 가능하다면 어떤 형태의 것도 정렬 가능하다.

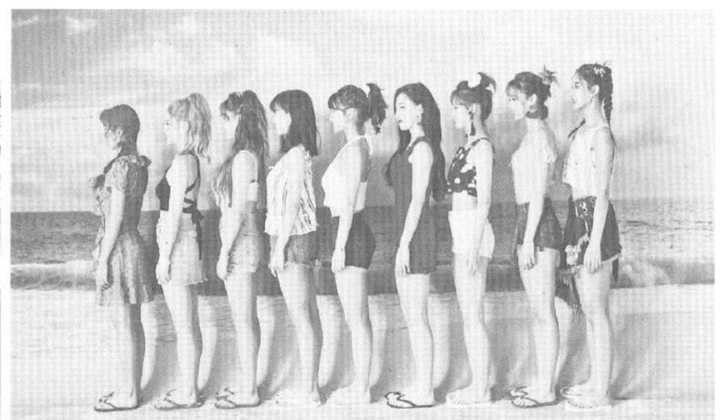

그림 7-7 일상에서 만나는 정렬

정렬은 데이터를 다루는 컴퓨터 프로그램에서는 기본적이고 중요한 알고리즘 중의 하나로 일상에서도 이미 사용하고 있을 것이다. 엑셀과 같은 스프레드 시트에서 정렬 기능을 이용하여 이름 순서나 학년 순서로 데이터를 정렬하는 것은 흔한 일이다. 이런 기능들이 정렬 알고리즘을 사용한 것이다.

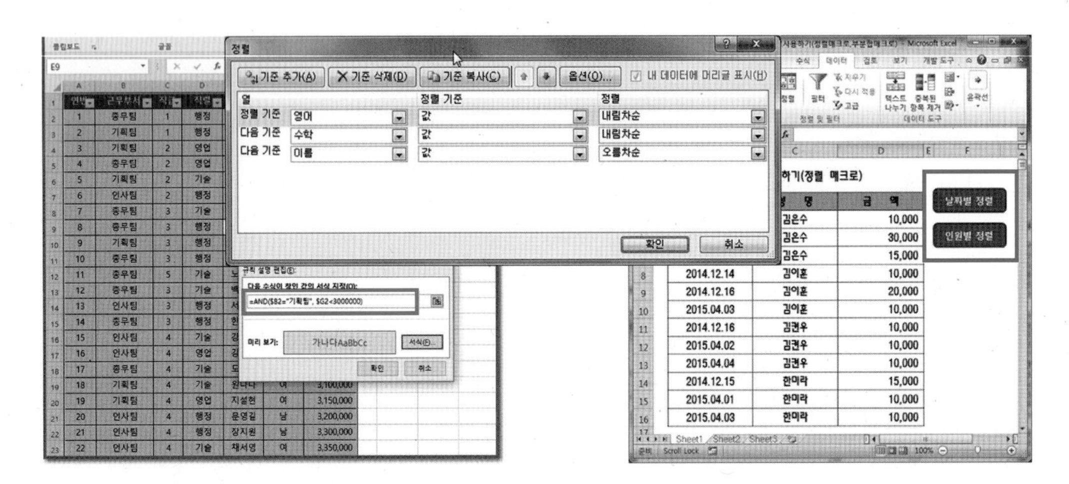

그림 7-8 스프레드 시트 프로그램의 정렬 기능

또한 정렬은 앞서 학습한 데이터의 탐색을 위해서도 필요하다. 정렬되어 있지 않은 자료를 탐색하는 것은 많은 시간이 소요됨을 알고 있을 것이다. 특히 이진 탐색은 데이터가 정렬되어 있음을 전제로 하고 있다. 즉 정렬되어 있지 않은 데이터의 탐색은 매우 비효율적이다.

탐색에서 찾아야 되는 속성을 탐색 키라고 하였다. 이와 마찬가지로 정렬에서도 특정 순서로 만들어 줄 키(key)가 필요하고, 정렬이란 것은 결국 데이터들을 이 키를 만족하는 순서로 재배치하는 것이다.

정렬을 위해 개발된 알고리즘은 매우 다양하고, 조건에 따라 효율성도 차이가 난다. 이러한 정렬 방법들 중에서 현재 해결하고자 하는 문제에 적합하고 효과적인 정렬 알고리즘을 선택하는 것도 중요하다. 컴퓨터 프로그램에서 빈번하게 사용되는 정렬 알고리즘은 크게 2가지로 분류할 수 있다. 단순하지만 비효율적인 알고리즘과 복잡하지만 효율적인 알고리즘으로 다음과 같은 정렬 알고리즘이 있다.

- 단순하지만 비효율적인 방법 : 선택 정렬, 삽입 정렬, 버블 정렬 등
- 복잡하지만 효율적인 방법 : 퀵 정렬, 병합 정렬, 히프 정렬, 기수 정렬 등

3.2 배열을 이용한 데이터 정렬

3.2.1 선택 정렬

선택 정렬(Selection sort)은 가장 직관적으로 이해하기가 쉬운 정렬 방법이다. 비어 있는 배열과 정렬이 필요한 배열 두 개를 두고, 비어 있는 배열에 정렬키 값을 만족하는 순서로 데이터를 옮긴다. 배열이 추가적으로 필요하다는 것이 문제가 된다면, 하나의 배열만으로 선택정렬의 개념을 이해할 수 있다. 데이터가 정렬되어 있지 않은 배열을 최솟값을 기준으로 좌측 영역과 우측 영역을 나누어 서로 비교하여 정렬키 조건에 맞게 교환하면 된다.

즉 배열에서 최솟값을 찾은 다음, 그 최솟값을 배열의 첫 번째 요소와 교환한다. 그리고 첫 번째 요소를 제외한 나머지 요소들 중에서 가장 작은 값을 선택하고, 이를 두 번째 요소와 교환한다. 이런 절차를 되풀이하면 추가적인 배열을 사용하지 않고서도 전체 숫자들이 정렬되어 진다.

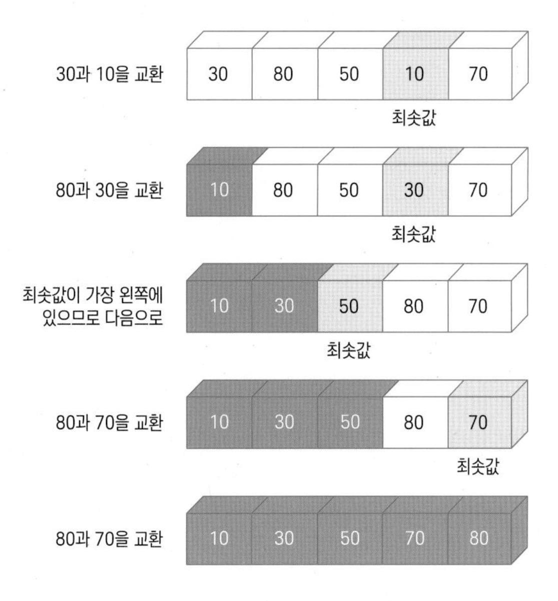

그림 7-9 선택 정렬의 과정 이해

3.2.2 버블 정렬

버블 정렬(Bubble sort)은 인접한 두 개의 데이터를 정렬키의 조건에 따라 비교하여 서로 교환하는 비교-교환 과정을 배열의 시작 지점에서부터 끝 지점까지 진행하는 방법이다. 버블 정렬의 이 과정이 한 번 이루어지면 배열에서 조건을 만족하는 최상 또는 최소의 값이 가장 끝에 정렬되어 진다. 이 과정이 물속에서 거품이 떠오는 것에 비유하여 버블 정렬이라 부른다. 이러한 비교-교환의 한 주기를 배열의 전체 데이터가 모두 정렬될 때까지 반복한다.

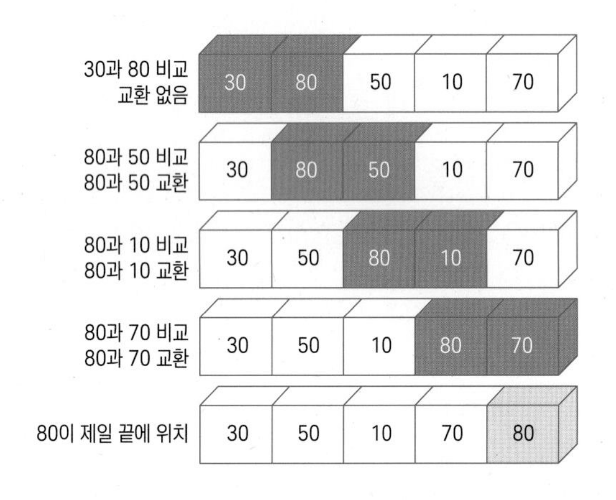

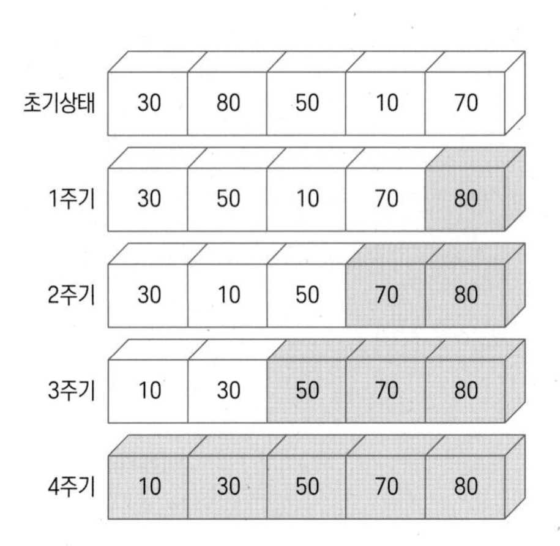

그림 7-10 버블 정렬의 과정 이해

Coding Practice

예제 7-8

1차원 배열에 저장되어 있는 10개의 정수를 버블 정렬 알고리즘을 이용하여 오름차순으로 정렬하는 프로그램을 작성하시오. 랜덤 함수를 이용하여 0~9까지의 수를 생성하여 배열에 저장하고 정렬 전/후의 값을 화면에 출력하여 비교하시오.

실행 결과 예시

```
정렬 전 : 2 7 4 0 3 0 3 9 0 8
정렬 후 : 0 0 0 2 3 3 4 7 8 9
```

알고리즘 만들기 힌트

① 버블 정렬에서는 큰 수가 끝으로 가는 한 주기가 끝날 때마다 비교하는 범위가 1씩 줄어든다.
- (i ← 9)로 초기화 및 반복 시 (i ← i-1)

② 배열 원소의 크기를 비교하는 것은 현재와 현재 다음의 원소를 비교해 나간다.
- 크기 비교를 위한 조건식 : arr[j] > arr[j+1]

랩터로 설계하기 (예제 7-8)

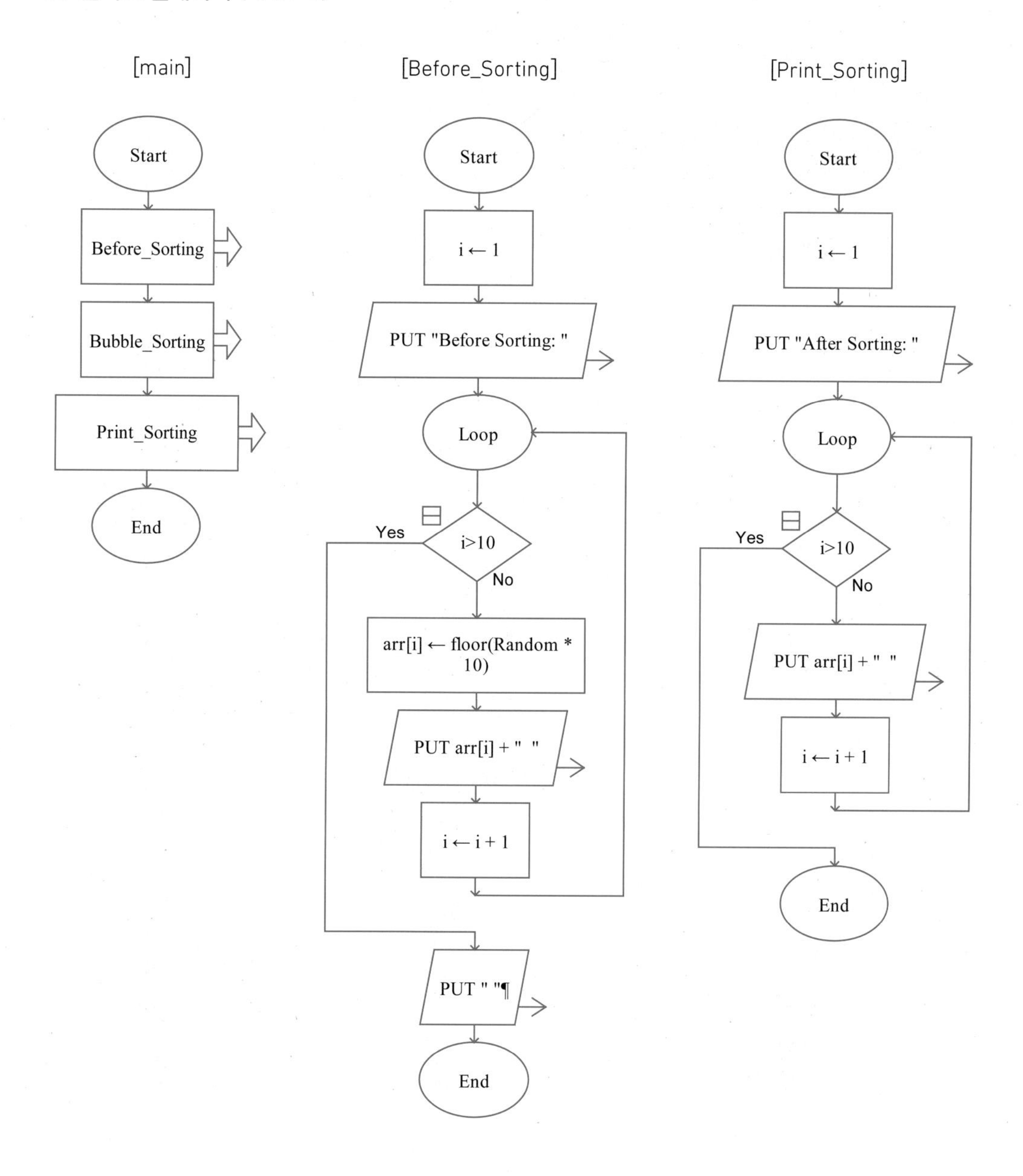

[Bubble_Sorting]

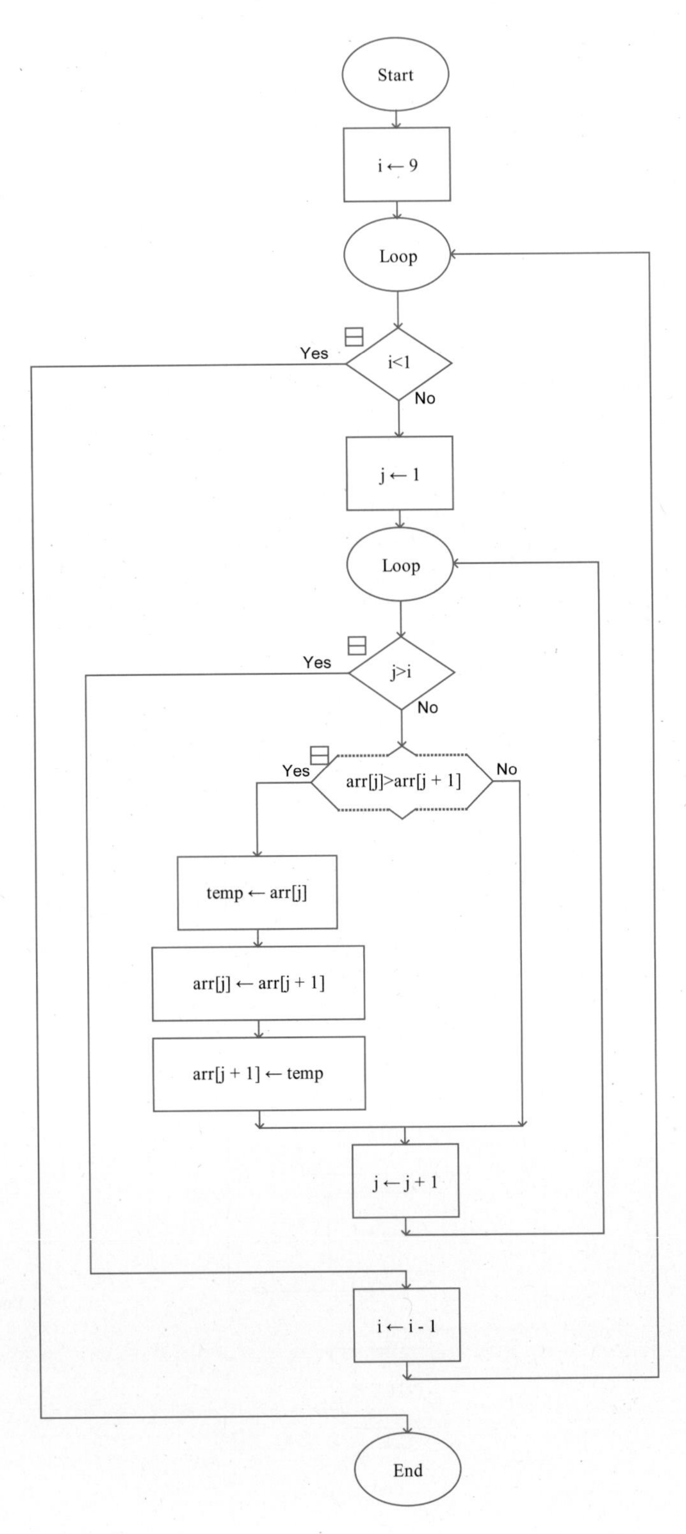

```
MasterConsole
Font  Font Size  Edit  Help
Before Sorting: 4 2 7 0 6 4 3 9 0 4
After Sorting: 0 0 2 3 4 4 4 6 7 9
----Run complete.  410 symbols evaluated.----
Before Sorting: 6 0 0 1 7 2 7 1 9 0
After Sorting: 0 0 0 1 1 2 6 7 7 9
----Run complete.  395 symbols evaluated.----
Before Sorting: 5 5 8 5 0 6 7 1 8 3
After Sorting: 0 1 3 5 5 5 6 7 8 8
----Run complete.  407 symbols evaluated.----
Before Sorting: 0 4 7 4 4 2 6 3 7 2
After Sorting: 0 2 2 3 4 4 4 6 7 7
----Run complete.  404 symbols evaluated.----
Clear
```

파이썬으로 구현하기 (예제 7-8) : <배열선언 방법 1>

```
import random as rand

arr=[0 for col in range(10)]

# Before_Sorting
print("정렬 전 : ", end='')
for i in range(10):
  arr[i] = rand.randint(1,10)
  print(arr[i], end='  ')
print("")

# Bubble_Sorting
for i in range(9, -1, -1) :
  for j in range(0, i, 1) :
    if arr[j]>arr[j+1] :
      temp = arr[j]
      arr[j] = arr[j+1]
      arr[j+1] = temp

# Print_Sorted Array
print("정렬 후 : ", end='')
for i in range(10):
  print(arr[i], end='  ')
```

∷ 파이썬으로 구현하기 (예제 7-8) : <배열선언 방법 2>

```
import random as rand

arr=[]

# Before_Sorting
print("정렬 전 :", end='')
for i in range(10) :
    arr.append(rand.randint(1,10))
print(arr)

# Bubble_Sorting
for i in range(9, -1, -1) :
    for j in range(0, i, 1) :
        if arr[j]>arr[j+1] :
            temp = arr[j]
            arr[j] = arr[j+1]
            arr[j+1] = temp

# Print_Sorted Array
print("정렬 후 :", end='')
print(arr)
```

```
정렬 전 :[9, 4, 4, 9, 9, 9, 7, 2, 5, 1]
정렬 후 :[1, 2, 4, 4, 5, 7, 9, 9, 9, 9]
```

EXERCISE

1. 정수형 배열의 원소 중 최댓값과 최솟값을 찾아서 출력하는 프로그램을 작성하시오. 배열에 저장된 값은 1~50사이의 값을 랜덤하게 생성하시오.

2. 크기가 10인 배열에 등비수열에 해당하는 값을 저장하려고 한다. 사용자로부터 등비수열의 첫 번째 항과 공비 값을 입력받아 배열에 저장하고 이를 출력하는 프로그램을 작성하시오. (등비수열 : 앞의 항에 일정한 수를 곱하여 만드는 수열)

3. 10개의 숫자가 저장되어 있는 배열을 대상으로 저장되어 있는 값들을 역순으로 만드는 프로그램을 작성하시오. 초기 배열에 저장되는 수는 랜덤하게 1~100사이의 정수를 생성하여 저장하고, 화면에 역순 변경 전/후의 배열 값을 모두 출력하여 비교하게 하시오.

4. 1차원 배열에 저장되어 있는 10개의 정수를 선택 정렬 알고리즘을 이용하여 오름차순으로 정렬하는 프로그램을 작성하시오. 랜덤 함수를 이용하여 1~10까지의 수를 생성하여 배열에 저장하고 정렬 전/후의 값을 화면에 출력하여 비교하시오.

5. 3×3 행렬과 3×2 행렬의 곱을 구하는 프로그램을 작성하시오. 각 행렬의 초기 값은 랜덤 함수로 1~10까지의 정수 중에서 생성하게 하고, 행렬 곱을 구하는 함수를 만들어 사용하시오.

6. 사용자로부터 정수 값 하나를 입력 받아 입력받은 정수만큼의 원소 갯수를 갖는 배열을 생성하고, 각 원소에 저장된 값의 합을 구하는 프로그램을 작성하시오. 배열의 원소는 랜턴 함수로 0~99사이의 정수를 생성하여 저장하시오.

EXERCISE

7. 사용자로부터 예매할 좌석수를 입력받아 빈자리를 할당하는 좌석이 10개인 버스의 예매 프로그램을 작성하시오. 예매할 때마다 좌석의 상태를 화면에 출력하고, 더 이상 여유 좌석이 없으면 예매할 수 없음을 화면에 표시한다. ("0"-예매 가능, "X"-예매 불가능) 단 프로그램의 종료는 적절히 구현해야 함.

실행 결과 예시

```
현재 좌석 현황 : [ 0 0 0 0 0 0 0 0 0 0 ]
예매할 좌석 수 : 1
현재 좌석 현황 : [ X 0 0 0 0 0 0 0 0 0 ]
예매할 좌석 수 : 9
현재 좌석 현황 : [ X X X X X X X X X X ]
더 이상 예매할 좌석이 없습니다.
종료 (y/n) :
```

CHAPTER 8

객체지향 프로그래밍 이해

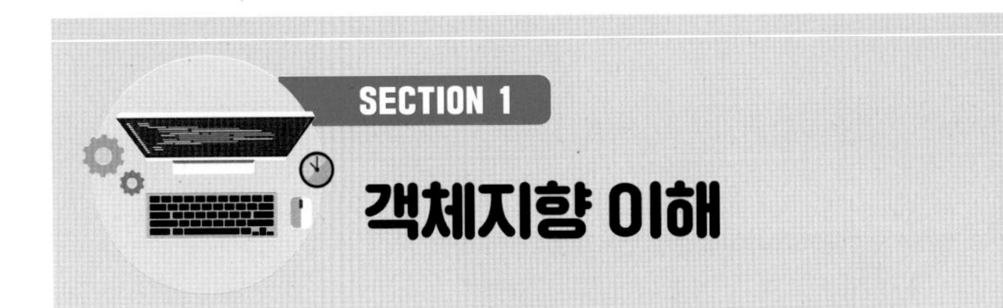

1.1 객체지향 프로그래밍

객체지향 프로그래밍(OOP: Object-Oriented Programming)은 설계 방법론이자 개념으로, 컴퓨터 부품들을 조립하듯 프로그램을 수많은 객체(Object)라는 기본 단위로 나누고 이 객체들의 상호작용으로 서술하는 방식의 프로그래밍 개발 방법이다.

데이터 흐름 기반의 절차적 프로그래밍은 복잡한 로직의 규모가 큰 소프트웨어 개발에 어려움이 많다. 이러한 전통적인 절차적 프로그래밍의 한계를 극복하기 위해 기능을 중심으로 함수 단위로 나누어 구조화하는 구조적 프로그래밍이 등장했고, 구조적 프로그래밍의 함수(또는 프로시저)를 통해 데이터의 처리 방법이 상위로부터 하위로 나누어 구조화(Top-Down)될 수 있었다. 그러나 구조적 프로그래밍 방법은 데이터 자체를 구조화하지 못하는 문제 등이 여전히 남아 있어 함수에 영향을 주는 변수를 추적하는 시간과 노력이 소프트웨어 규모가 커질수록 증가하고, 당연히 유지와 관리를 위한 비용이 증가하는 문제를 야기한다. 이는 고도로 발전하는 하드웨어에 비해 성장하지 못한 소프트웨어의 위기(Crisis)를 초래한 원인이 되기도 하였다. 이를 해결하기 위해 객체지향 프로그래밍이 등장하였다. 객체지향 프로그래밍 방법은 작은 문제를 해결할 수 있는 단위의 객체로 만들어 이들을 조합하여 큰 문제를 해결하는 방법(Bottom-Up)으로 발전하였다.

표 8.1 **구조적 프로그래밍과 객체지향 프로그래밍 비교**

구분	구조적 프로그래밍	객체지향 프로그래밍
해당 언어	C, Pascal, Ada 등	JAVA, C++, Python 등
특징	순차적 처리 중요, 데이터 중심 함수 구현, 강한 결합	기능 중심 메서드 구현, 약한 결합
장점	컴퓨터 처리구조와 유사해 실행속도 빠름	높은 독립성, 신뢰성, 재사용성, 우수한 유지 보수성
단점	유지보수 어려움, 순서 재배열 어려움	개발속도 및 실행속도 비교적 느림

1.2 객체지향 프로그래밍의 필요성

객체지향 프로그램에서 객체는 다른 객체들과 독립적으로 동작이 가능하다. 독립적인 객체들은 다른 객체와의 의존성(Dependency)이 낮다는 의미이며, 이는 객체들 사이의 결합도가 낮다고 표현한다. 프로그램에서 객체 또는 함수들 간에 결합도가 낮으면 하나의 객체(또는 함수)의 일부가 수정되었을 때 다른 객체(함수)들이 받는 영향이 적어진다. 즉 한 객체의 변경으로 인해 다른 객체의 수정이 최소화되기 때문에 결과적으로 유지보수 및 관리 비용이 낮아지는 결과로 이어진다. 더불어 객체지향 프로그래밍에서는 인터페이스 외에는 데이터(속성)와 데이터의 조작(메소드)을 객체 내부로 숨겨짐(Information Hiding)으로 인해 설계와 다르게 동작할 위험을 최소화할 수 있어 신뢰성(Reliability)이 높아지고, 독립성을 갖춘 단위 설계로 인해 재사용성(Reusability)이 높아지는 장점이 있다.

1.3 객체지향 프로그래밍의 핵심요소

- 추상화(Abstraction) : 객체를 대상으로 프로그래밍의 목적에 맞게 속성(Attribute)과 행위(Behavior)를 해석하는 것
- 캡슐화(Encapsulation) : 객체의 속성(변수)과 행위(기능=함수=메소드)를 하나의 단위로 묶는 것
- 상속(Inheritance) : 객체의 부모-자식 관계를 통해 속성과 행위를 물려받는 것
- 다형성(Polymorphism) : 하나의 속성과 행위가 상황에 따라 다른 의미로 해석 가능하게 하는 것

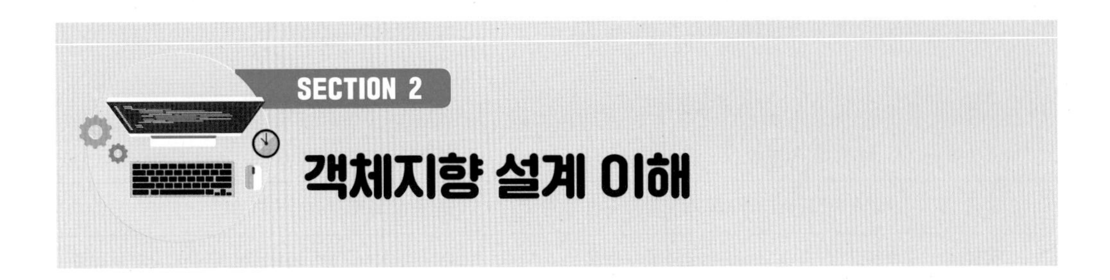

SECTION 2

객체지향 설계 이해

2.1 객체와 클래스

객체지향 프로그래밍을 구성하는 객체(Object)는 속성(Attribute)과 행위, 즉 기능(Method)이 합쳐진 것이다. 속성은 사물의 특징이다. 드론을 예시로 색상, 종류, 비행시간 등은 드론의 특징이다. 기능은 사물의 특징적인 동작이다. 드론은 이륙, 전진, 후진, 좌측 이동, 우측 이동, 착륙 등의 기능이 있다. 둘을 합친 객체로서의 드론은 아래와 같이 설명할 수 있다.

속성	프레임의 색, 비행방법, 프로펠러 개수, 비행시간
기능	상승, 하강, 전진, 후진, 좌측 이동, 우측 이동
속성+기능=객체	4개의 프로펠러를 가진 빨간색 드론은 상승, 하강, 전진, 후진, 좌측 이동, 우측 이동의 기능이 있다.

클래스(Class)는 객체의 속성과 기능을 중심으로 정의하는 것으로 객체를 위한 설계도라고 할 수 있다. 설계가 잘 되어 있는 제품은 설계를 바탕으로 대량 생산이 가능한 것처럼 잘 정의된 클래스를 통해 동일 객체를 계속해서 만들어 사용할 수 있다. 이렇게 만들어진 객체들은 객체별로 독립적인 성격을 갖고, 생성된 객체들 간에는 서로에게 전혀 영향을 주지 않으며, 클래스 안에 같은 목적과 기능을 위해 묶인 코드 요소(속성, 메소드)는 객체 내부에서는 강하게 결합되고 객체 외부로의 영향은 줄일 수 있게 된다.

한편 객체지향 프로그래밍에서는 객체 대신 인스턴스(Instance)라는 용어를 사용하는데, 이는 클래스로 정의된 객체를 바탕으로 프로그래밍에서 실체화된 것을 구분하기 위해 사용된다.

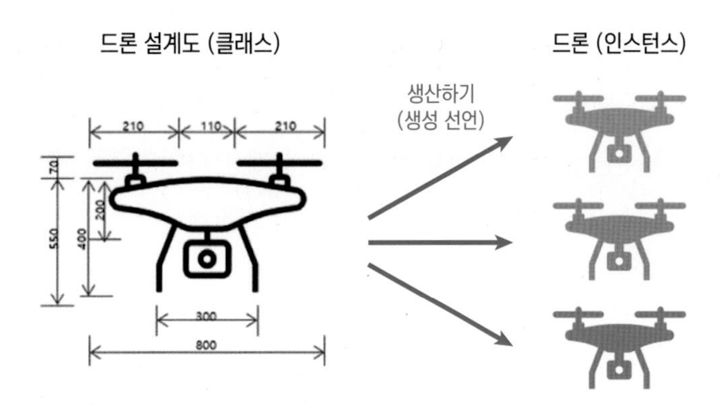

■ 클래스 기반의 객체 사용 순서

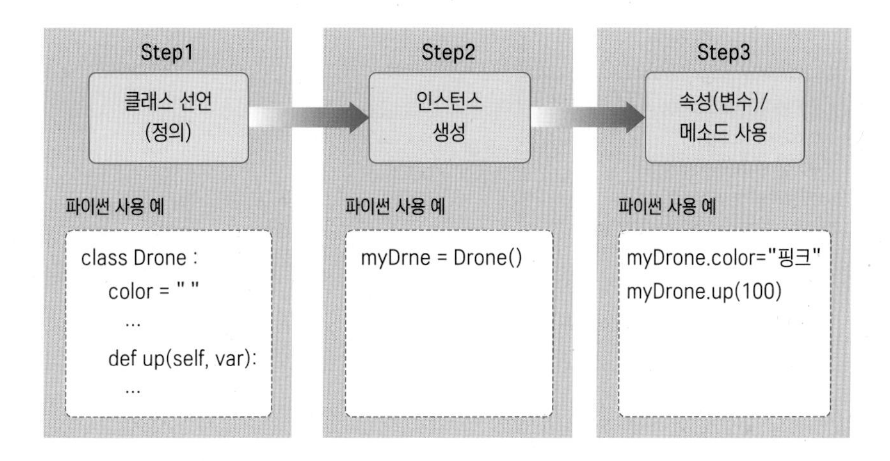

2.2 클래스 선언(정의)과 사용

클래스는 객체의 속성(클래스 내부 변수)과 객체의 행위를 정의하는 메소드(Method)로 이루어진다.

■ 랩터에서는 객체지향 설계의 표준화 도구인 UML(Unified Modeling Language)[1]를 사용하여 클래스를 정의한다.

1 UML은 요구분석, 시스템 설계, 시스템 구현 등의 시스템 개발 과정에서 개발자간의 원할한 의사 소통을 위해 개발되고 표준화된 모델링 언어이다. 특히 객체지향 기반의 소프트웨어 설계에서 객체 정의를 위한 클래스, 클래스 간의 관계를 시각화하여 설계할 수 있는 도구이다.

① 랩터의 Mode 메뉴에서 Object-Oriented 선택하여 객체지향 설계모드로 변경

② 새로 생성된 UML 탭을 선택하여 UML 기반의 클래스 설계 실시

- Add New Class를 클릭하여 화면에 클래스 설계용 다이어그램 추가
- 객체를 의미하는 UML 심볼인 클래스 다이어그램(직사각형) 선택 및 클래스 이름 부여
- Edit Member 창을 이용하여 속성(랩터에서는 Field) 및 메소드 정의

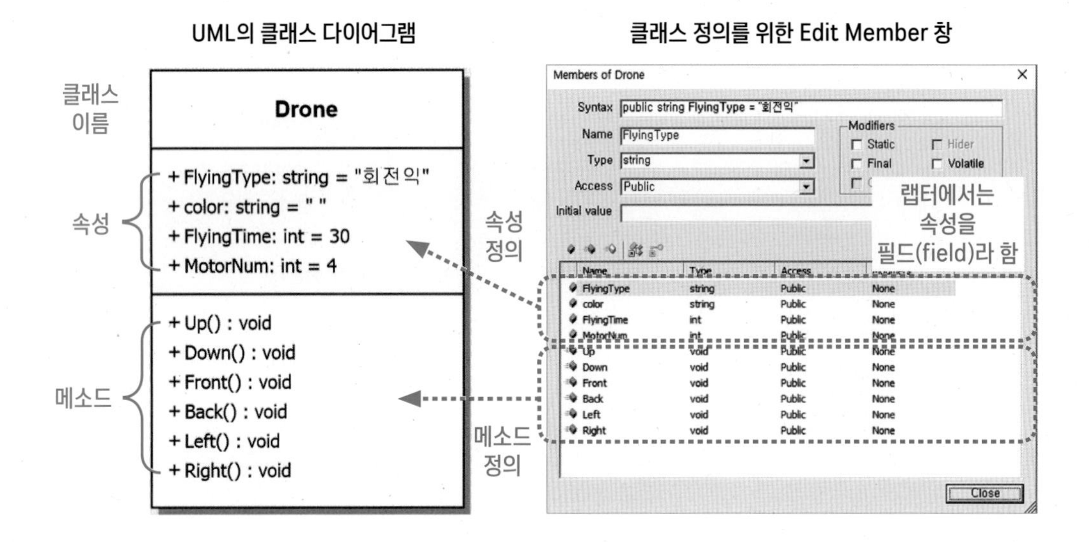

■ 파이썬에서는 class 키워드로 클래스를 선언하고 다음의 구조로 속성과 메소드를 정의한다.

- 속성은 클래스 내부에서 사용하는 변수로 선언 및 활용
- 메소드는 기존의 함수 선언과 동일하게 클래스 내부에서 def 키워드로 선언

```
class 클래스명 :
    속성 선언 및 메소드 정의
```

- 객체의 멤버인 속성과 메소드에 접근할 때는 점(.) 연결자를 이용한다.

```
myDrone = Drone( )
print( myDrone.color ) #점으로 생성된 myDrone의 속성값을 연결하여 사용
```

클래스 정의 시 생성자를 정의하기도 한다. 생성자(Constructor)는 객체가 생성된 후 가장 먼저 호출되는 메소드로 객체의 초기화를 담당한다. 객체가 처음 생성될 때 즉 인스턴스로 호출될 때 멤버 변수(속성)의 값을 초기화하거나 필요에 따라 자원을 할당하기도 한다. 객체 생성 시 호출되기 때문에 생성자라고 부른다. 랩터로 클래스를 설계할 때 "Edit Member" 창에서 생성자를 선택하여 만들 수 있다. 이때 생성자는 클래스 이름과 동일한 이름으로 생성자가 만들어진다.

파이썬에서는 클래스 정의 내부에 def 키워드와 고정된 이름인 __init__ 예약어를 사용하여 정의한다. __init__( )는 앞뒤에 언더바(_)가 2개씩 있고, init 는 Initialize의 약자이다. 랩터처럼 클래스 명과 동일한 이름으로 또는 생성자 예약어를 다른 용도로 사용하지 않도록 주의하자.

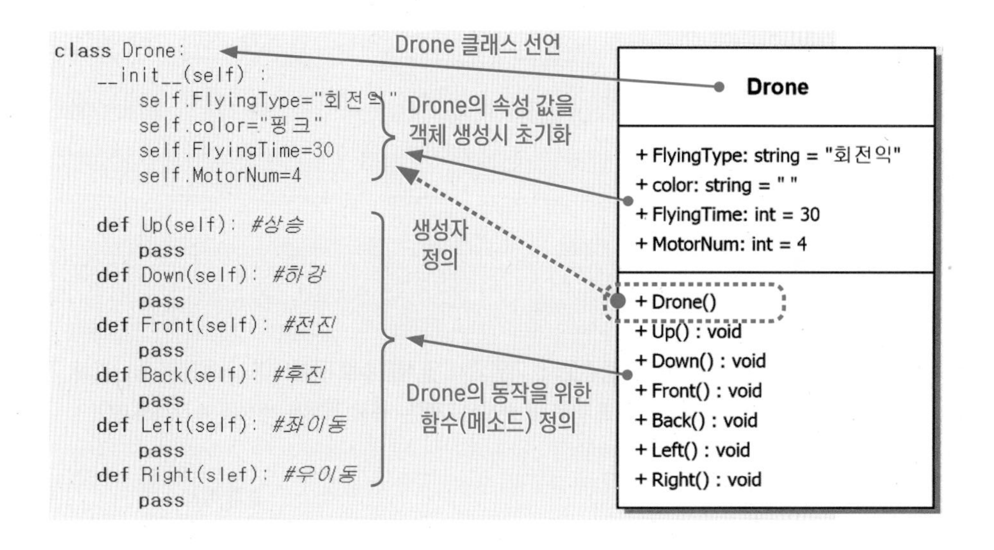

위 파이썬 코드에서 생성자는 "__init(self)__"라고 정의되었다. 파이썬 메소드에 사용되는 self가 의미하는 것은 "자신"으로 메소드가 소속되어 있는 객체 자신을 말한다. 파이썬의 클래스에서 메소드는 객체를 호출할 때 호출한 객체 자신이 전달되기 때문에 항상 첫 번째 매개 인자로 self를 전달해야 한다.

```
class MemInfo:
    name =" "
    email = ""
    ...
    def add_mem(self, new_name, new_email) :
        self.name = new_name
        self.email = new_email
    ...
newMem = MemInfo( )
newMem.add_mem("홍길동", "gildong@ikw.ac.kr")
```

MemInfo 외부에서는 'newMem'이라는 이름으로 객체를 다룰 수 있고, 정보 추가를 위한 메소드인 'add_mem'을 통해 멤버를 추가한다. 이때 객체 내부에서는 newMem처럼 객체를 지칭할 수 있는 이름이 없으므로 self가 도입되는 것이다. 랩터와 기타 언어에서는 self와 유사한 개념으로 this를 사용한다.

Coding Practice

예제 8-1

과목별 성적을 처리하고자 한다. 성적은 중간고사, 기말고사, 출석점수로 구성되며, 과목명과 중간고사, 기말고사, 출석 점수를 입력 받아 과목별 총점과 평균 및 학점을 구하는 과목 객체를 생성하여 작성하시오.

과목 객체 설계

클래스명	Subject	
속성(필드)	name	과목명 문자형(string)
	sum	총점 숫자형(int)
	avg	평균 숫자형(double)
	grade	학점 문자형(string)
메소드	subject	생성자(파이썬의 _init_)
	get_name( )	과목명 리턴(string 형)
	get_sum( )	총점 리턴(int 형)
	get_avg( )	평균 리턴(double 형)
	get_grade( )	학점 계산 및 리턴(string 형)
	calculate( )	입력된 점수를 이용하여 총점과 평균 구함(void 형)

출력 예시

```
SW과목 총점 : 275
SW과목 평균 : 91.6
SW과목 학점 : A
```

⁝⁝⁝ 랩터로 설계하기 (예제 8-1)

Subject
- name: string - sum: int - avg: double = 0.0 - grade: string
+ get_name() : void + get_sum() : void + get_avg() : void + calculate(midscore: int, fi... + Subject() + get_grade() : string

main

Start

sub1 ← new Subject

"Input mid-exam score:"
GET midscore

"Input final-exam score:"
GET finalscore

"Input attendence score:"
GET attendscore

sub1.calculate(midscore, finalscore, attendscore)

PUT sub1.get_name() + " - Total score : " + sub1.get_sum()¶

PUT sub1.get_name() + " - average score : " + sub1.get_avg()¶

PUT sub1.get_name() + " - grade : " + sub1.get_grade()¶

End

클래스(필드와 메소드)

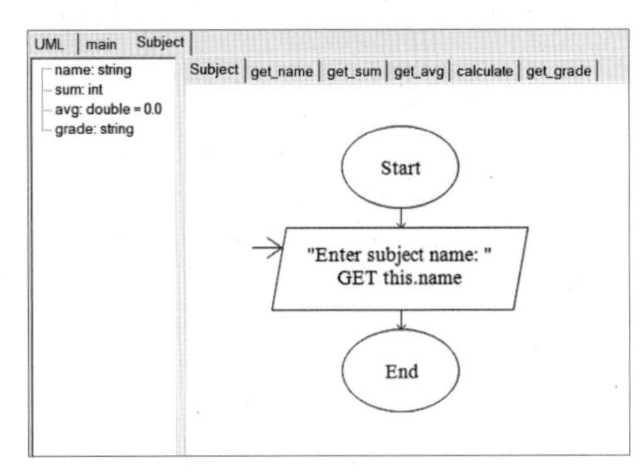

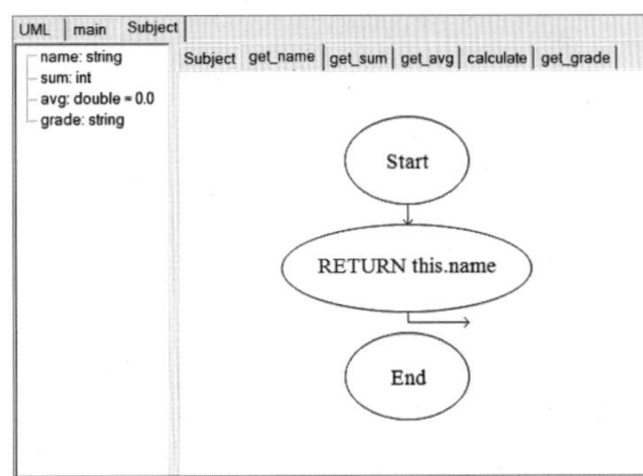

실행결과

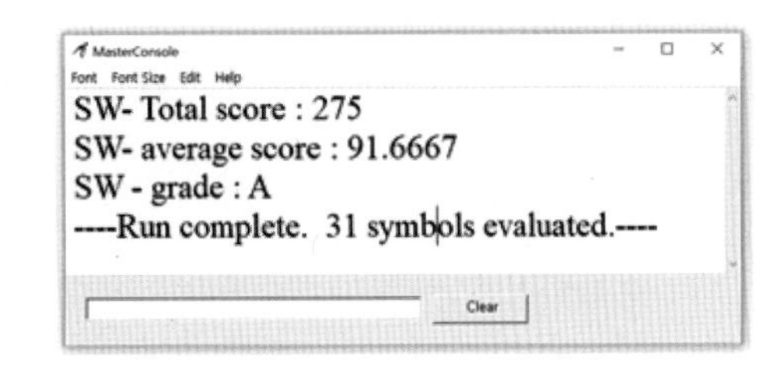

::: 파이썬으로 구현하기 (예제 8-1)

```
## Class 정의
class Subject:
    def __init__(self):
        self.name = input("과목명 입력: ")
        self.avg = 0.0
    def get_name(self):
        return self.name
    def get_sum(self):
        return self.sum
    def get_avg(self):
        return self.avg
    def calculate(self, mdiscore, finalscore, attendscore):
        self.sum = midscore + finalscore + attendscore
        self.avg = self.sum / 3
    def get_grade(self):
        if self.avg >= 90 :
            grade = 'A'
        elif self.avg >=80 :
            grade = 'B'
        elif self.avg >= 70 :
            grade = 'C'
        elif self.grade >= 60 :
            grade = 'D'
        else : grade = 'F'
        return grade

## main 영역
sub1 = Subject()
midscore = int(input("중간고사 점수 입력: "))
finalscore = int(input("기말고사 점수 입력: "))
attendscore = int(input("출석 점수 입력: "))

sub1.calculate(midscore, finalscore, attendscore)

print(sub1.get_name(), "과목 총점: ", sub1.get_sum())
print(sub1.get_name(), "과목 평균: ", sub1.get_avg())
print(sub1.get_name(), "과목 학점: ", sub1.get_grade())
```

```
과목명 입력: SW
중간고사 점수 입력: 85
기말고사 점수 입력: 65
출석 점수 입력: 80
SW 과목 총점: 240
SW 과목 평균: 80.0
SW 과목 학점: B
```

2.3 상속

클래스의 상속(Inheritance)이란 기존 클래스에 있는 필드와 메소드를 그대로 물려받는 새로운 클래스를 만드는 것이다.

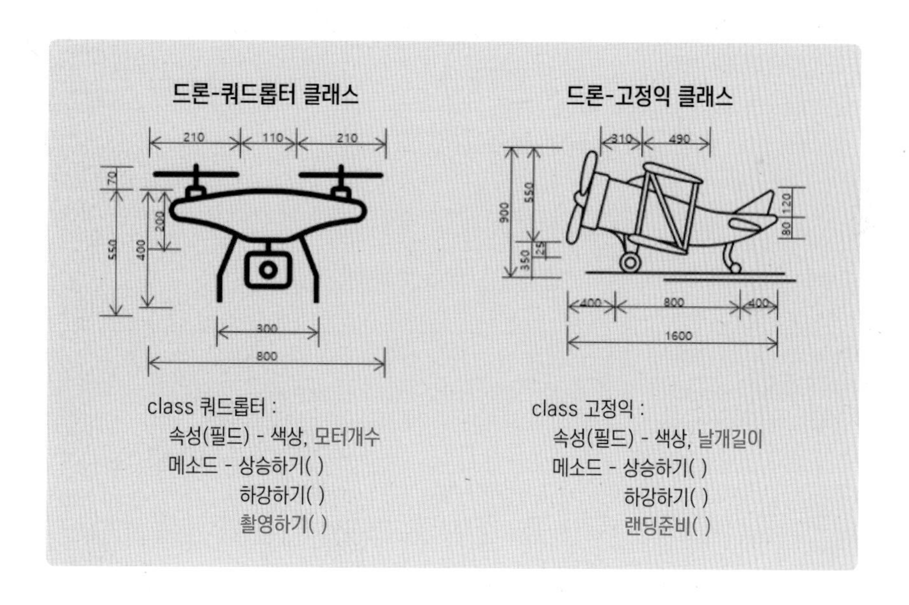

상위 클래스인 드론 클래스를 슈퍼 클래스 또는 부모 클래스라 하고, 쿼드롭터와 고정익 클래스는 서브 클래스 또는 자식 클래스라고 부른다. 클래스의 상속은 공통된 내용을 부모 클래스(예, 드론 클래스)에 두고 자식 클래스(예, 쿼드롭터, 고징익 클래스)로 공통된 내용을 상속받아 활용하게 함으로써 일관되고 효율적인 프로그래밍이 가능하다. 이때 자식 클

래스별로 차별화되는 속성과 메소드만 추가적으로 정의한다. 예를 들어 부모 클래스인 드론으로부터 상승하기, 하강하기 등의 공통된 동작은 상속받아서 사용하고, 쿼드롭터의 별도 기능인 촬영하기와 고정익의 랜딩준비 기능을 자식 클래스에 추가적으로 구현하여 사용하는 방식이다.

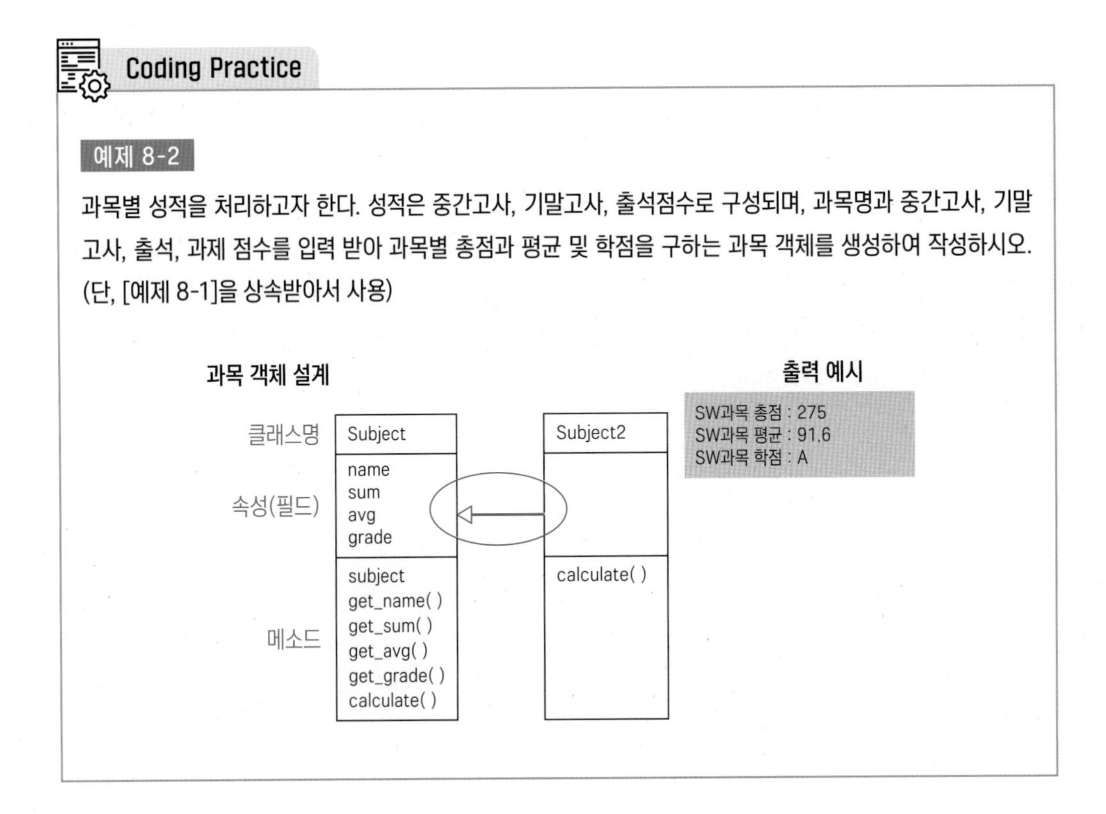
Coding Practice

예제 8-2

과목별 성적을 처리하고자 한다. 성적은 중간고사, 기말고사, 출석점수로 구성되며, 과목명과 중간고사, 기말고사, 출석, 과제 점수를 입력 받아 과목별 총점과 평균 및 학점을 구하는 과목 객체를 생성하여 작성하시오. (단, [예제 8-1]을 상속받아서 사용)

⁝⁝ 랩터로 설계하기 (예제 8-2)

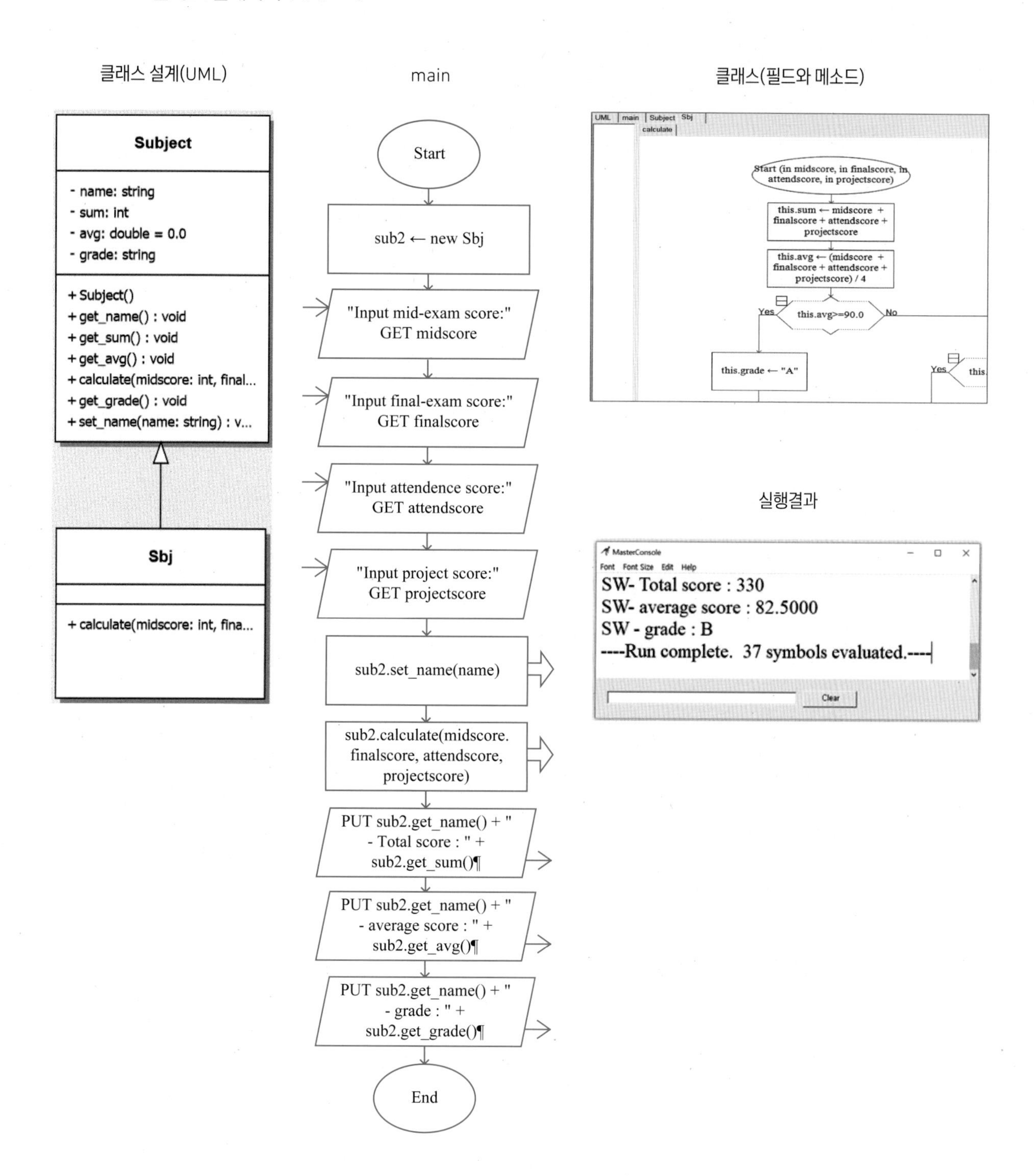
클래스 설계(UML)
main
클래스(필드와 메소드)
Subject
- name: string
- sum: int
- avg: double = 0.0
- grade: string
+ Subject()
+ get_name() : void
+ get_sum() : void
+ get_avg() : void
+ calculate(midscore: int, final...
+ get_grade() : void
+ set_name(name: string) : v...
Sbj
+ calculate(midscore: int, fina...
Start
sub2 ← new Sbj
"Input mid-exam score:"
GET midscore
"Input final-exam score:"
GET finalscore
"Input attendence score:"
GET attendscore
"Input project score:"
GET projectscore
sub2.set_name(name)
sub2.calculate(midscore. finalscore, attendscore, projectscore)
PUT sub2.get_name() + " - Total score : " + sub2.get_sum()¶
PUT sub2.get_name() + " - average score : " + sub2.get_avg()¶
PUT sub2.get_name() + " - grade : " + sub2.get_grade()¶
End
UML main Subject Sbj
calculate
Start (in midscore, in finalscore, in attendscore, in projectscore)
this.sum ← midscore + finalscore + attendscore + projectscore
this.avg ← (midscore + finalscore + attendscore + projectscore) / 4
Yes
this.avg>=90.0
No
this.grade ← "A"
Yes
실행결과
MasterConsole
Font Font Size Edit Help
SW- Total score : 330
SW- average score : 82.5000
SW - grade : B
----Run complete. 37 symbols evaluated.----
Clear

∷ 파이썬으로 구현하기 (예제 8-2)

```
class Subject:
    def __init__(self, name):
        self.avg = 0.0
        self.name = name
    def get_name(self):
        return self.name
    def get_sum(self):
        return self.sum
    def get_avg(self):
        return self.avg
    def calculate(self, mdiscore, finalscore, attendscore) :
        self.sum = midscore + finalscore + attendscore
        self.avg = self.sum / 3
    def get_grade(self) :
        if self.avg >= 90 :
            grade = 'A'
        elif self.avg >=80 :
            grade = 'B'
        elif self.avg >= 70 :
            grade = 'C'
        elif self.grade >= 60 :
            grade = 'D'
        else : grade = 'F'
        return grade

class Sbj(Subject): #Subject클래스로 부터 상속 받는 자식 클래스 정의
    def calculate(self, midscore, finalscore, attendscore, projectscore) :
        self.sum = midscore + finalscore + attendscore + projectscore
        self.avg = self.sum / 4
```

```
# main 영역
name = input("과목명 입력: ")
midscore = int(input("중간고사 점수 입력: "))
finalscore = int(input("기말고사 점수 입력: "))
attendscore = int(input("출석 점수 입력: "))
projectscore = int(input("과제 점수 입력: "))
```

```
sub2 = Sbj(name)
sub2.calculate(midscore, finalscore, attendscore, projectscore)

print(sub2.get_name(), "과목 총점: ", sub2.get_sum())
print(sub2.get_name(), "과목 평균: ", sub2.get_avg())
print(sub2.get_name(), "과목 학점: ", sub2.get_grade())
```

```
과목명 입력: SW
중간고사 점수 입력: 85
기말고사 점수 입력: 95
출석 점수 입력: 60
과제 점수 입력: 52
SW 과목 총점: 292
SW 과목 평균: 73.0
SW 과목 학점: C
```

EXERCISE

1. 전공 동아리 회원 관리 프로그램을 만들려고 한다. 회원 관리에 필요한 회원 추가, 회원 삭제, 회원 정보변경 기능을 포함하는 클래스를 만드시오. (랩터 설계 및 파이썬 구현)

회원 = 이름, 학번, 학과, 학년, 나이, 성별, 전화번호, 주소

2. 은행 계좌 정보를 관리하는 Account 클래스를 만드시오. 클래스의 속성으로 계좌번호(account_num), 소유자 이름(owner_name), 잔고(account_balance)를 갖고, 계좌에 입금(deposit( )), 계좌로부터 출금(withdraw( )), 계좌 잔고 읽기(get_balance( )), 계좌 정보 출력(get_accountinfo( )) 기능이 가능하도록 만드시오. (랩터 설계 및 파이썬 구현)

3. 태양 전자기기 대리점에서는 가전제품인 냉장고, TV, 세탁기를 판매하기 위해 상품 정보(모델명, 메이커, 가격, 재고량)을 저장하여 관리하고자 한다. 상품 입고에 따른 상품 정보 등록과 출고에 따른 재고량 변경이 가능하도록 클래스를 설계하라. 이때 각 가전제품의 공통분모로 사용되는 정보를 부모 클래스로 정의하고 상속받아서 사용하도록 하시오. (랩터 설계 및 파이썬 구현)

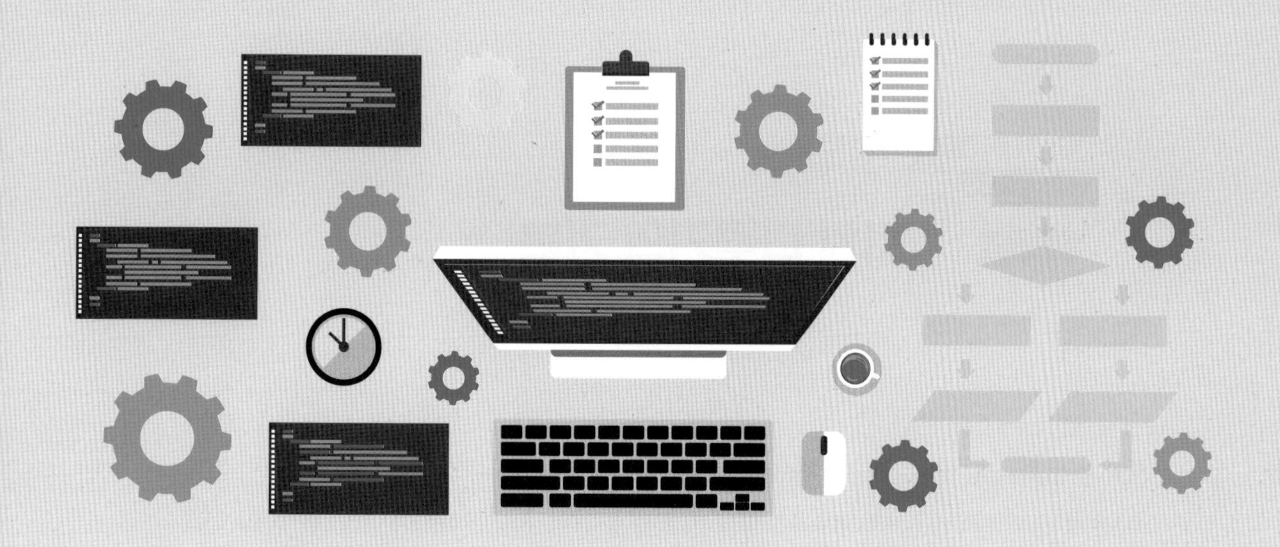

CHAPTER 9

파일 다루기

SECTION 1

파일 다루기의 기본

사용자 입력을 통해 결괏값을 화면으로 출력하는 것 외에도 파일을 이용하여 입력과 출력을 하게 하는 방법도 어플리케이션에서 빈번하게 일어나는 방식이다. 이러한 파일 처리는 어플리케이션에서는 직접적으로 처리하지 못하고 컴퓨터에서 파일 관리를 직접적으로 담당하고 있는 운영체제(OS)에게 요청하게 되는데, 이 요청을 위한 함수(프로시저)를 각 프로그래밍 언어별로 정의해 두고 있다. 랩터와 파이썬 역시 별도로 파일 입출력을 요청하는 방법을 제공하고 있으며 이 방법을 익혀서 파일을 통한 데이터 다루기를 자유롭게 활용할 수 있길 바란다.

1.1 파일 읽기와 쓰기

어플리케이션에서 파일을 읽고 쓰기 위한 과정은 "파일 열기 - 파일 읽기/쓰기 - 파일 닫기"의 3단계로 동일하고, 프로그래밍 언어와 도구에 따라 구현하는 방법이 다소 차이가 있을 뿐이다.

그림 9-1 파일 입출력 기본 과정

1.1.1 랩터에서 파일 읽기

랩터에서는 파일을 열기 위한 내부 프로시저를 호출하여 읽어들일 파일을 준비한다. 운영체제는 어플리케이션에서 변경을 지시하지 않으면, 표준입력장치로 키보드와 마우스를 지정하고 있는데 랩터는 운영체제가 지정한 표준 입력을 그대로 사용해 왔다. 이를 입력으로 파일을 사용한다는 입력방법의 변경을 운영체제에게 알려주기 위해 Redirect_Input( ) 프로시저를 사용한다. 파일 사용이 정상적으로 지정되면 Input 심볼은 더 이상 사용자로부터 입력받지 않고 자동으로 파일이 입력 대상이 된다. 파일 사용이 더 이상 불필요할 때 Redirect_Input(no)를 호출하여 입력방법을 운영체제의 표준입력장치로 환원시킨다. 이후의 Input 심볼은 다시 키보드로부터 입력 받게 된다.

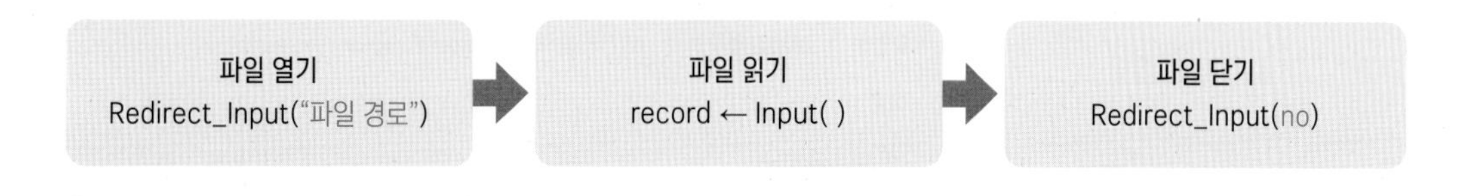

Redirect_input("파일 경로") 파일 열기에 해당
사용 예:
Redirect_input("text.txt") 파일의 상대 경로 사용
Redirect_input("C:₩MyDocuments₩raptor₩text.txt") 파일의 절대 경로 사용
Redirect_input(no) 파일 읽기 종료 (파일 닫기에 해당)

1.1.2 파이썬에서 파일 읽기

파이썬에서는 파일 열기를 위한 함수로 open( )을 제공한다. "인스턴스명=open("파일경로", "r")" 형태로 파일경로의 파일을 읽기 전용으로 열어서 사용하겠다고 운영체제에게 알려주는 것이다. 이후 파일 읽기를 담당하는 메소드를 사용하여 파일 내용을 읽어올 수 있다. 더 이상 파일을 이용한 작업이 불필요할 때 파일 닫기 메소드를 호출(인스턴스명.close( ))하여 파일을 닫는다.

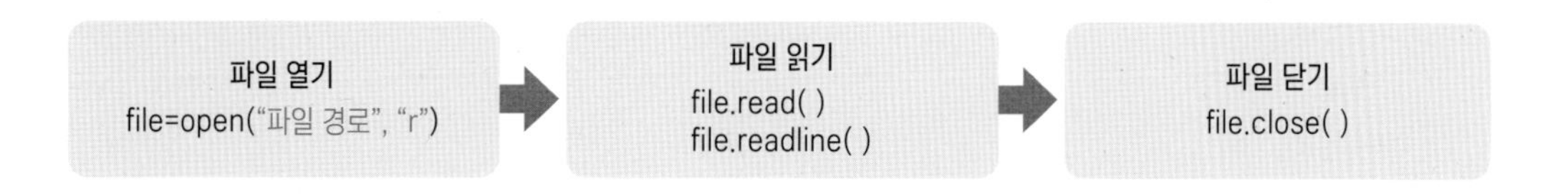

Coding Practice

예제 9-1

파일(test.txt)로부터 내용 전체를 읽어와서 화면에 출력하는 프로그램을 작성하시오.
(주의사항 : 파일의 경로에 주의할 것)

⁞⁞⁞ 랩터로 설계하기 (예제 9-1)

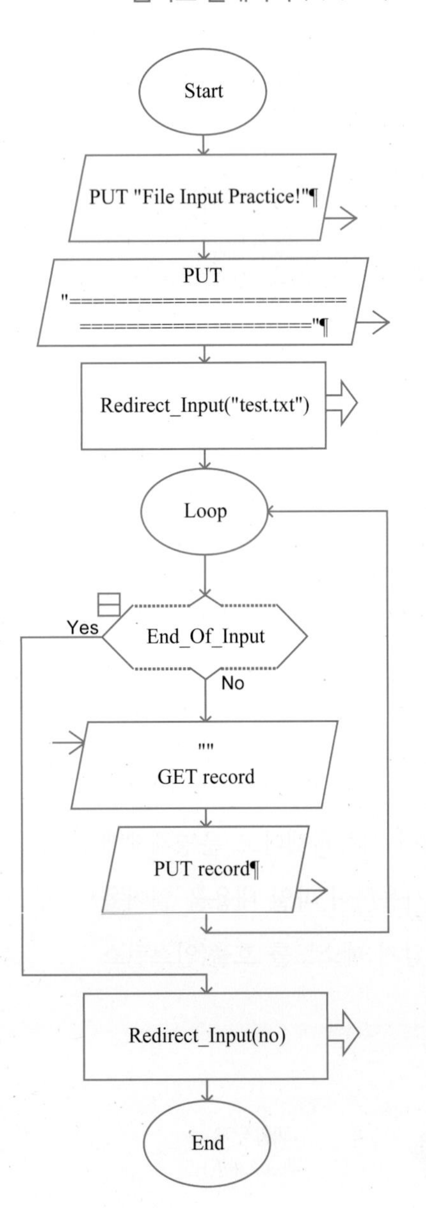

파일 경로(상대적)

학교업무 › 2020강의자료 › SW기초설계 › source › raptor

이름	수정한 날짜	유형
file_input.rap	2020-06-09 오후 4:45	RAPTOR file
test.txt	2020-06-09 오후 4:41	텍스트 문서

실행 결과

```
----Reset----
File Input Practice!
=============================================
What is RAPTOR?
RAPTOR is a visual programming development environment based on flowcharts.
A flowchart is a collection of connected graphic symbols, where each symbol represents a specific type of instructic
The connections between symbols determine the order in which instructions are executed.
These ideas will become clearer as you use RAPTOR to solve problems.

We use RAPTOR for several reasons.
1. The RAPTOR development environment minimizes the amount of syntax you must learn to write correct progran

2. The RAPTOR development environment is visual. RAPTOR programs are diagrams (directed graphs) that can be
This will help you follow the flow of instruction execution in RAPTOR programs.

3. RAPTOR is designed for ease of use.
(You might have to take our word for this, but other programming development environments are extremely comple

4. RAPTOR error messages are designed to be more readily understandable by beginning programmers.

5. Our goal is to teach you how to design and execute algorithms.
These objectives do not require a heavy-weight commercial programming language such as C++ or Java.
----Run complete.  84 symbols evaluated.----
```

랩터에서는 파일의 끝을 인식하는 내부 프로시저인 End_of_file을 제공하고 있다. 그러나 파이썬에는 이러한 내부 프로시저가 없으므로 직접 구현해야 함에 유의하자.

⁝⁝⁝ 파이썬으로 구현하기 (예제 9-1)

```
infile = open("test.txt", "r")

print("파일 입력 실습")
print("=========================")

while True:
    strline = infile.readline()

    if strline == " " :    # 파일 끝까지 읽은 경우
        break

    print(strline, end='')

infile.close()
```

```
파일 입력 실습
================
What is RAPTOR?
RAPTOR is a visual programming development environment based on flowcharts.
A flowchart is a collection of connected graphic symbols, Where each symbol
The connections between symbols determine the order in which instructions a
These ideas will become clearer as you use RAPTOR solve problems.

We use RAPTOR for several reaseons.
1. The RAPTOR development environment minimizes the amount of syntax you mu
2. The RAPTOR development environment is visual. RAPTOR programs
me.
This will help you foloow the flow of instruction execution in RAPTOR program
3. RAPTOR is designed for ease of use.
(You might have to take our word for this, but other programming development
4. RAPTOR error messages are designed to be more readily understandable by
5. Our goal is to teach you how to design and execute algorithms.
These objectives do not require a heavy-weight commercial prgramming language
```

1.1.3 랩터에서 파일 쓰기

파일 읽기와 유사하게 랩터는 파일 쓰기를 위한 내부 프로시저인 Redirect_Output( )를 제공한다. 운영체제의 표준출력은 변경이 없는 경우 모니터로 설정되어 있는데, 이를 파일로 변경한다는 의미이다. 따라서, Output 심볼로 출력되는 것이 화면(랩터 콘솔)이 아니라 파일로 변경된다. 파일 읽기에서처럼 Redirect_Output(no)를 호출하여 파일 쓰기를 완료한다.

1.1.4 파이썬에서 파일 쓰기

파이썬에서도 역시 파일 읽기와 동일하게 open( )으로 파일을 열어야 한다. 이때 쓰기를 위한 두 번째 매개변수가 읽기와 다르다. 즉 "인스턴스명=open("파일경로", "w")"를 사용하여 "파일경로"의 파일을 쓰기 전용으로 열어서 사용하겠다고 운영체제에게 알려주는 것이다. 이후 파일 쓰기를 담당하는 메소드인 write( ), writelines( )를 사용하여 파일에 내용을 기록할 수 있다. 더 이상 파일을 이용한 작업이 불필요할 때 close( ) 메소드를 호출하여 파일을 닫는다.

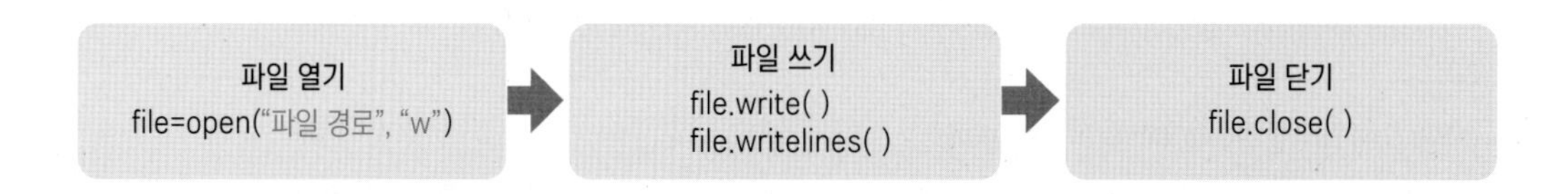

파이썬에서 파일 열기를 위한 open( ) 함수는 두 개의 입력 매개변수를 요구한다. 첫 번째는 파일의 위치를 포함한 파일의 이름이고, 두 번째 매개변수는 파일 처리 모드(mode)이다. 파일을 읽기용으로 또는 쓰기용으로 사용할 것인지 결정하는 것을 포함하여, 텍스트 모드, 바이너리 모드 등을 결정할 수 있고, 파일의 열기 모드는 여러 옵션을 혼합하여 사용 가능하다.

표 9.1 **파이썬 Open( )함수의 모드**

모드 문자	모드의 의미
'r'	파일을 읽기용으로 사용 (기본값)
'w'	파일을 쓰기용으로 사용 (같은 경로에 동일한 파일이 있는 경우 덮어쓰기함 / 파일이 없는 경우 파일을 생성함)
'a'	파일을 쓰기용으로 사용 (w와는 다르게 기존의 파일에 이어쓰기 함)
'x'	배타적 생성모드로 파일이 없을 때 생성하여 쓰기 / 존재하면 에러 발생
'b'	바이너리 모드로 파일 작업
't'	텍스트 모드로 파일 작업
'+'	읽기/쓰기용으로 파일 열기

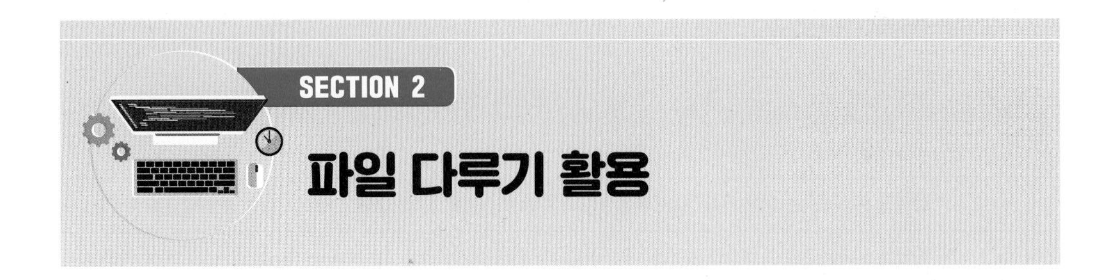

파일 다루기 활용

Coding Practice

예제 9-2

도스 명령 type과 같이 파일명을 입력하면 파일의 내용을 화면에 출력하는 프로그램을 작성하시오. (단, 화면에 출력하고자 하는 파일명을 경로를 포함하여 입력받을 수 있도록 구현)

type 명령어 사용 예

1. 윈도우메뉴 - Windows 시스템 - 명령 프롬프트 실행
2. 화면에 “type c:₩windows₩win.ini” 입력 / 실행

```
명령 프롬프트

C:₩Users₩Ok-Kyoon>type c:₩Windows₩win.ini
; for 16-bit app support
[fonts]
[extensions]
[mci extensions]
[files]

C:₩Users₩Ok-Kyoon>
```

⁝⁝⁝ 랩터로 설계하기 (예제 9-2)

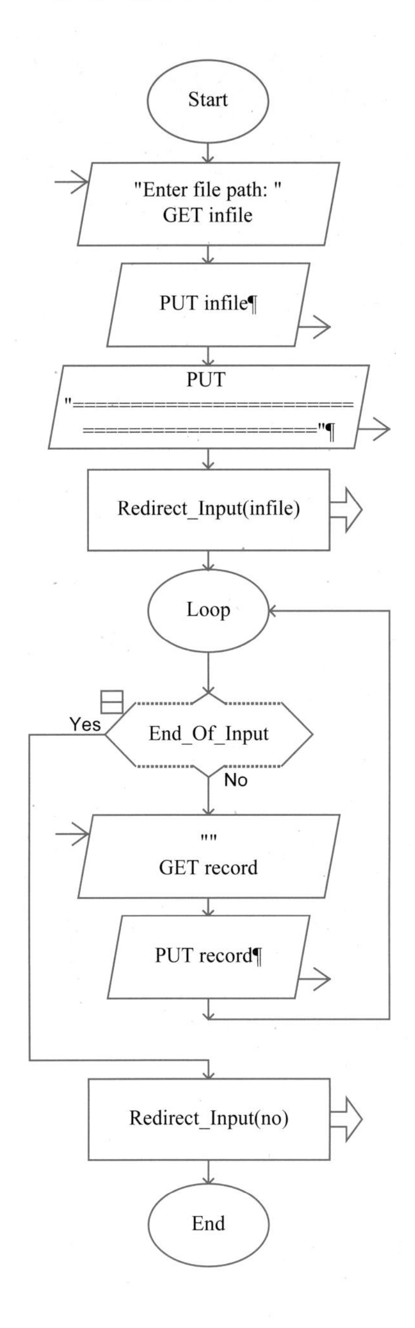

C:\windows\win.ini C:\windows\system.ini

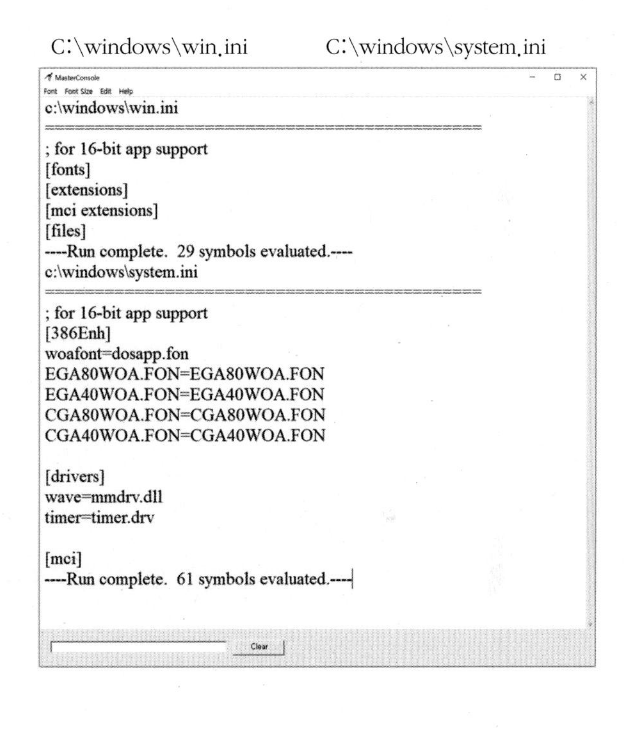

::: 파이썬으로 구현하기 (예제 9-2)

```
filename = input("파일명 입력(경로포함): ")

print(filename)
print("================================")

infile = open(filename, 'r')

while True :
    strline = infile.readline()

    if strline == " " :
        break

    print(strline, end='')

infile.close()
```

```
파일명 입력(경로포함): c:\windows\system.ini
c:\windows\system.ini
================================
; for 16-bit app support
[386Enh]
woafont=dosapp.fon
EGA80WOA.FON=EGA80WOA.FON
EGA40WOA.FON=EGA40WOA.FON
CGA80WOA.FON=CGA80WOA.FON
CGA40WOA.FON=CGA40WOA.FON

[drivers]
wave=mmdrv.dll
timer=timer.drv

[mci]
```

Coding Practice

예제 9-3

도스 명령어 copy와 같이 파일명을 입력받아 파일을 복사하는 프로그램을 작성하시오. (단, 복사를 위한 소스 파일명과 타켓 파일명을 경로를 포함하여 입력 받을 수 있도록 구현)

copy 명령어 사용 예

1. 윈도우메뉴 - windows 시스템 - 명령 프롬프트 실행
2. 화면에 "copy test.txt test_out.txt" 입력/실행

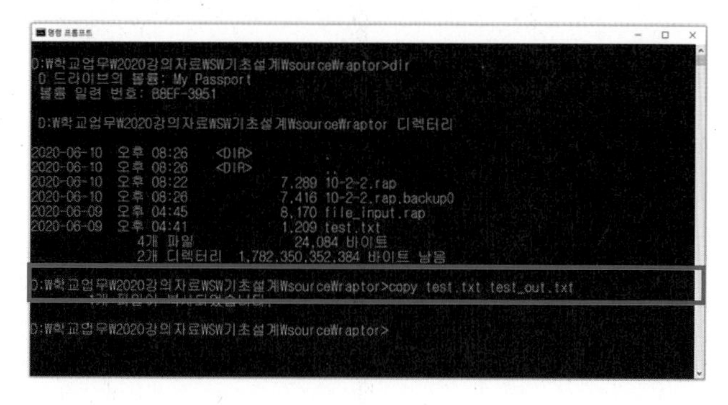

실행 결과 예시

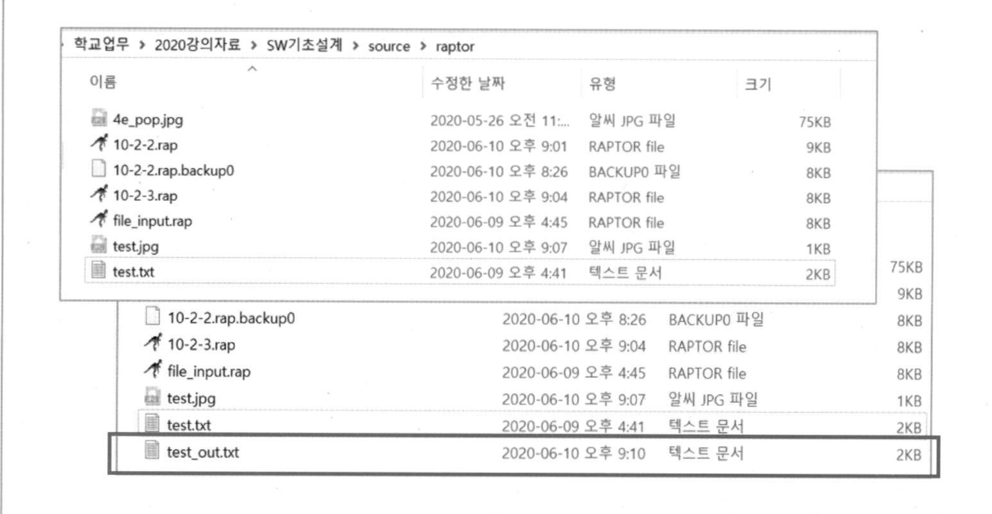

::: 랩터로 설계하기 (예제 9-3)

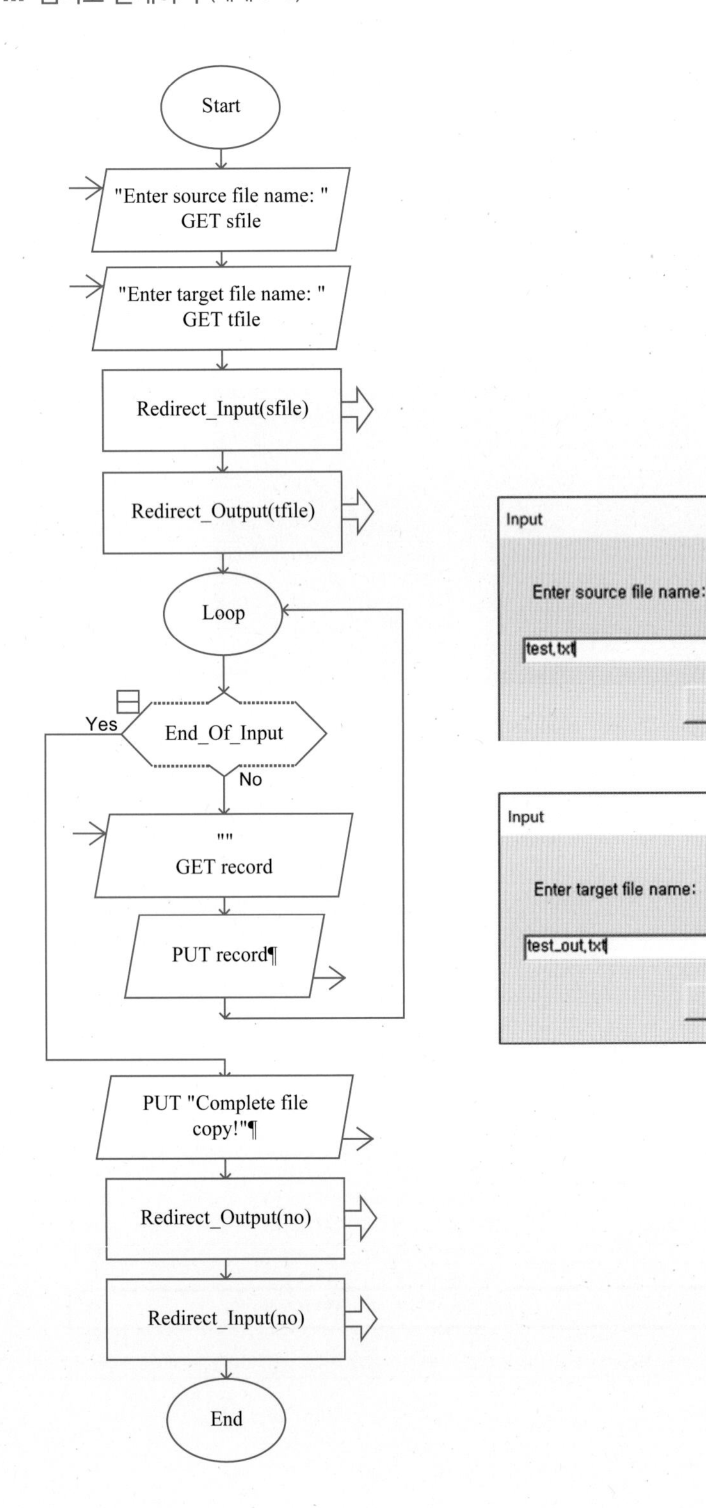

⠿ 파이썬으로 구현하기 (예제 9-3)

```
sfile = input("복사용 소스 파일명 입력(경로포함): ")
tfile = input("복사용 타켓 파일명 입력(경로포함): ")

infile = open(sfile, 'r')
outfile = open(tfile, 'w')

while True :
    strline = infile.readline()

    if strline == '' :
        break

    outfile.writelines(strline)

print("복사를 완료하였습니다.")

outfile.close()
infile.close()
```

```
복사용 소스 파일명 입력(경로포함): test.txt
복사용 타켓 파일명 입력(경로포함): test_out_py.txt
복사를 완료하였습니다.
```

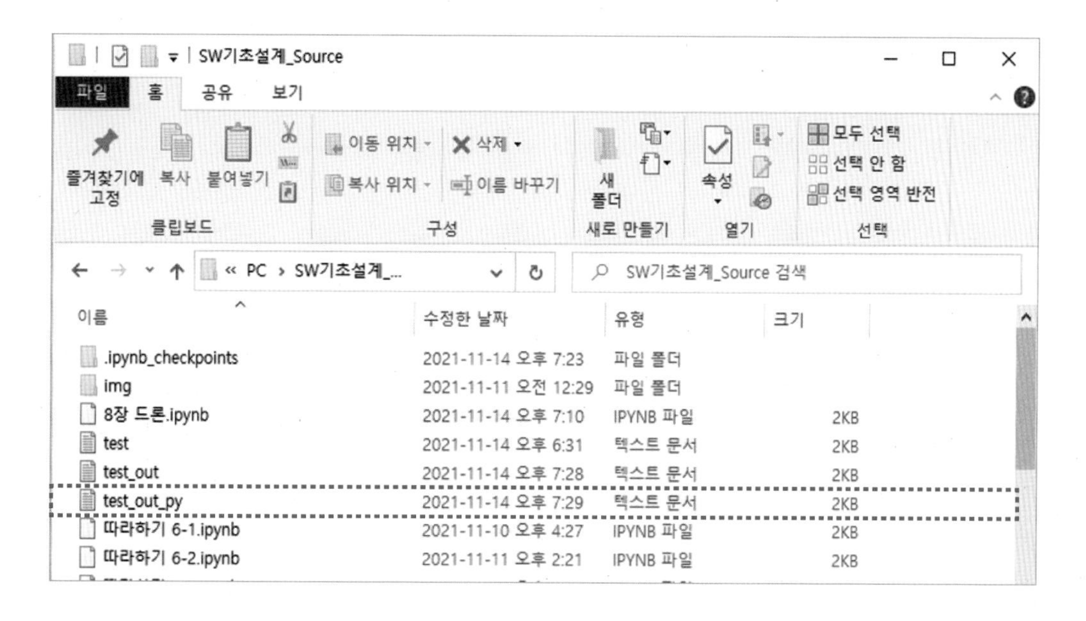

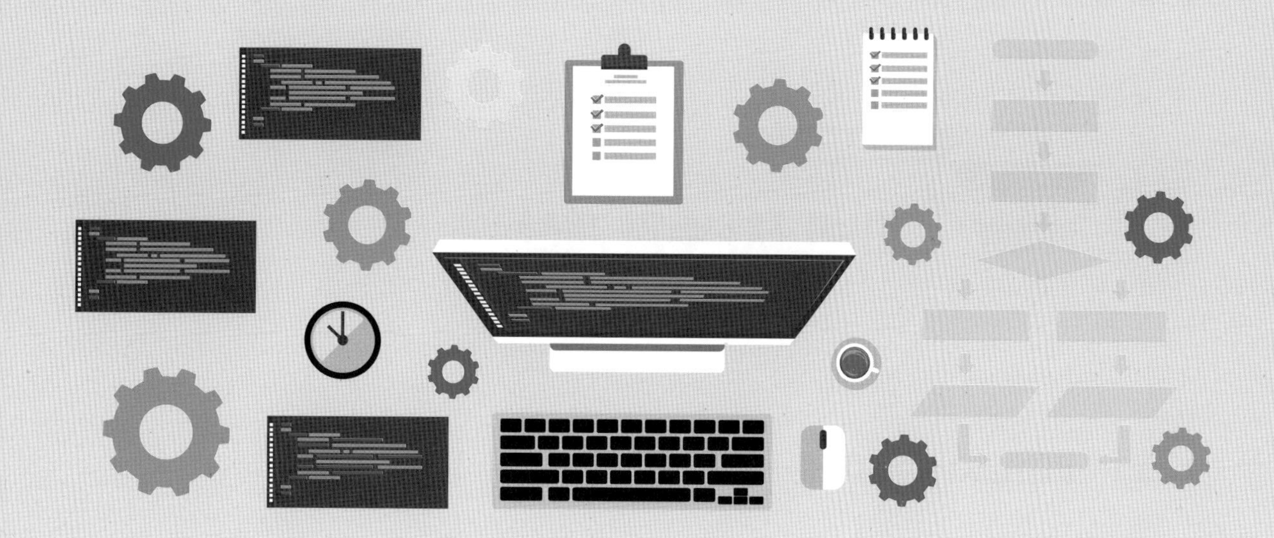

CHAPTER 10

실전 프로젝트

※ 실전 프로젝트에서는 랩터 설계만 제공합니다.
직접 파이썬으로 구현해 보세요.

피보나치 수열 계산

1.1 피보나치 수열 이해

수학에서 피보나치 수(Fibonacci numbers)는 첫째 및 둘째 항이 1이며, 그 뒤를 따르는 모든 항이 바로 앞 두 항의 합과 같은 수로 구성된 수열이다. 피보나치 수는 이탈리아의 수학자 레오나르도 피보나치가 발견한 수열로 토끼 수의 증가에 대해 언급하며 등장한 수이다.

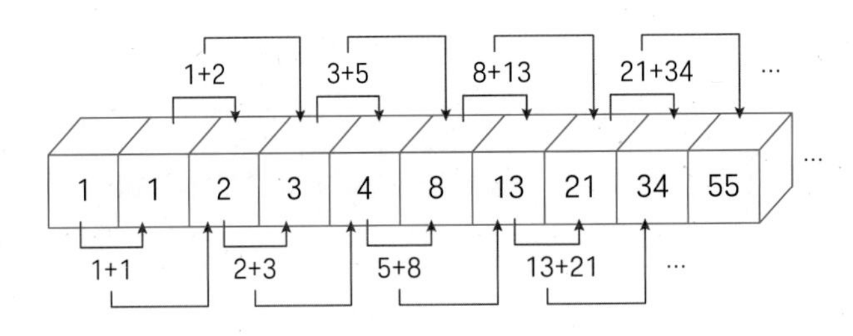

그림 10-1 피보나치 수열의 개념

피보나치 수는 수학에서는 다음과 같이 정의한다.

$$F_n = \begin{cases} F_0 = 0 \\ F_1 = 1 \\ F_n = F_{n-1} + F_{n-2} \end{cases}$$

$$n \in \{2, 3, \cdots\}$$

즉 앞의 두 개의 숫자를 더해서 다음 숫자를 만든다. 이러한 규칙에 따라 피보나치 수열을 만들면 다음과 같다.

$$0,1,1,2,3,5,8,13,21,34,55,89,144,\cdots$$

1.2 재귀 호출(Recursive call)

컴퓨터 프로그램에서 재귀 호출은 함수 내부에서 함수가 자기 자신을 호출하는 행위를 의미한다. 자기 자신을 호출하여 참조하는 행위가 반복적으로 끝없이 지속되는 형태의 호출이다. 이로 인해 연속적인 호출과 반대 방향으로의 반환이 일어난다.

함수가 실행 중에 자기 자신을 스스로 호출한다는 것이 이해하기 어려울 수 있다. 예를 들어 연락한지 오래된 A라는 친구의 전화번호를 다른 친구들과 연락해서 찾는다고 가정해보자. 이 과정을 재귀 호출로 표현하면 다음과 같다.

{함수 : A친구 전화번호 찾기(친구)}
1. 만약 친구가 A의 전화번호를 모른다면, {함수 : A친구 전화번호 찾기(다른 친구)} 호출
2. 만약 연락한 친구가 A의 전화번호를 안다면, 내 주소록에 저장

그림 10-2 친구 전화 찾기의 재귀 호출

재귀 호출을 사용하게 되면 복잡한 문제도 매우 간단한 논리로 표현할 수 있어 프로그램에서 자주 사용된다. 이러한 재귀 호출은 호출을 중단할 수 있는 조건이 없으면 무한 반복에 빠지기 때문에 주의해야 한다.

1.3 재귀 호출을 이용한 피보나치 수열 계산

피보나치 수열은 그 정의 자체가 순환적이어서 재귀 호출을 사용하는 것이 자연스러운 일이다. 다음 따라하기를 통해 재귀 호출을 이용한 피보나치 수열을 구하는 방법을 학습해보자.

랩터로 설계하기 10-1

① 랩터 주 메뉴에서 "Mode–Intermediate" 선택

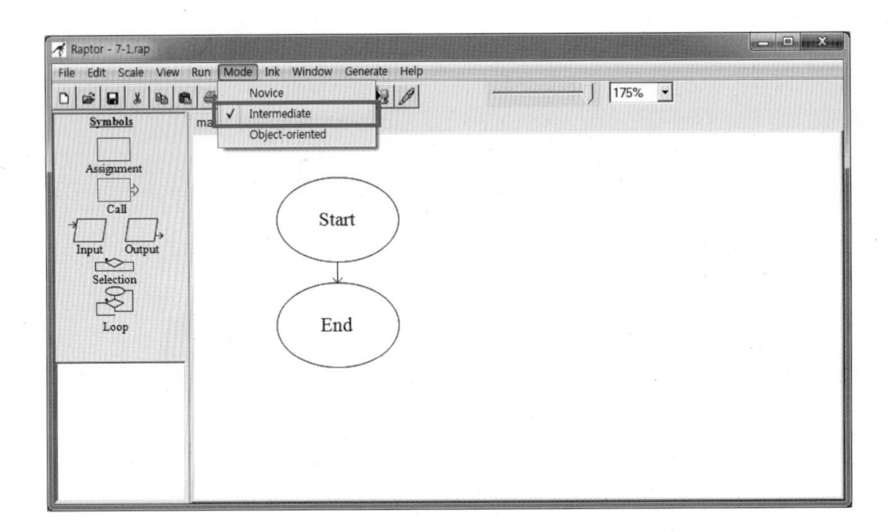

② main 탭–오른쪽 버튼 클릭–팝업 메뉴 "Add procedure" 선택

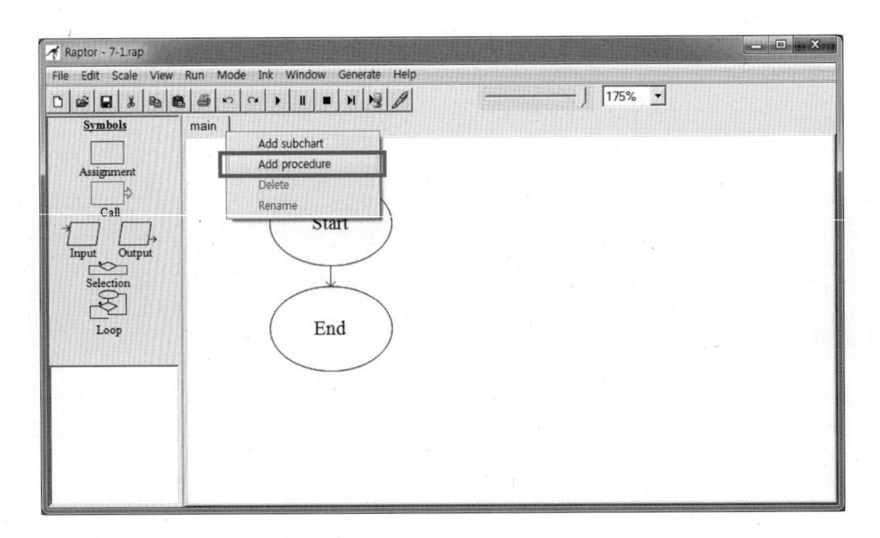

③ Create Procedure 윈도우를 다음과 같이 설정한다.

- 프로시저 이름 : Fibo
- 입력 변수 : last, current, n, count
  - last : F_{n-2}를 위한 변수
  - current : F_{n-1}을 위한 변수
  - n : 사용자로부터 입력 받은 피보나치 수 생성 개수
  - count : 반복 횟수 증가 카운트 변수

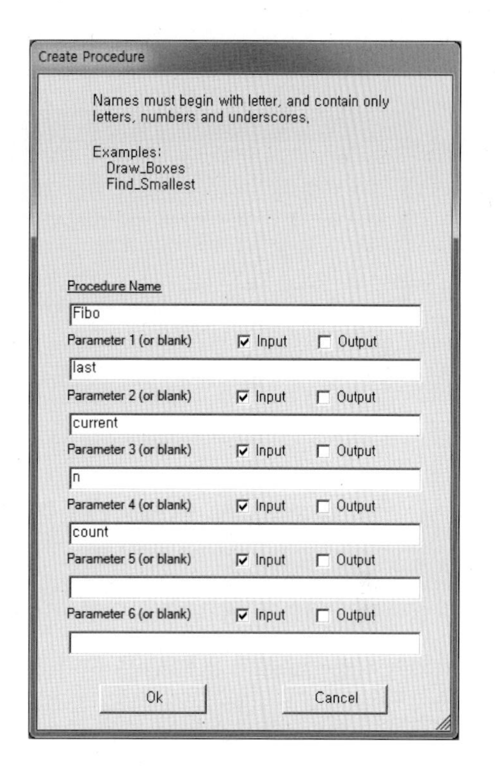

④ main과 Fibo 프로시저 작업 영역에 다음과 같이 프로그램을 작성한다.

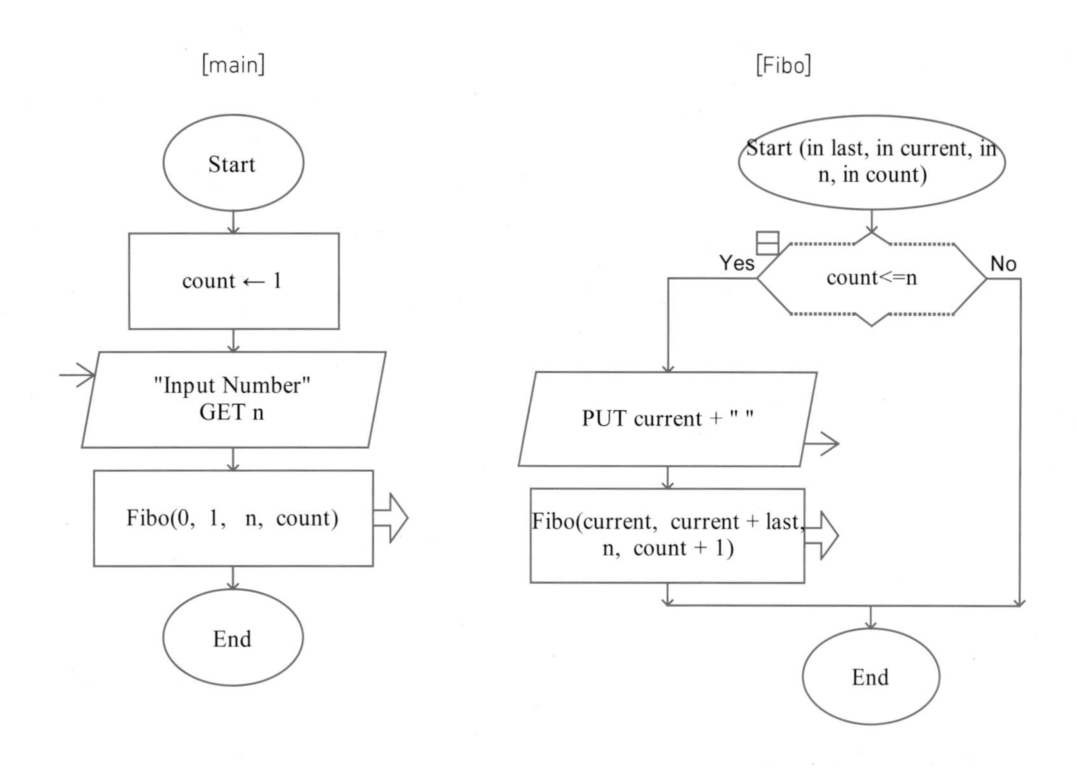

[결과 확인하기]

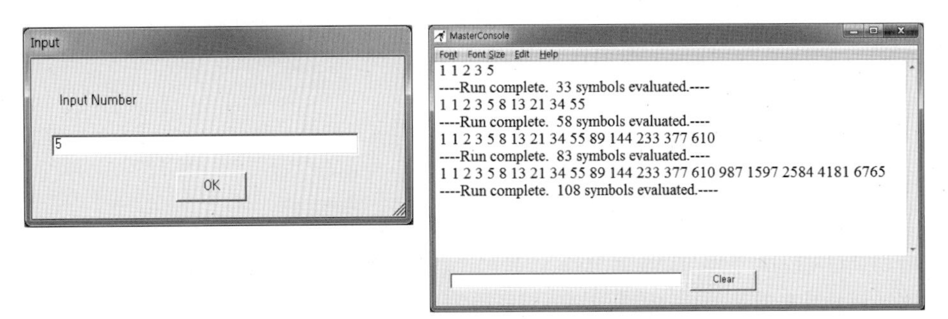

1.4 재귀 호출을 사용하지 않는 피보나치 수열 계산

피보나치 수열을 재귀 호출을 이용하여 구현하면 사실 비효율적이다. 불필요한 호출이 반복되어 사용자로부터 입력 받은 수가 조금이라도 크게 되면, 함수 호출이 기하 급수적으로 늘어나게 된다. 재귀 호출을 이용한 피보나치 수열의 시간 복잡도는 $O(n^2)$ 수준에 가깝다고 잘 알려져 있다. 다음은 재귀 호출을 사용하지 않고 피보나치 수열을 효과적으로 계산하는 방법이다.

랩터로 설계하기 10-2

① 랩터 주 메뉴에서 “Mode–Intermediate” 선택

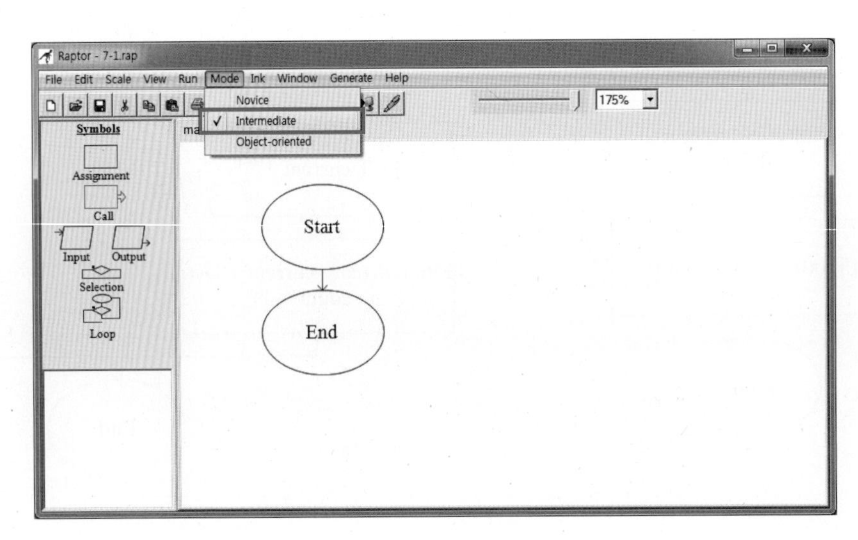

② 다음과 같이 main과 Fibo 서브 차트를 분할하여 프로그램을 작성한다.

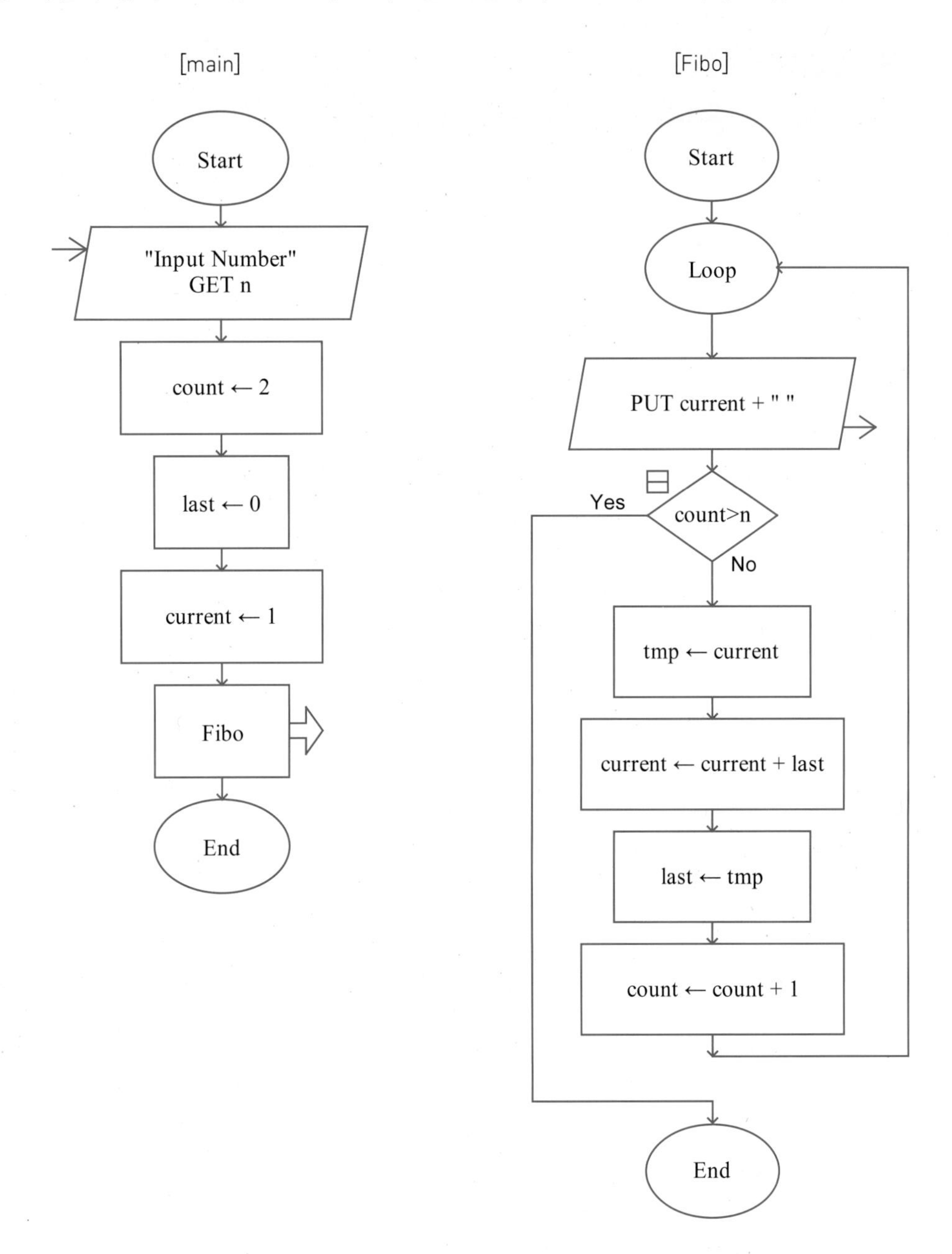

- 변수 : last, current, n, count
  - last : F_{n-2}를 위한 변수
  - current : F_{n-1}을 위한 변수
  - n : 사용자로부터 입력 받은 피보나치 수 생성 개수
  - count : 반복 횟수 증가 카운트 변수

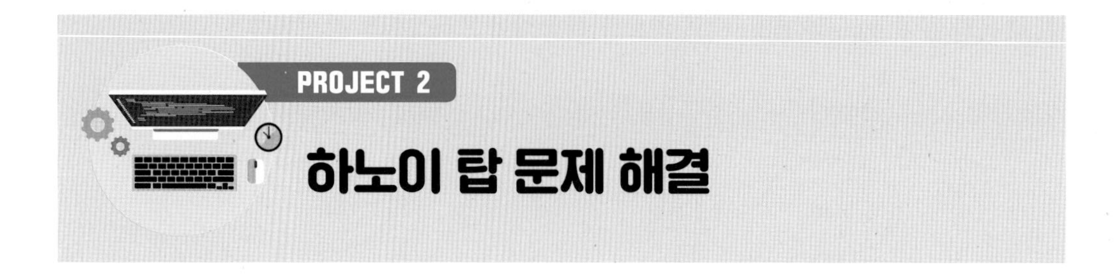

PROJECT 2

하노이 탑 문제 해결

2.1 하노이 탑 문제 이해

하노이 탑 문제는 일종의 퍼즐로 세 개의 기둥과 이 기둥에 꽂을 수 있는 원판을 다른 한 기둥으로 이전 순서대로 옮겨 쌓는 것이다. 이때 다음의 두 조건을 만족해야 한다.

- 한 번에 하나의 원판만 옮겨야 한다.
- 큰 원판이 작은 원판 위에 쌓여서는 안 된다.

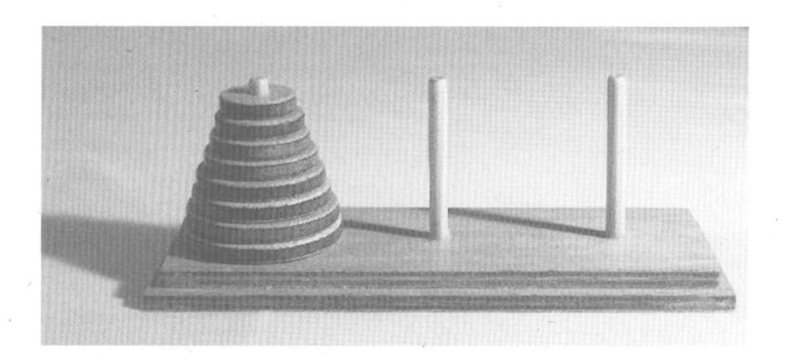

그림 10-3 하노이의 탑
출처 : 구글 이미지 검색

하노이 탑은 프랑스의 수학자 에두아르 뤼카가 다음과 같이 소개하였다.

> 인도 베나레스에 있는 한 사원에는 세상의 중심을 나타내는 큰 돔이 있고 그 안에 세 개의 다이아몬드 바늘이 동판 위에 세워져 있습니다. 바늘의 높이는 1 큐빗이고 굵기는 벌의 몸통만 합니다. 바늘 가운데 하나에는 신이 64개의 순금 원판을 끼워 놓았습니다. 가장 큰 원판이 바닥에 놓여 있고, 나머지 원판들이 점점 작아지며 꼭대기까지 쌓여 있습니다. 이것은 신성한 브라흐마의 탑입니다. 브라흐마의 지시에 따라 승려들은 모든 원판을 다른 바늘로 옮기기 위해 밤낮 없이 차례로 제단에 올라 규칙에 따라 원판을 하나씩 옮깁니다. 이 일이 끝날 때, 탑은 무너지고 세상은 종말을 맞이하게 됩니다.

세상의 종말을 막기 위해 우리도 하노이 탑을 안전하게 옮기는 알고리즘을 만들어보자. 하노이 탑 문제 역시 재귀 호출을 이용하여 간결하게 알고리즘을 구현할 수 있다.

2.2 하노이 탑 문제 해결하기

랩터로 설계하기 10-3

① 랩터의 새 파일을 열고 하노이 탑 알고리즘을 작성할 “Hanoi”프로시저를 다음과 같이 생성한다.

- 프로시저 이름 : Hanoi
- 입력 변수 : n, from, tmp, to
  - n : 사용자가 입력한 원판의 수
  - from : 원판이 쌓여 있던 기둥
  - to : 원판을 옮겨 놓아야하는 기둥
  - tmp : 임시로 사용하는 기둥

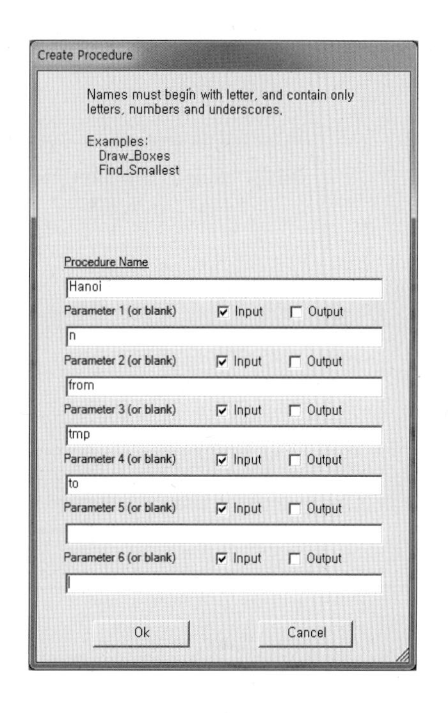

[main]

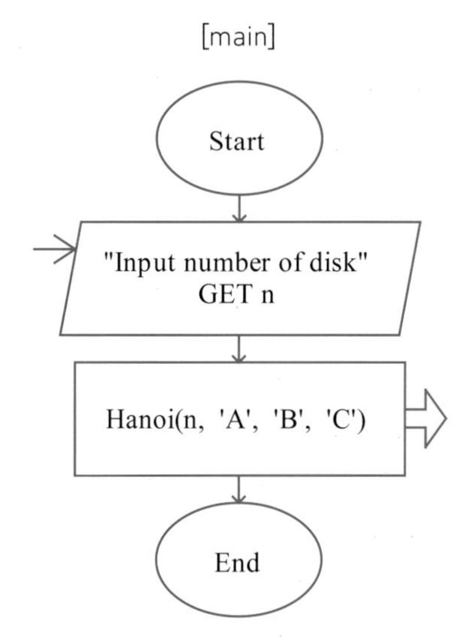

[실행결과]

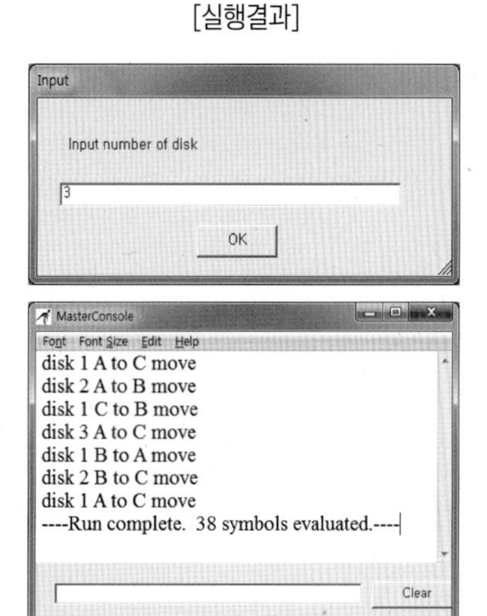

[Hanoi]

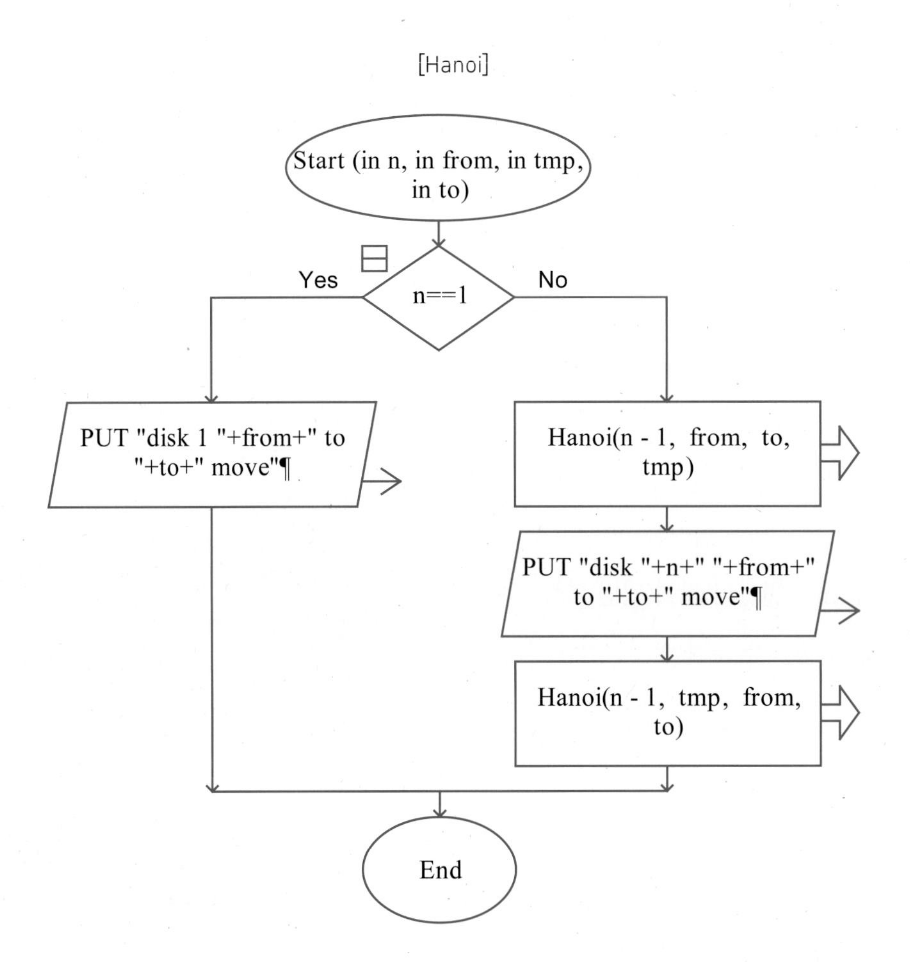
Start (in n, in from, in tmp, in to)
Yes
n==1
No
PUT "disk 1 "+from+" to "+to+" move"¶
Hanoi(n - 1, from, to, tmp)
PUT "disk "+n+" "+from+" to "+to+" move"¶
Hanoi(n - 1, tmp, from, to)
End

동전은 양면을 가지고 있다. 친구들과 내기를 하거나 게임의 순서를 정할 때 등 동전 던지기를 통해 나오는 면을 예측하여 맞추는 놀이를 흔히들 한다. 이번 프로젝트에서는 6장에서 배운 그래픽 프로그램 방법을 활용하여 간단한 놀이를 위한 미니 게임을 만들어 볼 것이다. 미니 게임이지만 프로그램은 작지 않다.

랩터로 설계하기 10-4

■ 화면 설계

- 그래픽 전용 윈도우에 사용자가 마우스 클릭으로 앞면(Front)과 뒷면(Back) 중에 선택할 수 있는 화면
- 사용자의 선택이 완료되고 컴퓨터의 선택과 비교하여 맞춘 결과를 화면에 표시
- 아무 키보드나 누르면 윈도우 닫기

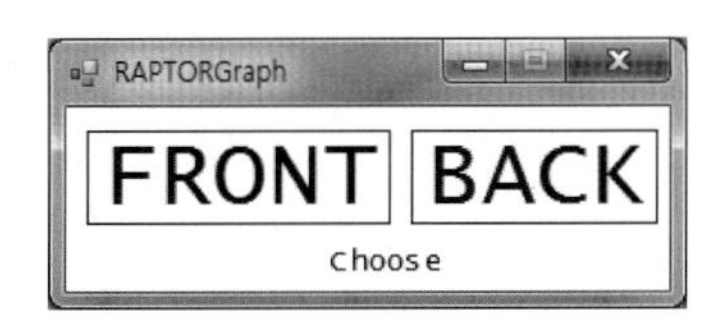

■ main 구성하기

- Setup : 그래픽 기반 프로그램을 위한 공통 변수의 초기화
- Game_Layout : 동전 게임을 위한 초기 화면 만들기
- Graph_Loop : 실제 동전 게임을 위한 중요 알고리즘 및 처리 기능
- Wait_For_Key, Close_Graph_Window : 사용자의 키보드 입력 시 프로그램 종료

■ Setup 서브 차트 구성하기

- Open_Graph_Window( ) : 게임에 사용한 전용 윈도우 생성
- 사용자의 버튼 선택 영역 인식을 위한 좌표 값 초기화

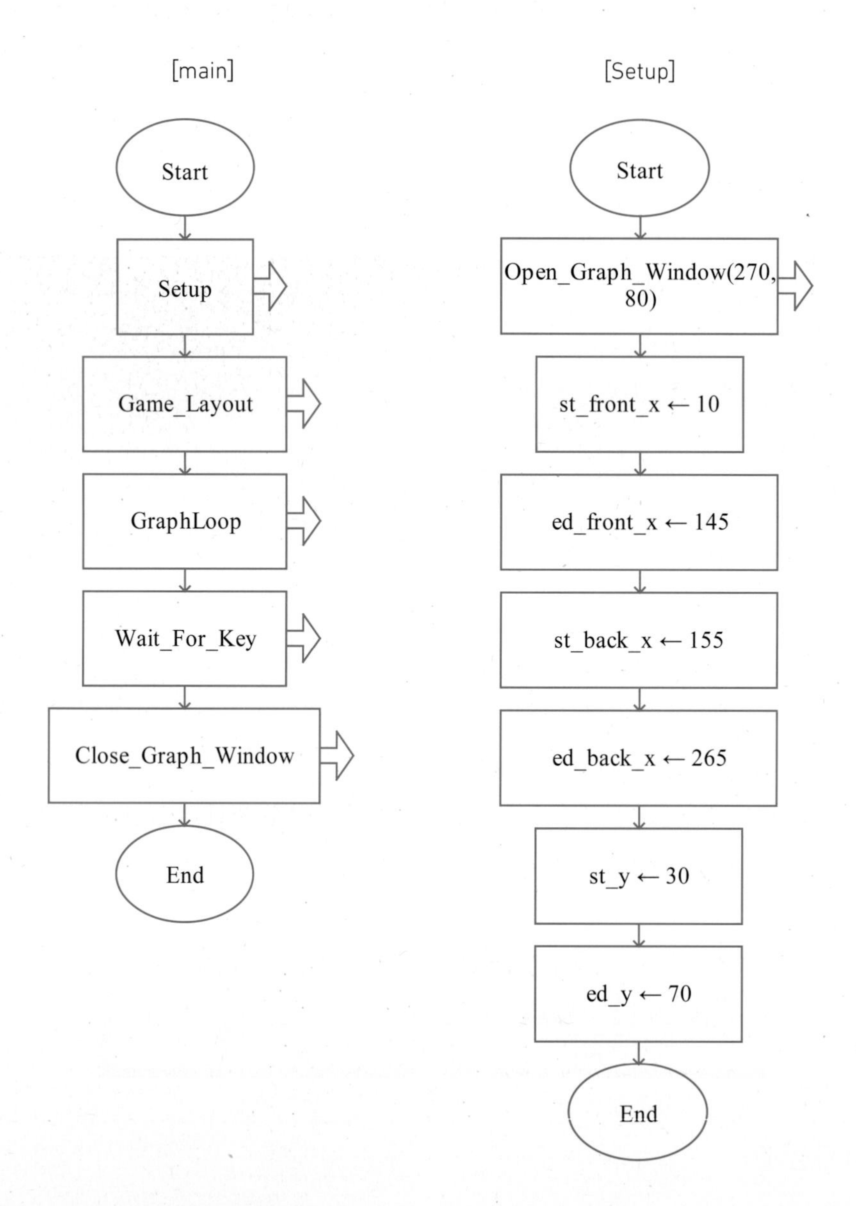

■ Game_Layout 서브 차트 만들기

- 선택 버튼 그리기기와 배치하기 : Draw_Box( )
- 디스플레이용 글자 배치 : Display_Text( )

■ Graph_Loop 서브 차트 만들기

- 컴퓨터의 선택 만들기 : 컴퓨터는 앞면과 뒷면 중에 하나를 Random을 이용하여 하나만 생성 (두 가지 상태로 생성 : 0-앞면, 1-뒷면)
- 마우스 클릭 발생 시 현재 위치의 좌표가 어떤 버튼에 해당하는지 비교(Mouse_Click_check 서브 차트로 분할)
- 사용자의 선택 결과와 컴퓨터 선택의 비교 (Compare 서브 차트로 분할)

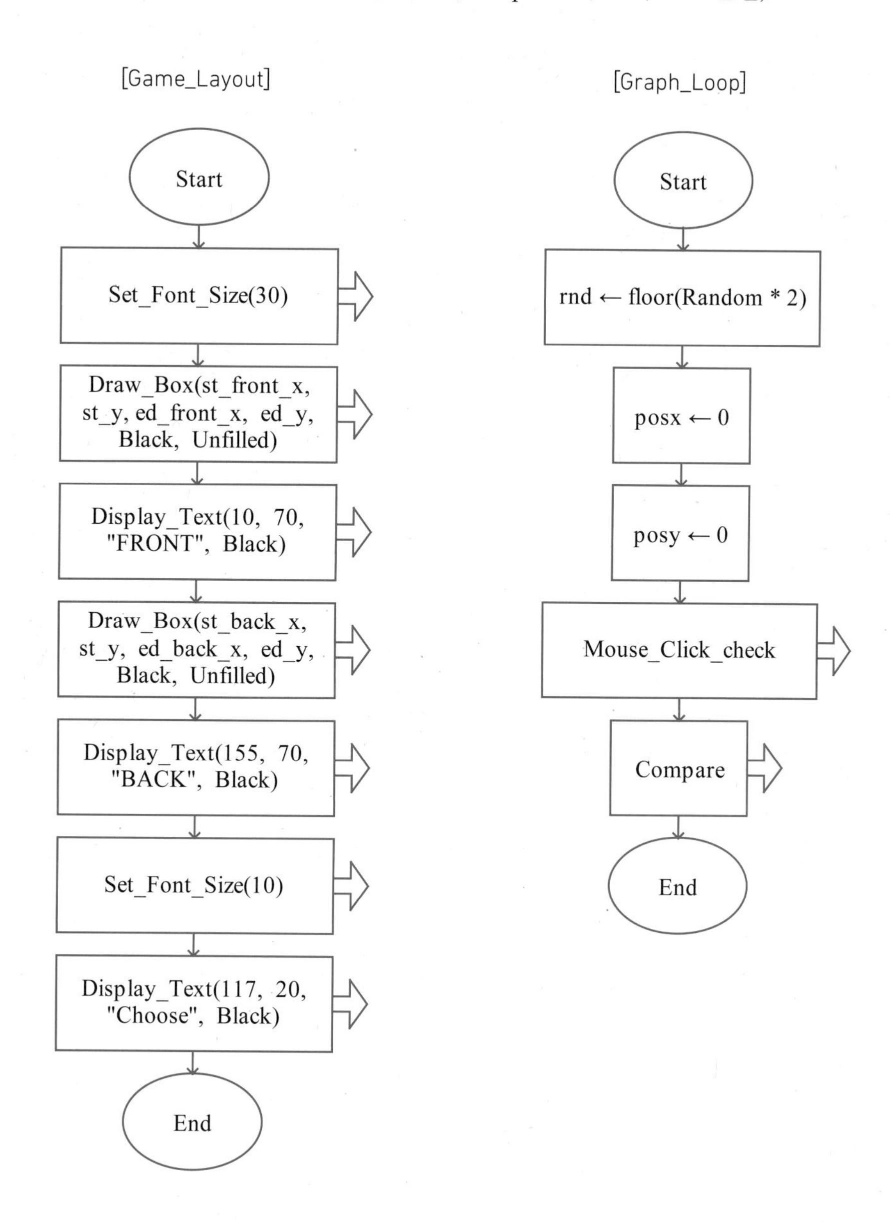

■ Mouse_Click_check 서브 차트 만들기 (사용자의 선택 인식하기)

- 화면에서 사용자가 앞면과 뒷면 중에서 선택한 것을 인식하기 위한 방법 이해

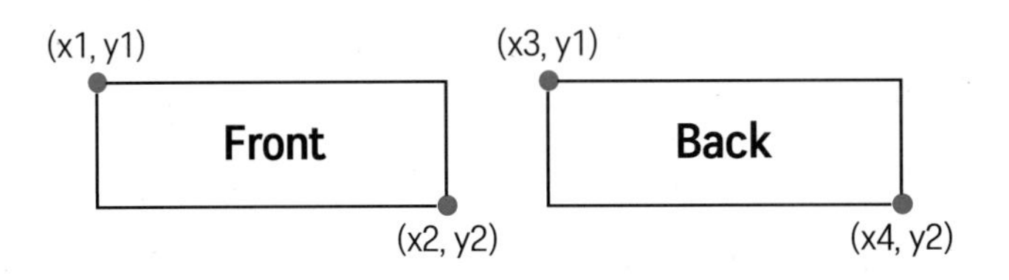

- 마우스 클릭 시 획득한 현재 위치의 x좌표 값과 y좌표 값을 영역 내에 해당하는 좌표인지 확인하여 앞면과 뒷면을 인식
  - 앞면 : (posx >= x1) and (posy >= y1) and (posx <= x2) and (posy <= y2)
  - 뒷면 : (posx >= x3) and (posy >= y1) and (posx <= x4) and (posy <= y2)

[Mouse_Click_Check]

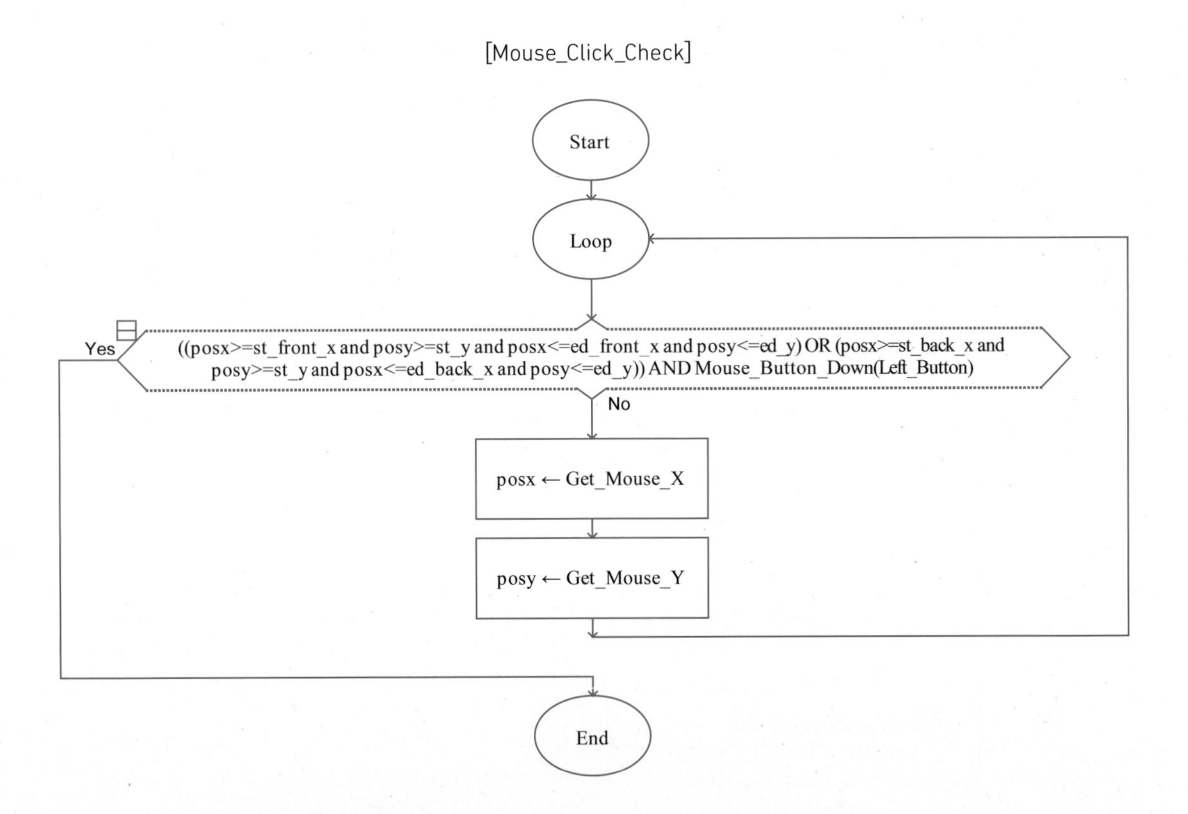

■ Compare 서브 차트 만들기 (사용자의 선택과 컴퓨터의 선택 비교)

- 사용자의 선택 비교 조건식 : Front 영역 좌표 내 클릭 시 1로 설정
- 컴퓨터의 선택과 비교하여 같으면, Display_Win 그렇지 않으며 Display_Lose

[Compare]

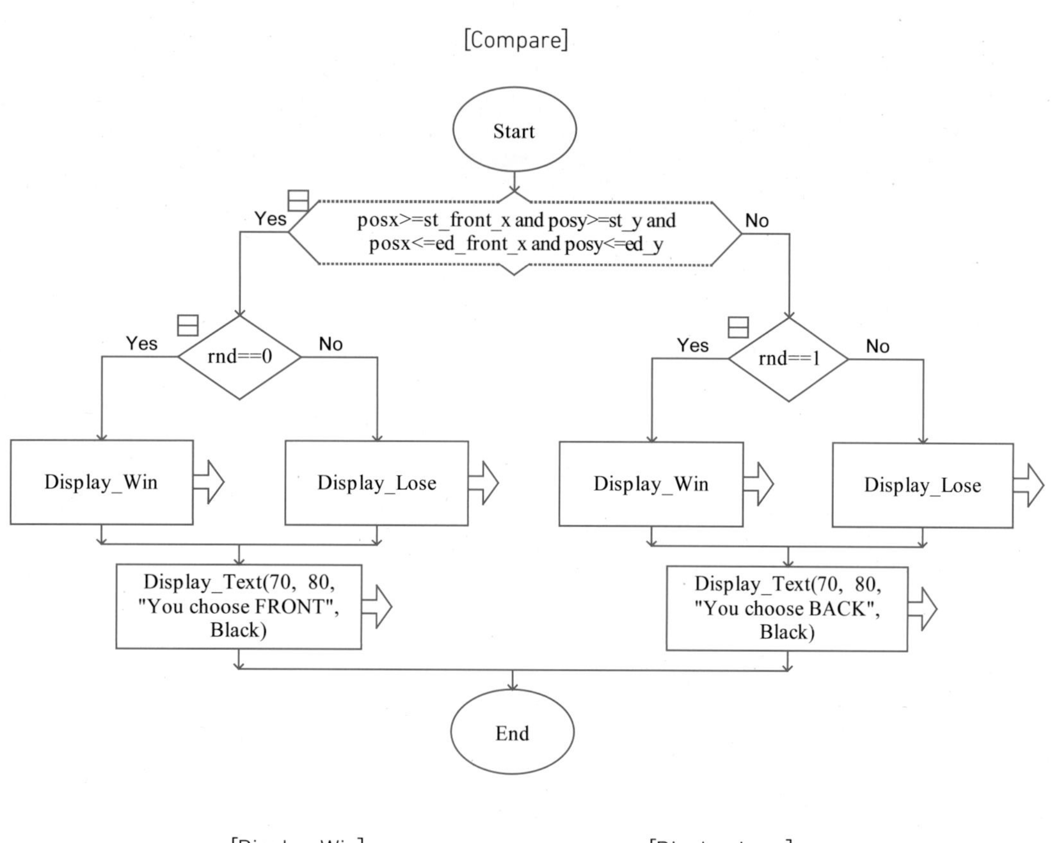

[Display_Win] [Display_Lose]

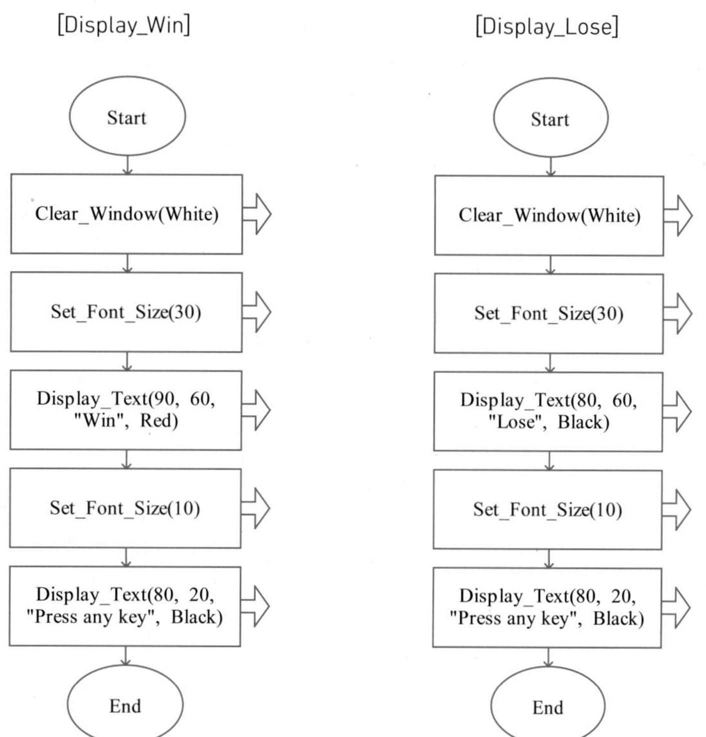

주사위 확률 계산

수학적으로 주사위를 던졌을 때의 확률을 계산하면 1/6이다. 실제 주사위를 던져보면 1/6의 확률이 정확하게 맞지는 않다. 정확한 확률을 계산하는 방법은 실제로 던져보고 나온 횟수를 기반으로 확률을 계산하는 것이다. 이번 프로젝트에서는 자동으로 지정해준 횟수만큼 주사위를 던져 나온 눈의 수를 바탕으로 확률을 구하는 프로그램을 만들어볼 것이다.

랩터로 설계하기 10-5

■ 프로젝트 설계

- 배열을 이용하여 주사위를 굴려 나온 수의 횟수를 저장한다.
- 사용자가 입력한 횟수만큼 주사위를 굴리고 나면, 각 배열의 값으로 확률을 구한다.

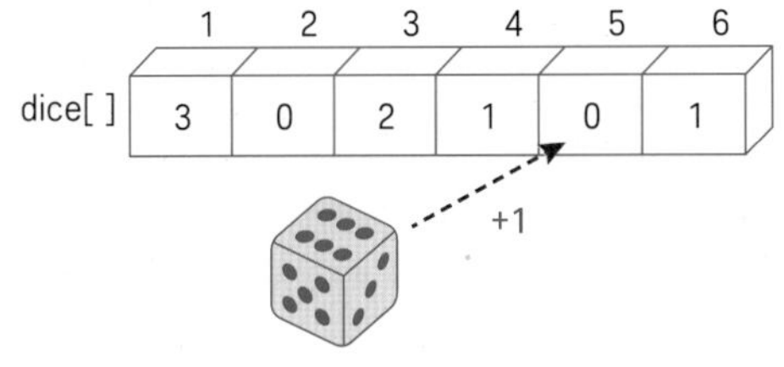

■ main 구성하기

- dice[6] ← 0 : 주사위 값이 나온 횟수 저장을 위한 배열 초기화
- n : 사용자로부터 주사위 굴리기 횟수 입력 받기
- Rolling 서브 차트 : 입력 받은 횟수만큼 주사위 굴리기
- Statics 서브 차트 : 배열에 최종 저장된 횟수로 주사위 값이 나올 확률 계산

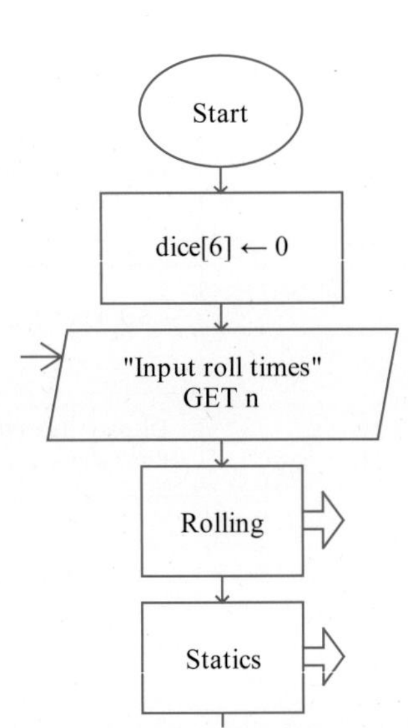

■ Rolling 서브 차트와 Statics 서브 차트 만들기

- 주사위 굴리기 : tmp ← ceiling(Random*6)
- 주사위 값이 나온 횟수 저장하기 : dice[tmp] ← dice[tmp]+1
- 주사위 값 별로 등장한 확률 구하기 : dice[i] / n

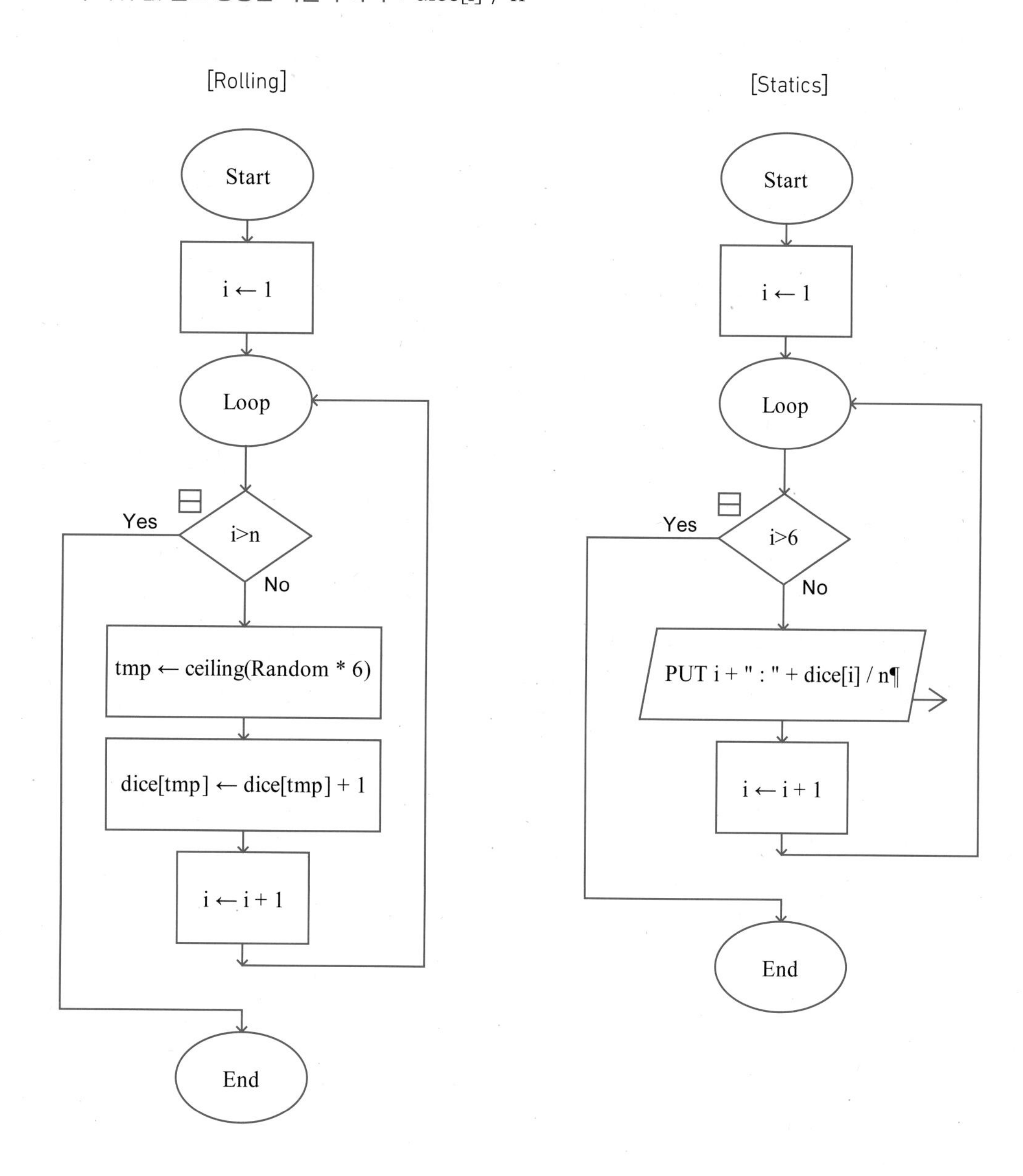

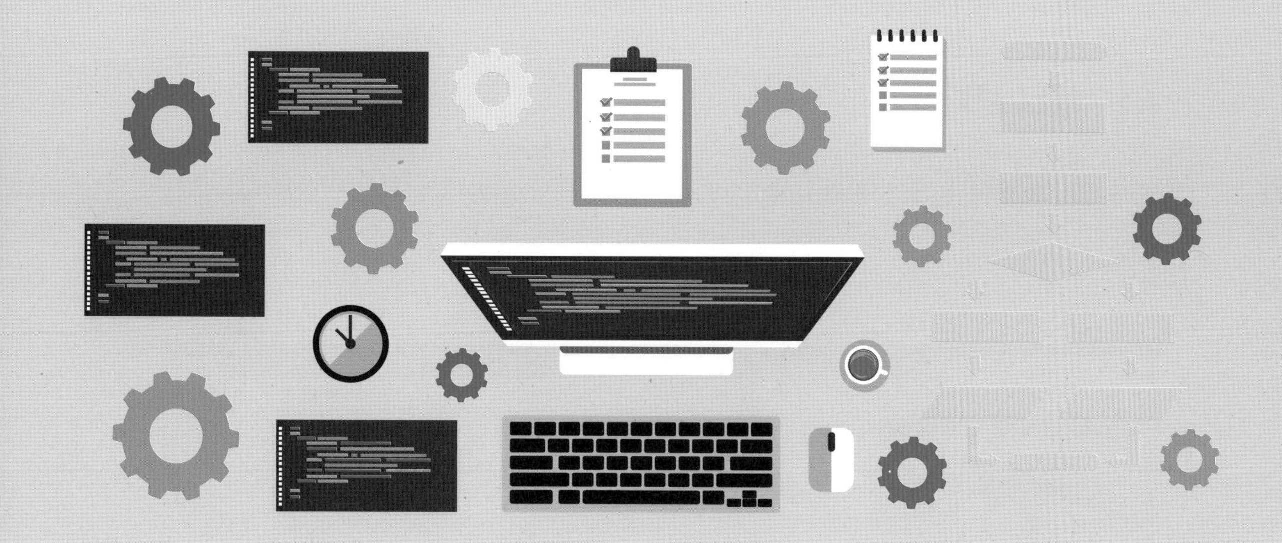

APPENDIX

랩터와 주피터 노트북 설치하기

A.1 랩터 설치하기

현재 랩터는 랩터 홈페이지(http://raptor.martincarlisle.com/)에서 최신 버전을 다운로드 받을 수 있다.[1]

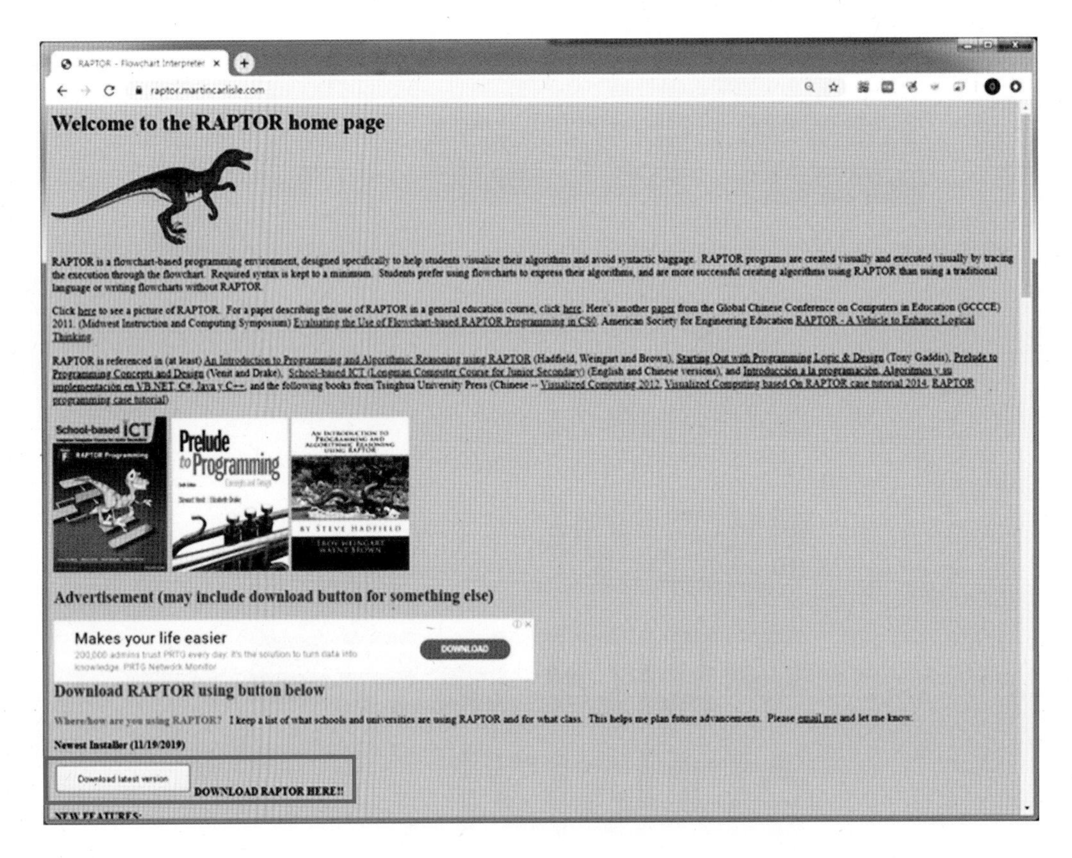

랩터 홈페이지와 다운로드 버튼

설치가 완료되면 기본적으로 랩터가 설치된 폴더(C:Files(x86))를 열어 설치된 파일들 중 실행 파일(raptor.exe)을 선택하여 랩터를 실행시킬 수 있다. 매번 설치된 폴더를 찾아가서 실행시키는 것이 번거로울 수 있으니 바탕화면 등에 바로가기를 만들어 두면 편리하다.

---

1 교재에서는 2019년 11월 버전인 raptor2019.msi를 다운 받아 설치하였다.

랩터가 기본적으로 설치되는 폴더

▸ 컴퓨터 ▸ 로컬 디스크 (C:) ▸ Program Files (x86) ▸ RAPTOR ▸

라이브러리에 포함 ▾ 공유 대상 ▾ 굽기 새 폴더

이름	수정한 날짜	유형	크기
mgnat.DLL	2015-08-05 오후...	응용 프로그램 확장	1,596KB
iconv.dll	2006-08-30 오전...	응용 프로그램 확장	872KB
raptor	2019-11-15 오전...	응용 프로그램	708KB
interpreter.dll	2019-11-15 오전...	응용 프로그램 확장	616KB
Microsoft.Ink.dll	2008-10-20 오후...	응용 프로그램 확장	504KB
raptor	2016-10-26 오전...	컴파일된 HTML ...	413KB

사용자의 편리를 위해 바탕화면이나
즐겨찾기에 바로가기 아이콘 만들기
※ 주의 : 반드시 마우스 오른쪽 버튼 이용

A.2 랩터 실행하기

랩터 프로그램이 실행되면 다음과 같이 두 개의 창이 화면에 나타난다. 왼쪽이 알고리즘 기술을 위한 랩터 순서도 작성 창이고, 오른쪽은 순서도의 실행 결과를 출력하는 마스터 콘솔 창이다.

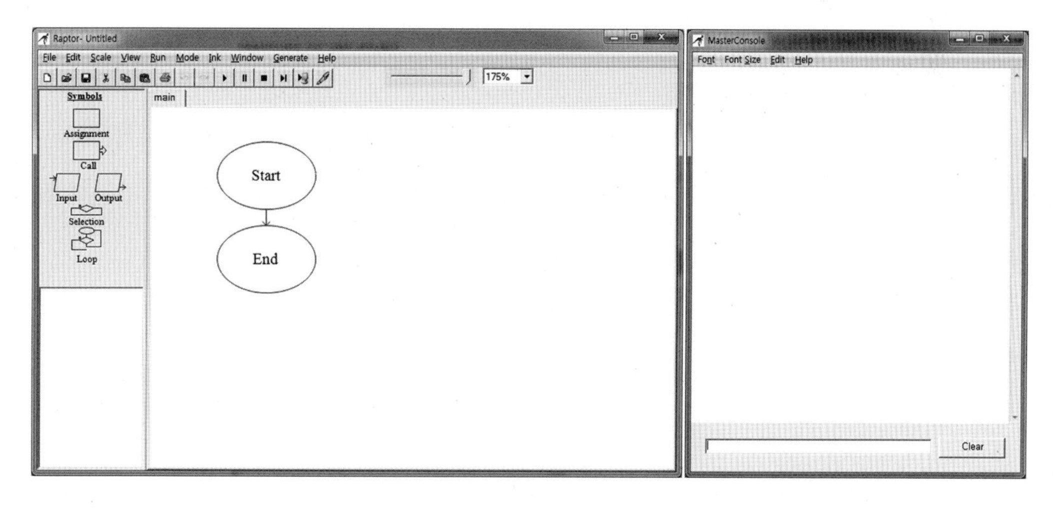

랩터의 초기 실행 화면

처음 실행하면 랩터 순서도 작성 창에 초기 상태의 "main"이라는 이름으로 순서도 작성을 위한 기본 심볼 2개와 흐름선 화살표가 배치되어 있다. 각 부분별로 역할은 다음 그림에서 표시한 것과 같고, 순서도 작성 시 왼쪽의 6가지 심볼 중에서 추가하고 싶은 기능을 마우스로 끌어다 놓거나 심볼을 선택한 후 마우스 왼쪽 버튼 클릭으로 간단하게 삽입할 수 있다.

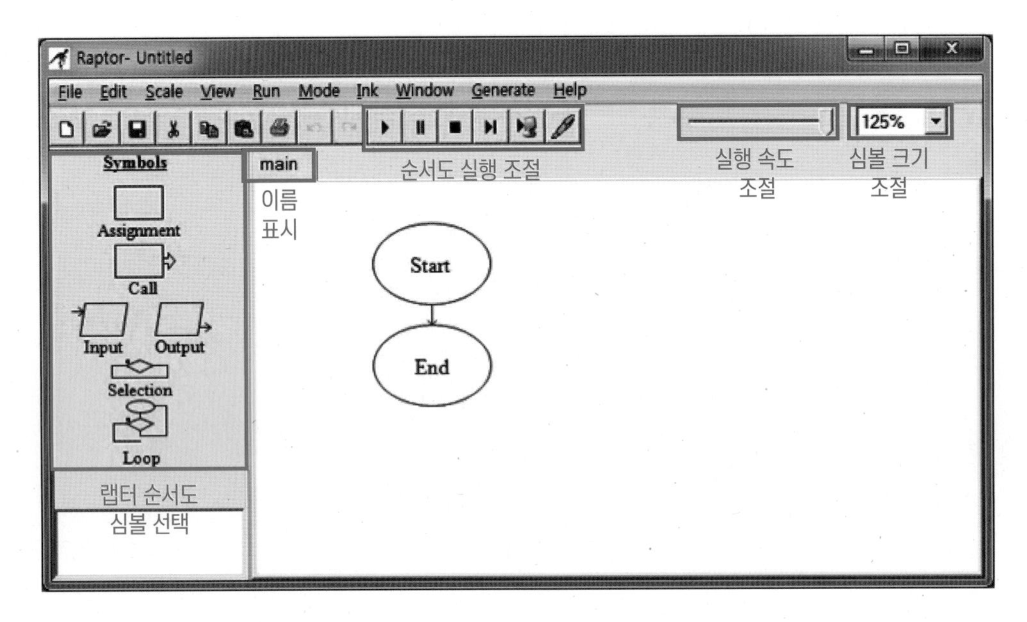

랩터 순서도 입력창의 부분별 역할

A.3 아나콘다 설치하기

파이썬 프로그래밍을 위해 사용하는 주피터 노트북은 아나콘다(Anaconda)을 설치하여 포함된 패키지를 사용할 것이다. 먼저 아나콘다 설치를 위해 웹 페이지에서 자신의 컴퓨터 운영체제 환경에 맞는 버전을 다운로드 한다.

http://www.anaconda.com/products/individual

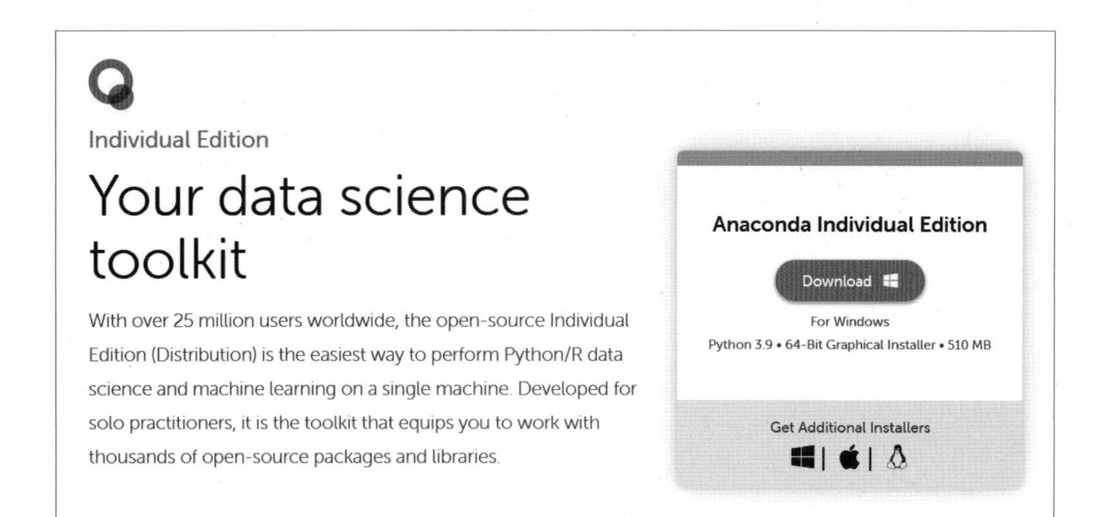

아나콘다 웹 페이지

설치하고자하는 컴퓨터 환경에 맞는 Installer 선택

내려받은 설치 파일을 실행하면 설치 과정이 시작된다. 이제부터 나오는 설명을 잘 살펴보고 “Next”를 눌러 컴퓨터에 설치하자.

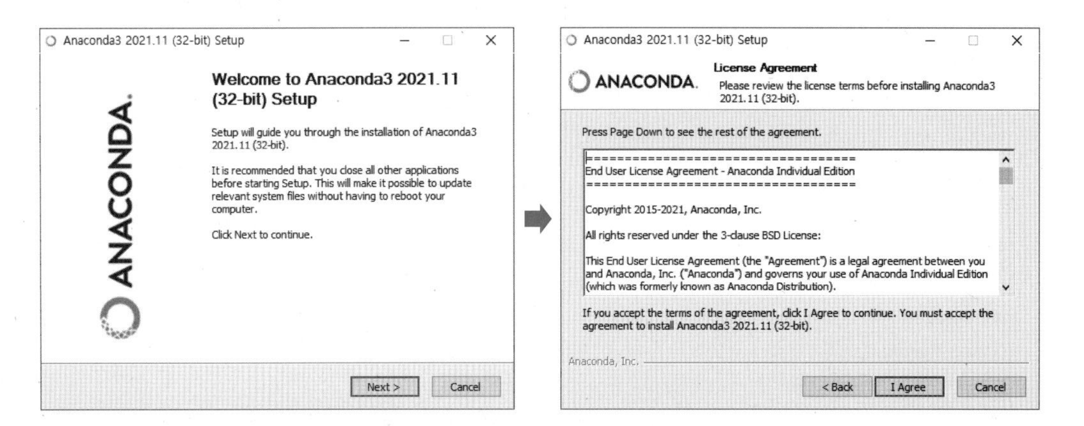

설치 시작과 라이선스 동의 ("I Agree" 버튼 클릭) 화면

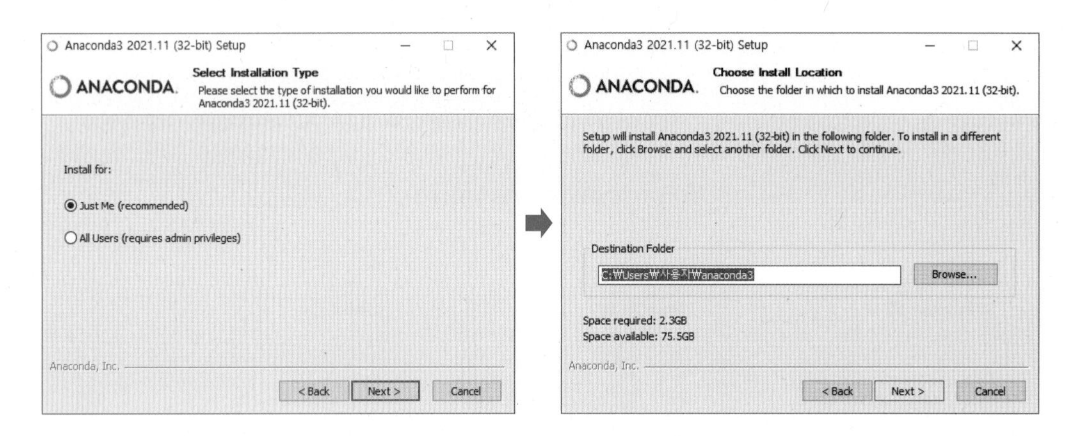

설치 유형 선택 및 설치경로 선택 기본값 사용) 화면

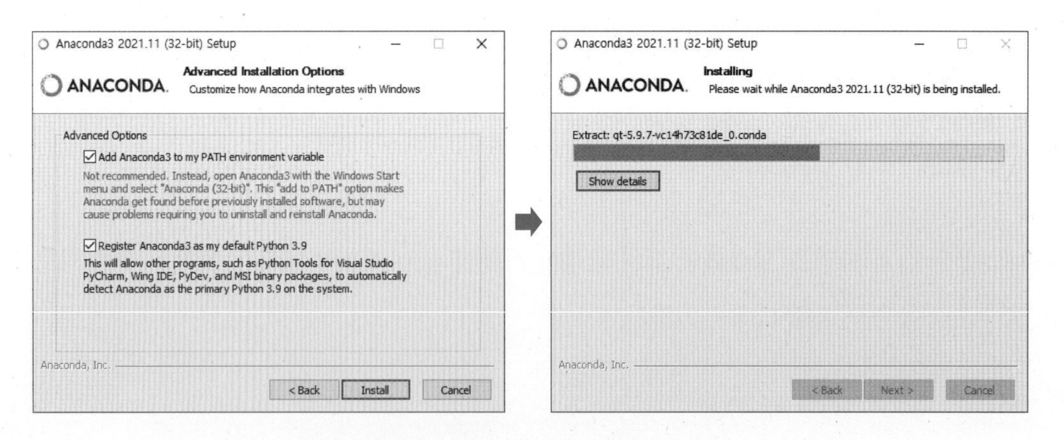

고급 설치 옵션 선택 및 설치 진행 화면
(주의 사항 : 설치 옵션 선택 시 첫 번째 옵션을 선택하여 아나콘다 환경 변수 자동 등록)

A.4 주피터 노트북 설치하기

아나콘다 설치가 완료되었으나, 아직 주피터 노트북이 설치되지 않았다. 설치 완료된 아나콘다 네비게이터(Anaconda Navigator)를 실행하여 주피터 노트북 설치를 완료해야 한다. 윈도우 운영체제의 경우 "시작 메뉴" – "Anaconda3" 메뉴를 선택하면 하위 메뉴로 "Anaconda Navigator"를 선택하여 실행한다.

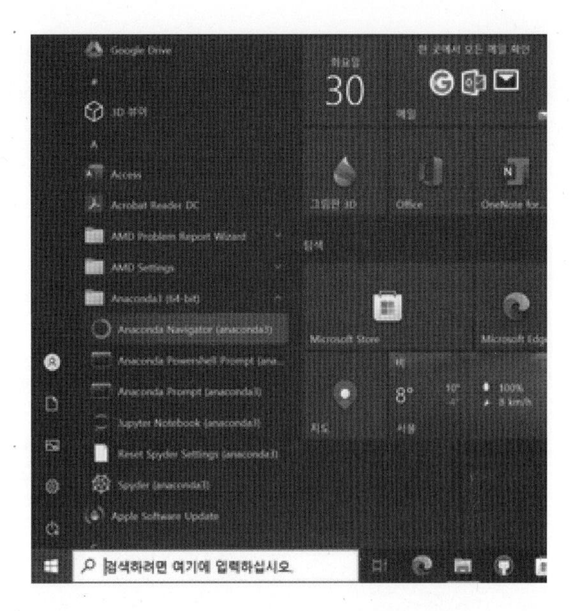

윈도우의 경우 시작 메뉴에 Anaconda3 메뉴가 생성되어 있음

아나콘다 네비게이터가 실행되면 화면에서 주피터 노트북 패키지를 찾아서 "Install" 버튼을 클릭하여 주피터 노트북을 설치한다. 자동으로 설치되기 때문에 설치 과정의 어려움은 없을 것이다.

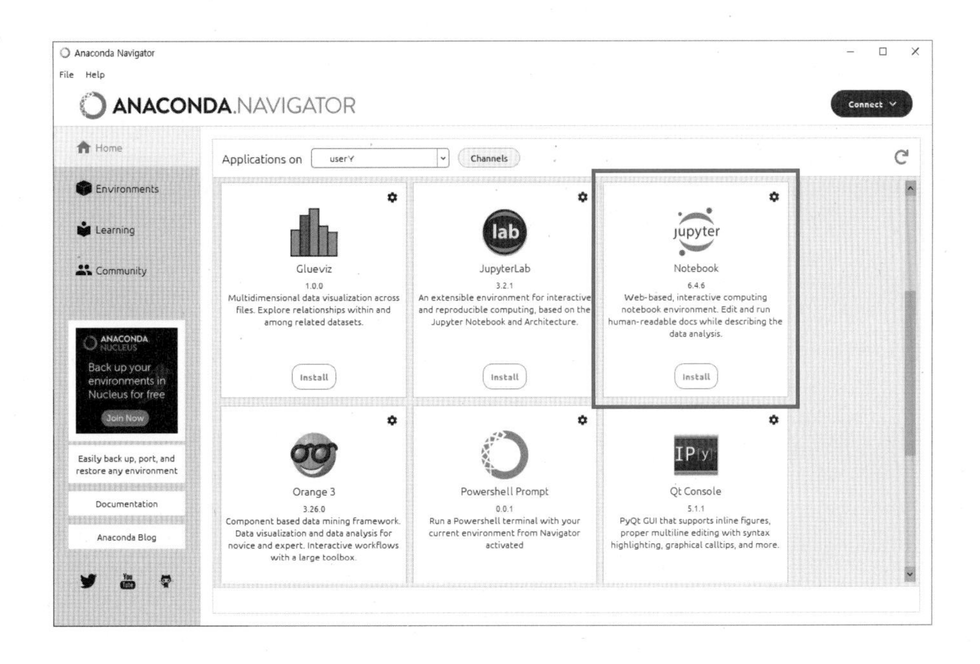

A.5 주피터 노트북 실행하기

아나콘다 설치가 완료되면 윈도우 “시작메뉴–Anaconda3” 하위에 “Juputer Notebook”이 나타난다(Window 운영체제). 해당 메뉴를 선택하여 실행하면 명령창이 실행되면서 주피터 노트북 실행을 위한 연결을 진행한다.

주피터 노트북 실행 메뉴와 실행 화면

주피터 노트북 실행 명령창을 닫지 않은 상태로 잠시 기다리면 웹 브라우저가 자동으로 실행되면서 주피터 노트북이 가동된다.

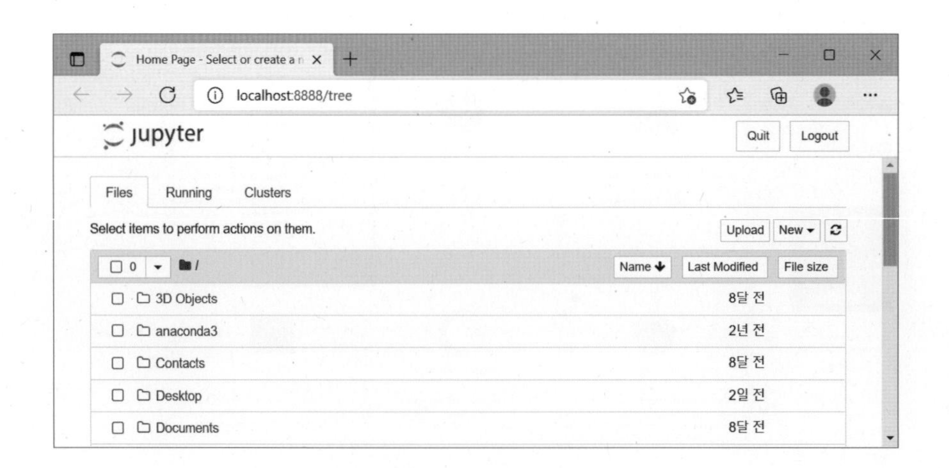

웹 브라우저에서 실행된 주피터 노트북

만약 웹 브라우저 실행이 정상적으로 실행되지 않으면 주피터 노트북 실행 명령창에 출력되는 "http://localhost:8888/?token=...." 또는 "http://127.0.0.1:8888/?token=...."을 웹 브라우저 주소창에 직접 입력하여 실행할 수도 있다. 이때, token 값은 명령창의 생성된 값을 입력하여야 한다.

A.6 새 노트 만들기와 사용하기

주피터 노터북은 파이썬 프로그램 작성뿐만 아니라 노트북이라는 영역 내부에 프로그래밍 소스 코드와 문서(Documnet)를 직접 작성하여 저장할 수 있다. 새로운 노트로 파이썬 소스를 만들어보자. 주피터 노트북 화면 오른쪽 상단에 있는 "New" 버튼을 클릭하고, 드롭다운 메뉴에서 나타나는 "Python3"을 선택하여 파이썬 소스코드 작성을 위한 새 노트를 생성시킨다.

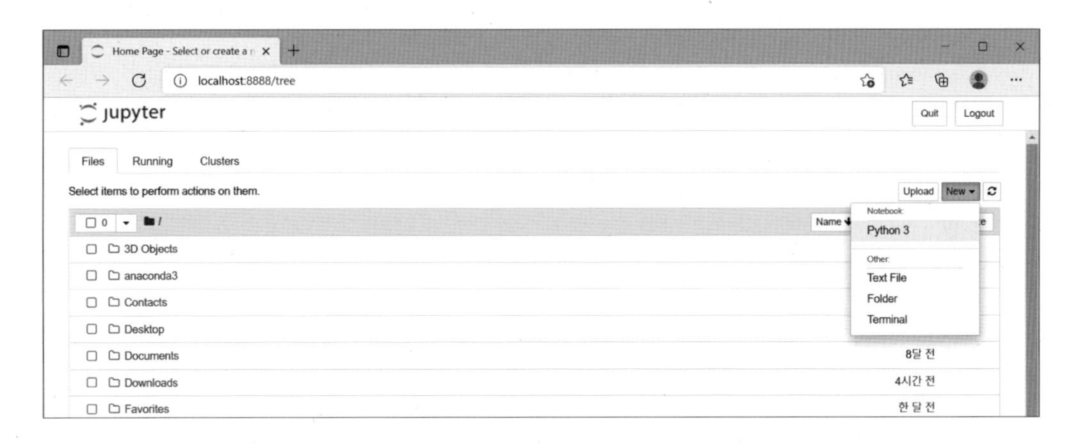

주피터 노트북에서 파이썬 소스 노트 만들기

새로운 노트가 만들어지면 "In[]"이라는 레이블과 함께 셀(Cell)이라고 부르는 텍스트 입력 상자가 나타난다. 우리는 앞으로 셀에 파이썬 코드를 입력하고 도구 모음에 있는 실행(Run) 버튼 (또는 메뉴 "Cell" – "Run Cell")을 클릭하여 실행 시킨다. 아래는 print 함수를 이용하여 "Hello~ Python Programming!"을 화면에 출력하는 것과, 변수에 값을 대입하고 출력하는 것을 차례대로 실행하였다.

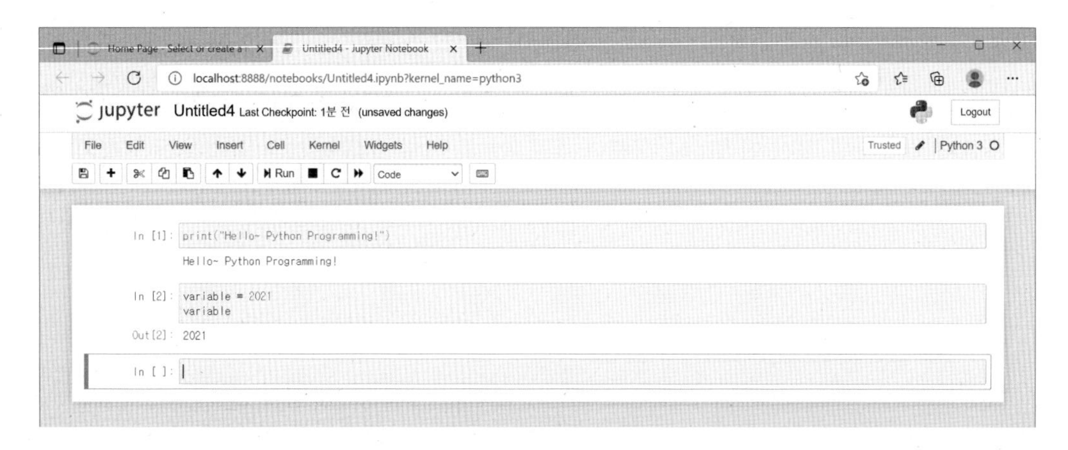

파이썬 소스 작성 및 실행

한 셀의 코드가 실행되면 새로운 셀이 자동으로 생성되며, 각 셀에는 파이썬 코드 전체는 물론 기능별로 구분되는 부분적인 코드를 입력하여 가독성을 높일 수 있고, 셀 단위로 실행과 전체 셀을 한 번에 실행하는 것도 모두 가능하다.

노트를 저장하려면 도구메뉴의 저장 아이콘 또는 "File" – "Save and Checkpoint" or "Save as ..."를 클릭하여 저장한다. 파일 이름을 변경하려면 화면 상단의 "Untitled"를 클릭하거나 "File" – "Rename ..."을 클릭하여 새로운 이름을 입력한다.

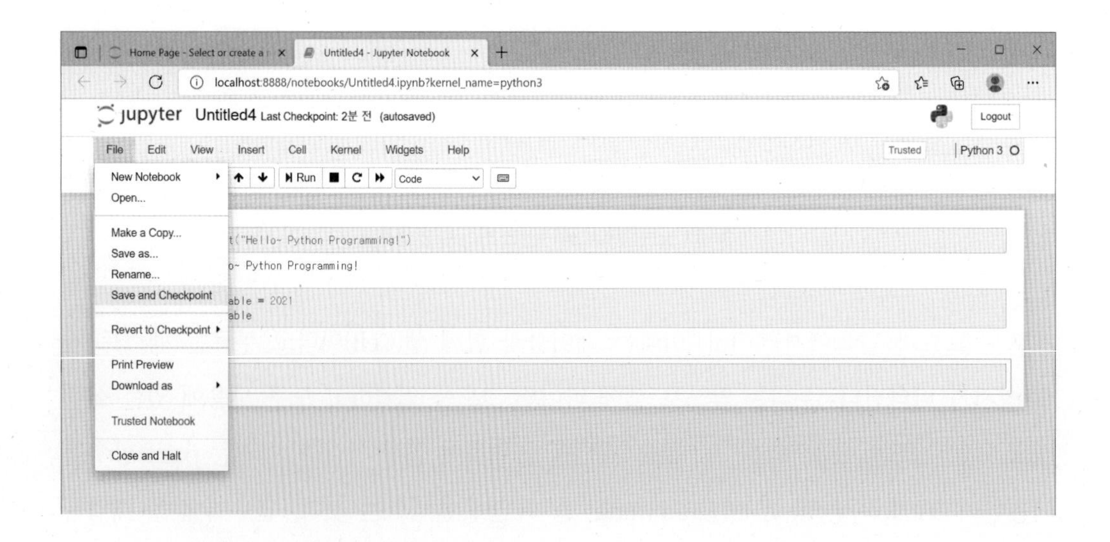

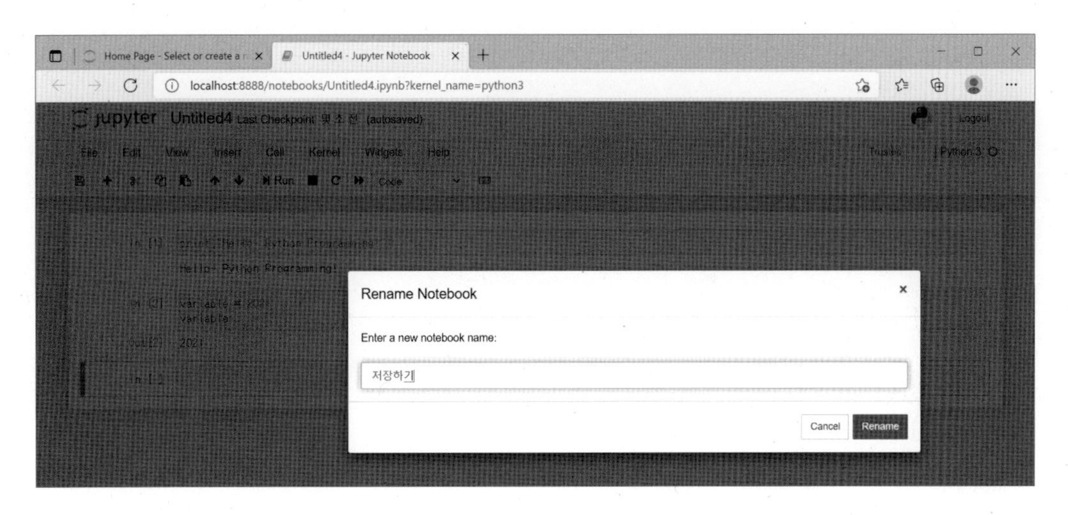

노트 저장하기와 이름 변경하기

노트의 저장 버튼을 누려면 체크 포인터가 만들어지는데, 이는 언제나 해당 시점으로 복원할 수 있도록 하기 위한 것으로 버전 관리가 가능하다고 이해하면 된다. 원하는 복원 시점으로 되돌아가고 싶을 때는 "File" – "Revert to Checkpoint" 클릭 후 [복원하고 싶은 시점]을 선택한다.

INDEX